А. Ю. Романов

МЕЖПОКОЛЕНЧЕСКАЯ КОММУНИКАЦИЯ

URSS

МОСКВА

ББК 60.5 81.1 88

Романов Артемий Юрьевич
Межпоколенческая коммуникация. — М.: Книжный дом «ЛИБРОКОМ», 2009. — 256 с.

Настоящая книга знакомит читателя с проблематикой межпоколенческих коммуникативных исследований, вводит в курс теоретических моделей, используемых при описании коммуникативного взаимодействия людей разного возраста. Впервые на русском языке приводится подробный анализ факторов, которые влияют на межпоколенческую коммуникацию внутри и вне семьи. Читатель познакомится с результатами проведенных автором социолингвистических опросов, проливающих свет на коммуникативное поведение россиян и их восприятие общения с людьми разного возраста. В работе приводятся многочисленные примеры общения между поколениями, как внутри семьи: между родителями и детьми, бабушками, дедушками и их внуками, тещами и зятьями, свекровями и невестками; так и вне семейного круга. Предлагаются практические рекомендации и советы, позволяющие решать задачи повышения уровня эффективности коммуникации между представителями разных поколений.

Книга адресована специалистам, интересующимся проблемами социолингвистики и речевой коммуникации, студентам, аспирантам и преподавателям вузов, социальным работникам и всем, чья профессиональная или общественная деятельность связана с коммуникацией между людьми разного возраста.

Издательство «Книжный дом "ЛИБРОКОМ"».
117312, Москва, пр-т Шестидесятилетия Октября, 9.
Формат 60×90/16. Печ. л. 16. Зак. № 1911.

Отпечатано в ООО «ЛЕНАНД».
117312, Москва, пр-т Шестидесятилетия Октября, 11А, стр. 11.

ISBN 978–5–397–00053–6

НАУЧНАЯ И УЧЕБНАЯ ЛИТЕРАТУРА
E-mail: URSS@URSS.ru
Каталог изданий в Интернете:
http://URSS.ru
Тел./факс: 7 (499) 135–42–16
URSS Тел./факс: 7 (499) 135–42–46

6103 ID 82544

9 785397 000536

Оглавление

Предисловие 6

Введение 9

Глава I.
Теоретические основы в трактовке
межпоколенческого общения 12

  1. Межгрупповая теория 12

  2. Теория социального обмена 16

  3. Теория коммуникационного приспособления 18

  4. Модель затрудненной коммуникации
     в процессе старения 22

  5. Модель активизации стереотипов
     в межпоколенческом общении 24

Глава II.
Факторы межпоколенческой коммуникации 26

  1. Возрастные категории в историческом развитии 26

  2. Положение пожилых в пост-советской России 33

  3. Изменения в структуре семьи
     и в характере коммуникации 39

4. Межпоколенческие коммуникативные контакты вне семьи 41

5. Коммуникативные трудности и фактор власти при внесемейном общении 45

6. Особенности и проблемы внутрисемейного общения между поколениями 47

7. Возрастные стереотипы и клише 57

8. Восприятие коммуникации между людьми разных поколений 63

9. Коммуникация между поколениями в восточных культурах 66

10. Избегание тем в процессе коммуникации 73

11. Восприятие снисходительной и упрощенной речи пожилыми 74

ГЛАВА III.
СОЦИОЛИНГВИСТИЧЕСКИЙ ОПРОС ПО ПРОБЛЕМАМ
МЕЖПОКОЛЕНЧЕСКОЙ КОММУНИКАЦИИ 78

1. Задачи анкетирования и условия проведения опроса ... 78

2. Результаты опроса 83

3. Восприятие общения в разных возрастных группах 92

4. Оценка собственного коммуникативного поведения 98

5. Дискуссия 101

ГЛАВА IV.
СОЦИОЛИНГВИСТИЧЕСКИЙ ОПРОС ПО ИСПОЛЬЗОВАНИЮ
И ПОНИМАНИЮ ЦЕРКОВНОЙ ЛЕКСИКИ ПРЕДСТАВИТЕЛЯМИ
РАЗНЫХ ПОКОЛЕНИЙ 105

1. Церковная лексика в современном русском языке ... 105

2. Опрос по использованию и пониманию церковной лексики 108

3. Результаты опроса 109

4. Корреляционный анализ 117

5. Дискуссия 125

ГЛАВА V.
МЕЖПОКОЛЕНЧЕСКАЯ КОММУНИКАЦИЯ В ЛИЦАХ: ПРИМЕРЫ, ПРОБЛЕМЫ И РЕШЕНИЯ 128

1. Исторические изменения в характере межпоколенческой коммуникации 128

2. Межпоколенческое общение в пьесах А. Н. Островского 129

3. Общение между родителями и дочерьми 132

4. Общение между сыновьями и родителями 143

5. Общение между взрослыми детьми и пожилыми родителями 151

6. Общение через поколение: бабушки и дедушки — внуки и внучки 155

7. Общение с родственниками мужа и жены 167

8. Болезненные самораскрытия 176

9. Тематика рассказов пожилых родственников 192

ГЛАВА VI.
ПУТИ ПРЕОДОЛЕНИЯ МЕЖПОКОЛЕНЧЕСКОГО БАРЬЕРА В ОБЩЕНИИ 200

1. Образование для пожилых 201

2. Стажерская геронтологическая практика 210

3. Волонтерская работа среди пожилых 211

ВЫВОДЫ 215

ПРИЛОЖЕНИЕ 1 219

ПРИЛОЖЕНИЕ 2 222

ПРИЛОЖЕНИЕ 3 226

БИБЛИОГРАФИЯ 228

SUMMARY 246

Предисловие

Несколько лет назад наша семья переехала в новую квартиру на улице Тафт в городе Болдер, штат Колорадо. Болдер — симпатичный университетский город, расположившийся на плато, на высоте два километра над уровнем моря, с видом на живописные склоны Скалистых гор. Улица Тафт совсем коротенькая — на ней стоит всего пять домов. Самое большое восьмиэтажное здание занимает дом для престарелых, который входит в целую сеть подобных заведений, построенных в разных уголках Америки. Дом для престарелых на нашей улице принадлежит организации Good Samaritan Society, которая специализируется в услугах по уходу за пожилыми людьми. Средний возраст постояльцев, проживающих в американских домах для престарелых, составляет около 80 лет.

По утрам обитатели нашего дома для престарелых выходят на прогулку вдоль поросшего ивами ручья, который течет недалеко от улицы Тафт, и бредут по тенистой дорожке обычно по одиночке, время от времени останавливаясь передохнуть. Пара старичков выходит на прогулку, везя на тележке баллон с кислородом, от которого тянется эластичная дыхательная трубка. Без дополнительного источника кислорода в разреженном горном воздухе старикам и старушкам было бы и не погулять. Некоторых из пожилых обитателей дома приезжают прогуливать родственники — вывозят их подышать свежим воздухом на инвалидных колясках.

По другую сторону улицы Тафт стоят три трехэтажных дома, в которых живут в основном студенты и аспиранты Колорадского университета — их средний возраст около 20–25 лет. На балконах студенческих домов стоят велосипеды, лыжи, сноуборды и другое спортивное оборудование. По утрам студенты спешат на занятия с рюкзаками, наполненными учебниками, тетрадями и портативными компьютерами, а во второй половине дня молодежь выходит в спортивной одежде на пробежку по той же самой дорожке вдоль ручья. Вечером, особенно по пятницам и субботам, с балконов студенческих квартир раздается музыка и молодые люди собираются на вечеринки. Иногда ближе к ночи к студенческим домам приезжает полиция, чтобы разбираться с жалобами от соседей на шум, а также чтобы проверить, не употребляют ли на вечеринке алкогольные напитки те, кому еще не исполнилось 21 года.

Два возраста, два социальных мира, которые почти не пересекаются. Если не считать мимолетных скользящих взглядов и односложных приветствий на улице, которыми иногда обмениваются старики, старушки и студенты, то кажется, что между этими мирами почти полностью отсутствует какое-либо общение. Разные интересы, разные заботы, да и повседневные занятия совсем разные... Но нет, это не совсем так. Вспоминаются президентские выборы в США 2004 г. Избирательный участок нашего округа был организован как раз в доме для престарелых. Все, кто мог и хотел голосовать в этот день, приходили в вестибюль, где садились в очередь для голосования...

На избирательном участке ухоженные и накрашенные старушки из дома для престарелых оживленно переговаривались. Две старушки передвигались в очереди на электрических колясках и приветливо поглядывали на молодежь. Стариков в очереди было не так много, но те, кто пришел голосовать, внимательно и несколько придирчиво рассматривали избирательные бюллетени. Помимо голосования за кандидата в президенты страны, избирателям нужно было определиться в выборе по многочисленным местным инициативам штата и города: дополнительный налог на недвижимость для покрытия школьных расходов, выделение средств из местного бюджета на приобретение городом нового участка для парка, инициатива по предоставлению нетрадиционной сексуальной ориентации дополнительных прав, выбор местных судей и прочее.

На участке для голосования с энтузиазмом работали три старушки-волонтерки лет под 80: проверяли документы, удостоверяющие личность голосующих, находили их фамилии в списках избирателей, просили расписаться и выдавали бюллетени для голосования. Студенты сидели в очереди какие-то притихшие, вежливо и немногословно отвечали на вопросы пожилых работников избирательного участка. Чувствовалось, что для многих из них разговор с восьмидесятилетними дамами был делом весьма необычным и некоторые из них немного стеснялись. Пожилые волонтерки, напротив, задавали вопросы молодым избирателям с очевидным оживлением и пытались шутить со студентами: *Первый раз голосуете? Посоветовались со своим бойфрендом за кого голосовать? Теперь у вас есть хорошее оправдание, если опоздаете на лекцию, правда? В восемнадцать лет я ходила только на вечеринки, а вам президента выбирать!* (в связи с относительно недавним понижением избирательного возраста в США с 21 до 18 лет). Старушки явно были в ударе и получали удовольствие от общения с новыми людьми.

Сидя в очереди на избирательном участке и наблюдая за коммуникативным поведением людей разного возраста, я невольно задумался над вопросами, на которые я попытался впоследствии найти ответы и обосновать их в этой книге. Как часто возникает общение между пожилыми, молодыми и людьми среднего возраста? Какие факторы способствуют межпоколенческому общению, а какие затрудняют коммуникацию? В каких ситуациях молодые и пожилые участники общения получают удовлетворение от процесса коммуникации? На какие темы обычно говорят между собой люди разного возраста? Имеются ли какие-либо отличия в общении людей разных поколений в России, европейских странах, США и странах Востока?

Так, весьма банальная коммуникативная ситуация на улице, где располагается наш дом, оказалась фактором, который отчасти и подтолкнул к изучению особенностей и проблем общения между поколениями.

ВВЕДЕНИЕ

Изучение межпоколенческой коммуникации направлено на анализ особенностей общения людей разного возраста и является новым перспективным направлением коммуникативной лингвистики. Первые работы по межпоколенческой коммуникации начали появляться в американских и британских научных журналах лишь в конце 70-х гг. прошлого века. Исследования в этой области коммуникации были вызваны повседневными реальными нуждами людей. Какие рекомендации по общению можно дать 40-летнему социальному работнику, чтобы наладить эффективный коммуникативный контакт с 80-летней одинокой старушкой? На какие темы лучше направить разговор взрослой дочери при беседе с матерью с тем, чтобы избежать очередного конфликта? Чем отличается общение пожилого мужчины со своим сверстником от его же коммуникативного поведения при разговоре с 20-летним внуком? Какими коммуникативными приемами следует воспользоваться начинающему молодому менеджеру с тем, чтобы наладить работу в коллективе, где средний возраст сотрудников приближается к предпенсионному?

Анализ подобных ситуаций показывает, что возраст участников коммуникации является важнейшим фактором, который во многом влияет на частоту и процесс коммуникации, на тематику общения, на акты коммуникационного самораскрытия и на уровень удовлетворения, которое получают коммуниканты от процесса общения. Лингвисты, психолингвисты и социологи с разных сторон приступили к изучению проблем, с которыми сталкиваются люди разных поколений, когда вступают в коммуникативный контакт между собой. Работы, опубликованные в 80-е и 90-е гг. прошлого века (Chudakoff 1989, Cicerelli 1981, Coupland et al. 1991, Miller-Rassulo 1992, Nussbaum et al. 1995, Roloff 1981, Turner 1986, Williams et al. 1996 и пр.) заложили основу для эмпирического изучения и теоретического осмысления проблем межпоколенческой коммуникации в XXI в.

Коммуникативная лингвистика является достаточно новым направлением, особенно для российской науки. Коммуникативная лингвистика выражает тенденцию в развитии языковедения «от установления правил формальной грамматики, описывающей внутреннюю, имманентную структуру языка, к выявлению общих стратегий производства и понимания дискурса, к построению теории пользования языком, которая может опираться только на деятельностную основу» (Аристов, Сусов 1999). В коммуникативной лингвистике объектом изучения являются не традиционные лингвистические единицы, такие как морфема, слово и предложения. Объектом исследования становятся коммуникативные ситуации и коммуникативные действия человека, которые зависят от его целей, потребностей, мотивов, ожиданий и намерений. К переменным, влияющим на ход коммуникации, относятся социальные и возрастные характеристики участников общения, степень их родства или знакомства, социальные нормы и ситуативный контекст. В коммуникативной лингвистике используются методы социолингвистики, психолингвистики и социальной психологии.

Коммуникативная лингвистика активно развивается, начиная с 60-х гг. прошлого века, и стала одной из ведущих дисциплин, особенно в американских университетах, как по объему выполняемых теоретических и прикладных исследований, так и по количеству обучающихся студентов. Для примера, в университете штата Колорадо в Болдере, где работает автор книги, на кафедре лингвистики занимается всего 120 студентов и аспирантов, в то время как на кафедре коммуникации учится более 600 студентов. В ведущих университетах России кафедры коммуникации начали создаваться лишь в самом конце XX в. и в начале текущего столетия. Их организуют на базе филологических факультетов, факультетов журналистики, а также при социологических факультетах и школах бизнеса.

Для большинства филологических факультетов и лингвистических кафедр в России такие дисциплины, как межкультурная коммуникация, анализ дискурса, конверсационный анализ, исследование спонтанной устной разговорной речи являются достаточно новыми. Неудивительно, что немногочисленные работы, опубликованные по коммуникативной лингвистике в России, во многом носили реферативный характер (Макаров 1998; Почепцов 1998) и авторы в основном опирались на исследования, проведенные в США и европейских странах. Исследования, посвященные общению между представителями разных поколений, в которых бы фактор возраста рассматривался в качестве ключевого, на русском языке и на российском коммуникативном материале отсутствуют.

Наша работа знакомит читателя с проблематикой межпоколенческих коммуникативных исследований, вводит в курс теоретических моделей, используемых при описании коммуникативной деятельности. Приводится подробный разбор факторов, которые влияют на межпоколенную коммуникацию внутри и вне семьи. Рассказывается об исторических изменениях возрастных категорий, изменениях в структуре семьи; на большом фактическом материале оценивается положение пожилых в постсоветской России. Проводится анализ фактора власти во внесемейном общении, а также дается оценка сложившихся стереотипов и клише по отношению к пожилым людям. В книге мы выявляем и описываем особенности и проблемы межпоколенческой коммуникации в России, сравнивая ее с общением людей разного возраста в других странах. Мы делимся с читателями результатами двух проведенных нами социолингвистических опросов: по восприятию и оценке собственного коммуникативного поведения при общении с молодыми, пожилыми и людьми среднего возраста, а также по использованию и пониманию церковной лексики носителями языка разного возраста. В работе приводятся многочисленные примеры общения между поколениями, как внутри семьи: между родителями и детьми, бабушками, дедушками и их внуками, тещами и зятьями, свекровями и невестками; так и вне семейного круга. В заключительной главе описаны примеры перспективных образовательных и волонтерских проектов по преодолению барьеров и уменьшению трудностей в межпоколенческом общении, особенно остро проявляющихся в коммуникативной изоляции пожилых людей.

ГЛАВА I

Теоретические основы в трактовке межпоколенческого общения

1. Межгрупповая теория

Одним из теоретических подходов в трактовке межпоколенческого общения является т. н. *межгрупповая теория* (intergroup theory, Turner 1982, 1986), разработанная специалистами по социальной психологии, и нередко применяемая для анализа межгрупповых столкновений на этнической почве.

Основой межгрупповой теории является постулат о двух формах идентификация людей — личной и социальной. Личная идентификация подразумевает самоопределение личности по набору физических свойств, умственных качеств и особенностей поведения (например, «*я — высокая спортивная крашеная блондинка, с хорошими аналитическими способностями и высоким темпом речи*»). Социальная идентификация сводится к осознанию своего группового членства, места в общественной структуре общества (например, «*я — 70-летний пенсионер, большую часть жизни проработавший инженером на оборонном предприятии, активный участник коммунистических митингов, из-за смуглого оттенка кожи нередко на улице принимаемый за лицо кавказской национальности*»). И личная, и социальная идентификация определенным образом проявляются при межгрупповом общении. В зависимости от ситуации общения акцент может делаться на социальной или индивидуальной идентификации. Например, при общении с продавцами на рынке может оказаться, что для пенсионера не столь важна его индивидуальная этническая идентификация (мать — еврейка, а отец — поволжский немец), а важен тот факт, что, исходя из особенностей внешности, его нередко принимают за лицо кавказской национальности (социальная идентификация). Следует отметить, что личная и социальная идентификация изменяются в течение всей жизни человека.

При описании типичных черт социума нередко указывают на то, что людям свойственно проводить социальную стратификацию и относить себя к той или иной социальной группе. В известном эксперименте (Tajfel 1981) участники были распределены по двум группам методом случайного выбора. Участникам эксперимента было заявлено, что их разделили по группам и записали в группу А, либо в группу Б. Затем была поставлена задача распределить денежные призы среди участников своей и чужой группы, однако никаких специальных правил распределения призов предложено не было. Оказалось, что в большинстве случаев денежные призы, выделяемые членам своей группы, с которыми участники эксперимента не были знакомы, оказались существенно больше, чем призы, выделяемые людям из чужой группы. Как видно, даже при таком искусственном разделении на группы, предпочтение отдавалось тем, кто принадлежал к «своей группе».

Людям свойственно отдавать предпочтение «своим» в разных ситуациях: своей спортивной команде, выходцам из своего города, людям, принадлежащим к той же самой этнической группе и т. д. Информация о принадлежности к той или иной этнической группе передается через оттенок кожи и черты лица и фигуры; информация о принадлежности к числу болельщиков той или другой спортивной команды передается через футболки, шарфы и другие специальные атрибуты с символикой того или иного клуба. Участниками коммуникации используется готовая информация, например, демографические характеристики (пол, возраст, раса), внешние характеристики (одежда, прическа, макияж, наличие татуировки) и делаются почти мгновенные выводы о принадлежности или не принадлежности к той или иной группе. Причем фактор важности, весомости первого впечатления (*По одежке встречают ...*) при социальной категоризации людей у социологов не вызывает сомнения. При первой встрече участники коммуникации должны в течение всего нескольких секунд выбрать тон, тему и характер разговора.

Рассмотрим следующую ситуацию. Потерявшись в Петербурге, среднего возраста турист из Москвы обращается с вопросом (*Как добраться до Невского проспекта?*) к пожилой женщине, которая неторопливо идет навстречу. Почему именно к ней? В результате спонтанной категоризации турист делает следующий вывод: пожилая дама является, скорее всего, пенсионеркой, которая не торопится на работу, и у которой есть достаточно времени для объяснений. Возможно, пожилая женщина окажется одинокой блокадницей, которой особенно не с кем поговорить, коренной петербурженкой, которая с удовольствием блеснет знанием родного города.

Менее вероятно, что наш турист задаст подобный вопрос молодому человеку, в порванных на причинном месте джинсах и с большим количеством металлических предметов в ушах, в носу и языке. Спонтанная социальная категоризация натолкнет туриста на мысль о том, что, скорее всего, от такого металлиста (а, возможно, и наркомана) вряд ли дождешься дельного ответа и, весьма вероятно, нарвешься на нежелание отвечать, либо на полное незнание города, либо на неоправданную грубость.

Рассматривая себя в качестве членов той или иной социальной группы, люди часто пытаются провести сравнение между социальной группой, к которой они относят себя, и группами, к которым они не принадлежат. В ходе подобных сравнений людям важно выявить различия между своей собственной и другими социальными группами. Исследователи заметили, что людям обычно хочется сделать вывод о превосходстве своей социальной группы (Turner 1986) и недостатках, явных или мнимых, представителей другой социальной группы. Другими словами, для многих людей одним из мотивов сознательного или невольного сопоставления социальных групп является нацеленность на поиски позитивных особенностей своей группы с тем, чтобы ощутить собственное превосходство.

Таким образом, для процесса общения является важным то, происходит ли общение между представителями одной социальной группы или же коммуникация ведется между членами разных социальных групп. Если общение происходит между представителями одной группы, то в процессе коммуникации важными оказываются индивидуальные специфические качества участников общения. Однако при общении между представителями разных социальных групп, в соответствии с теорией межгруппового общения, индивидуальные характеристики говорящих становятся менее важными, а на первый план выдвигаются черты, связанные с социальной принадлежностью участников разговора. В результате, в процессе межгрупповой коммуникации нередко происходит актуализация стереотипов, связанных в общественном сознании с той или иной социальной группой, которые могут приводить к негативным оценкам, недопониманию и разного рода конфликтам. Это может проявиться, например, при общении между малознакомыми или вообще незнакомыми друг с другом людьми, когда фактор возраста может предопределять характер общения. Диалог в метро:

— *Молодой человек, уступите, пожалуйста, место пожилому человеку!*

— *Могли бы старики, блин, и не в час пик, блин, на метро рассекать* (неохотно поднимаясь с сиденья, молодой мужчина, не глядя в сторону старушки, бормочет под нос).

— *Вот спасибо, сынок, во какой вежливый! А все молодежь ругают...* (не расслышав бормотания, подает реплику садящаяся старушка)

Ощущение принадлежности к той или иной социальной группе может отличаться по силе и степени релевантности для каждого человека. Например, для многих молодых людей принадлежность к определенной группировке может быть очень важна, что нередко отражается на их внимании к деталям своей одежды и прически, в следовании определенным музыкальным пристрастиям и т. д. Заостренное ощущение принадлежности к определенной возрастной группе может проявляться в запрограммированности на определенный характер общения с представителями иной возрастной группы — например, бессознательное или даже намеренное игнорирование вопроса, заданного незнакомым пожилым человеком на улице, или подчеркнутое повышение голоса, связанное с ожидаемыми проблемами слуха у престарелых.

В социальной психологии нередко высказывается мнение (Harwood, Giles, Ryan 1995), что общение между представителями двух различных поколений может иметь общие черты с общением людей, принадлежащих к разным этническим группам или разным субкультурам. И в том и в другом случае могут иметь место групповая категоризация, социальное сравнение, актуализация стереотипов, а также различные формы дискриминации. На самом же деле, как представляется, категория возраста должна рассматриваться в теории коммуникации в качестве уникальной. Дело в том, что в отличие от этнической принадлежности (закрепленной у людей на всю жизнь), в плане принадлежности к той или иной возрастной группе человек постоянно находится в состоянии перехода от одной категории к другой: от подростка-старшеклассника к представителю студенческой среды, от девушки-невесты к даме бальзаковского возраста, от работника предпенсионного возраста к категории работающих пенсионеров и т. д. Кроме того, нельзя забывать, что каждое поколение по-своему уникально, поскольку развивалось в особый исторический период и приобрело особые черты. Например, поколение 20-летних россиян, живущих в первом десятилетии XXI в., несомненно, отличается от поколения 20-летних комсомольцев в 60-е гг. прошлого века. Отличия в идеологии, жизненных устремлениях, в доступе к техническим средствам коммуникации и пр. факторы делают несхожими эти две когорты. Различия между социальными группами, состоящими из людей одного возраста, проявляются, конечно, не только в характере общения, а в несхожем поведении в разных областях жизни. Например, в США экономисты обратили внимание на то, что пенсионеры, пережившие период великой депрессии в 30-е гг. XX в., откладывали на накопительный счет в банке существенно больший процент от своих доходов, по сравнению с более поздним поколением пенсионеров, которые без колебаний пользовались кредитом, расходовали почти все имеющиеся у них средства, откладывая мало денег на накопительные счета.

Размытый характер границ в возрастных группах придает особую специфику процессу возрастной категоризации. Специалисты по социальной психологии установили, что люди испытывают большее ощущение угрозы от представителей иных групп именно в ситуации неясно очерченных групповых границ. В этом случае они стараются найти какие-то специальные способы для подчеркивания, утрирования различий между своей группой и представителями других социальных групп. Например, в среде 30-летних некоторые люди ощущают дискомфорт от осознания того, что в скором времени перестанут относиться к категории молодых (Levin et. al 1980). Некоторые из них сознательно или бессознательно избегают активного общения с пожилыми, а подчас испытывают и геронтофобию — крайнюю форму неприятия пожилых людей.

Хотя межгрупповая теория не является собственно коммуникационной теорией, тем не менее, она лежит в основе важных исследований по межгрупповому общению, коммуникации между поколениями, в частности общению между пожилыми и молодыми. Прежде всего, межгрупповая теория позволяет лучше понять, как люди идентифицируют себя и действуют в качестве членов той или иной социальной группы. Эта теория объясняет, почему в определенных ситуациях групповое членство высоко ценится; почему в одних условиях люди конкурируют друг с другом и в процессе общения стараются поднять собственную оценку за счет других людей, а в других ситуациях делают ставку на взаимопомощь и поддержку.

2. Теория социального обмена

Используя язык, люди создают, поддерживают или расторгают отношения с другими носителями языка. Языковое взаимовлияние при этом является неотъемлемой характеристикой общения. Изучая психологию процесса коммуникации, Roloff (1981, 1987) выработал теорию социального обмена (social exchange approach), которая описывает процесс удовлетворительного и неудовлетворительного общения.

В соответствии с теорией социального обмена, при коммуникации, как и в процессе денежного обмена, люди стараются общаться друг с другом, исходя из принципа взаимной выгоды. Например, если в ходе разговора, один из участников высказывает комплимент другому, то, как правило, в этой ситуации ожидается ответный комплимент.

> — *Ой, какая симпатичная кофточка, и как вам идет, Надежда Павловна!* (молодая женщина обращается к своей более зрелой коллеге)

*— Правда, Светочка, спасибо! А я смотрю, у тебя новая при-
ческа и оттеночек такой интересный.*
— Да нет, просто челку вчера подровняла.

Причем, для достижения положительного результата общения, проме-
жуток времени между актом «коммуникационной расплаты» должен быть
сравнительно небольшим. То, каким тоном, какими словами, с какими пау-
зами, с какой мимикой говорит один из участников общения, влияет на успешность процесса общения.

Если один из собеседников не заинтересован в успешном общении,
он может прибегать к стратегии уклонения от коммуникации, с тем, чтобы
какой-либо коммуникационный обмен вообще не состоялся.

— Молодой человек, ваш билет! (контролер обращается к парню в электричке. Тот начинает рыться в карманах. Контролер ждет
некоторое время)
— Ну что, брал билет или нет? Что молчишь?! (парень продолжает шарить по карманам куртки)
*— Значит без билета. Придется платить. На какой станции
садился?*

В соответствии с теорией социального обмена стилистический регистр употребляемой лексики определенным образом влияет на общение.
Например, рассказывая анекдот с употреблением жаргонных слов и выражений, участник коммуникации ожидает ответного использования жаргонизмов в речи партнера. В противном случае подается сигнал о неудовле-
творительном общении или общении неравных участников коммуникации. Для примера из другого стиля, обратимся к подслушанному диалогу
у святого источника в монастыре Тихонова Пустынь в Калужской области.
У источника расположены две купальни: перед одной стоит длинная очередь паломников, а другая закрыта на замок.

*— Скажите, а можно вон в том домике окунуться в источник,
не откроете а? А то мы не достоимся?* (мужчина средних лет обращается с просьбой к пожилому охраннику)
— Эта купель только с благословения батюшки! (охранник
говорит значительно, с недовольным видом)
— А где разрешение-то получать?
*— Благословение получают на подворье, контора около тра-
пезной...*

В данном диалоге использование стилистических средств разных ре-
гистров: нейтральные и разговорные выражения в речи мужчины (*домик,
окунуться, достоимся, разрешение*) и книжная, церковная лексика в речи

охранника (*благословение, купель, подворье, трапезная*), а также неумение или нежелание подстроится под стилистический регистр собеседника указывают на не вполне удовлетворительное общение.

Таким образом, с учетом теории социального обмена, употребление схожих лексико-стилистических средств в процессе коммуникации двух или более участников разговора может рассматриваться в качестве характеристики взаимовыгодного обмена, который способствует удовлетворительному коммуникационному процессу.

3. Теория коммуникационного приспособления

Теория коммуникационного приспособления — communication accommodation theory (Street & Giles 1982; William & Giles 1996) была разработана для понимания и описания различных форм общения, при которых люди модифицируют свою речь исходя из социальных, ситуативных и интеракционных факторов. Для иллюстрации самого понятия коммуникационного приспособления приведем пример. Помню, еще в советское время наша семья снимала дачу и уезжала из Ленинграда на лето в Зарасай, популярное место отдыха в Литве. По возвращении в Ленинград знакомые и родственники утверждали, что чувствовали в нашем языке какой-то странный «прибалтийский акцент», при том что по-литовски мы знали всего несколько слов. Очевидно, за два-три месяца на даче мы приспосабливались к интонационной и произносительной манере русских литовцев и бессознательно копировали ее.

Люди подстраиваются друг под друга, конечно, не только в языке. Достаточно посмотреть на то, как похоже поведение детей, играющих в песочнице; как похоже поведение подростков на школьной дискотеке; как в администрации Ельцина все высшие чиновники вдруг разом увлеклись теннисом, а в администрации Путина также дружно заинтересовались горными лыжами и восточными единоборствами; или как одинаково жалуются люди преклонного возраста на одолевающие их болезни.

При общении коммуникационное приспособление проявляется и на лексическом, и на иных языковых уровнях. Люди, взаимодействуя друг с другом лингвистически, стараются приспособиться друг к другу, используя вербальные и невербальные средства. Street & Giles (1982) утверждают, что в основе стремления быть лингвистически похожим на собеседника (похожая лексика, одинаковые паузы между репликами, схожесть в манере прерывания друг друга) лежит неосознанная уверенность в том, что похожесть в лингвистическом поведении делает вас более привлекательными для участника разговора, и создает ощущение, что собеседники склонны разделять взгляды и вкусы друг друга.

«Леша, да ты купить меня хотел, под самую сетку сбрасываешь», говорит игрок в возрасте на волейбольной площадке. Его партнер по волейболу Леша, который младше лет на 25, отвечает: *«Николай Николаевич, да вас попробуй купить, вы сами кого хочешь прикупите!»*. В диалоге интересно то, что пожилой игрок употребляет сленговое выражение купить, в значении «обмануть», и в ответ Леша тоже использует это же выражение, хотя оно устарело и в современном молодежном сленге в этом значении не используется. Лешино «да вас попробуй купить» является примером коммуникационного приспособления на лексическом уровне со стороны более молодого партнера по общению.

Люди изменяют свою речь, чтобы представить себя в лучшем свете партнеру по общению, и, таким образом, добиться одобрения со стороны собеседника. Ключевым моментом в этом процессе является чуткое восприятие особенностей чужой речи и характер изменения речи.

— *Ну этот пианист на конкурсе просто феноме́н!*
— *Наташ, это так, я согласна, только не феноме́н, а фено́мен.*
— *Ну конечно фено́мен..., хотя Дима почему-то произносит феноме́н.*

Если адаптация в речи воспринимается собеседником как непроизвольный акт, то впечатление партнера от таких изменений более благоприятное. Так, например, было установлено (Williams & Giles 1996), что в разговоре между молодыми и пожилыми носителями языка, в случаях, когда пожилые делали больше попыток приспособиться к речи молодых, был зафиксирован более высокий уровень удовлетворения от общения среди молодых. Описанный вид языкового приспособления Williams & Giles и их коллеги назвали *конвергенцией*.

В общении возможен, однако, и противоположный процесс — *дивергенция*. Дивергенция происходит в ситуации, когда люди при общении друг с другом хотят подчеркнуть мнимые или реально существующие различия между ними и их партнерами в процессе коммуникации.

«А она звони́т мне, ну как эта ...» — в метро громко пересказывает события рабочего дня молодая девушка своей подруге.
«Понаехали из деревни» — неодобрительно замечает вслух дама лет 55. *«В Петербурге звоня́т, а не зво́нят, девушка...»*
«Нечего в чужой разговор встревать! Звоня́т или зво́нят — никакой разницы нет!» (с раздражением реагирует девушка).

Дивергенция может проявляться на разных языковых уровнях. На фонетическом уровне дивергенция может выражаться в противопоставлении нормативных и диалектных черт (аканье и оканье, или г — взрывной, зад-неязычный звук и г — аффрикативный). На лексическом уровне диверген-ция может обнаруживаться в использовании лексических синонимов, от-носящихся к разным стилевым регистрам, использовании ненормативной лексики в ответ на обращение, содержащее стандартные лексические сред-ства и т. д. Нередко дивергенция, противопоставление принимает экспли-цитную форму в коммуникации. Одна из наших московских знакомых любит повторять, что среди ее круга общения, «слава богу, нет людей, кото-рые *звóнят, лóжат и кушают*». Поводом для дивергенции могут быть и вполне безобидные вещи. Мой американский коллега по университету, профессор политологии, не терпит употребления слов-паразитов, или филлеров в речи студентов. Он считает, что те, кто постоянно и немотиви-рованно употребляет в речи: «*basically, you know, like*», не заслуживают вы-соких оценок, и сам тщательно избегает использования филлеров.

Наряду с конвергенцией и дивергенцией в общении между людьми возможен и третий вариант — стратегия сохранения без изменений соб-ственного стиля общения (maintenance). Использование стратегий конверген-ции, дивергенции или сохранения статуса quo происходит в ответ на ожи-дание реакции или с учетом ожидаемой реакции партнера по общению. Например, при общении между пенсионером и старшеклассником, упо-требление в речи старшеклассника элементов молодежного сленга может восприниматься как стратегия дивергенции. С другой стороны, если об-щение идет между двумя старшеклассниками, то те же сленговые выра-жения будут проявлением конвергенции или поддержания статуса quo.

Важным положением теории коммуникационного приспособления является признание того, что участники коммуникации стремятся к фор-мированию собственного положительного образа в глазах людей со схо-жими социо-возрастными характеристиками (Harwood et al., 1995).

Теория коммуникационного приспособления обращает особое вни-мание на интерпретивную компетенцию (interpretive competence) собесед-ника, которая сводится к умению декодировать, распознавать сказанное. Например, при беседе между студентом и его бабушкой, когда молодой человек в ответ на выпытывания бабушки рассказывает, как он познако-мился со своей девушкой в молодежном чате, можно предположить, что студент постарается избегать в рассказе специфических компьютерных тер-минов с тем, чтобы сделать свое повествование более доступным.

Нередко можно услышать, как родители школьников, услышав гру-бые жаргонные слова и выражения в устах своих детей, жалуются друг другу: «*Набрался мой (моя) словечек со двора (из школы)!*» Теория комму-никационного приспособления позволяет объяснить мотивы быстрой лек-сической адаптации молодых людей в плане привлечения в собственную речь сленговых слов и выражений. С другой стороны, теория коммуникационного приспособления помогает истолковать, почему молодые люди, особенно подростки с недостатком социального опыта и уверенности в себе, оказываются менее гибкими в коммуникативной оценке собеседников. Их неуверенность отражается в полном и безоговорочном принятии норм молодежной речи и исключает какую-либо гибкость в следовании этим нормам.

В рамках теории коммуникационного приспособления также уделяется внимание коммуникационным потребностям участников общения, которые проявляются в тактике выстраивания дискурса (например, смена тем для разговора). Дискурсная тактика может проявляться в выборе содержания разговора. Например, пожилые люди могут выбрать тему, которая, как им кажется, более интересна молодым участникам общения, например, обсуждение современной музыки. Разговаривая с молодым человеком о последних тенденциях в области современной музыки, пожилой участник общения концентрируется на коммуникационных потребностях молодого человека и так выстраивает тактику общения, чтобы удовлетворить эти потребности.

> *«Васек, а сегодня опять этот клип с „Блестящими“ по телику крутили, красивые девки, голосистые»*, говорит бабушка, обращаясь к внуку. *«Да они только бюстом трясут. Ты, бабуль, лучше „Корни“ или „Динамит“ слушай — вот это музыка крутая...»* — снисходительно отвечает бабушке внук Вася.

Кроме того, дискурсная тактика может проявляться в выборе межличностных позиций и ролей, в частности для сохранения чувства самоуважения или уважения к собеседнику. В том же примере разговора о современной музыке, молодой участник разговора может постараться так выстроить разговор, чтобы не дать понять пожилому собеседнику, что тот «отстал от жизни лет на 40» в своих музыкальных пристрастиях. И наконец, дискурсная тактика проявляется в выборе формы и характера общения. Скажем, пожилой собеседник, осознает, что очень мало знает о современной музыке и начинает задавать молодому собеседнику один вопрос за другим, чтобы больше узнать о музыкальной тусовке. Подобная форма серийных вопросов — это еще одна из возможных дискурсных тактик.

В теории коммуникационного приспособления нередко говорят также о стратегии контроля над общением, к которой прибегают, когда пытаются преодолеть осознаваемое или неосознанное неравенство ролей в общении. Например, прерывание собеседника, использование разной длинны пауз в разговоре, избежание или, наоборот, поддержание зрительного контакта с собеседником могут рассматриваться в качестве элементов стратегии контроля над общением.

Все указанные тактики по выстраиванию дискурса, интерпретивной компетенции и контролю над общением могут быть названы стратегией коммуникативной подстройки под собеседника. Стратегия коммуникативной подстройки позволяет сгладить имеющуюся социолингвистическую разницу между говорящими, достичь большей психологической близости с собеседником, улучшить эффективность общения. Нежелание же подстраиваться под собеседника обычно приводит к противоположным результатам. Возможен также и результат излишней подстройки, или коммуникативной перенастройки, когда один из участников общения явно перебарщивает в коммуникативном приспособлении.

Так, при общении с престарелыми людьми, использование слишком громкого голоса, утрированно четкой артикуляции, намеренно упрощенных высказываний, лексических единиц с уменьшительно-ласкательными суффиксами (*«Супик бабушка съест, а потом котлетку, и бай-бай на часок...»*) нередко применяются молодыми собеседниками, например, внучкой, ухаживающей за бабушкой. Однако, сама бабушка может весьма неодобрительно расценивать подобное сюсюканье. Впрочем, по наблюдениям Ryan & Cole (1990), в Англии среди резидентов домов для престарелых, особенно с хроническими заболеваниями, реакция по отношению к подобной коммуникативной перестройке в речи обслуживающего персонала в целом оказывается весьма положительной.

4. Модель затрудненной коммуникации в процессе старения

Теория коммуникационного приспособления определенным образом пересекается с другими теориями коммуникации, пытающимися описать процесс общения между людьми разных поколений. Одна из таких теорий — модель затрудненной коммуникации в процессе старения (the communication predicament model of aging — CPM), была создана в качестве попытки суммировать проблемы, возникающие в ходе общения между молодыми и пожилыми участниками коммуникации (Ryan et al. 1986).

Проблемы, на которые проливает свет CPM, сводятся к тому, что молодые участники коммуникации вступают в общение с пожилыми, имея определенный набор стереотипных ожиданий. CPM указывает на то, что физические характеристики пожилого коммуниканта (надтреснутый старческий голос, морщинистое лицо, седые волосы, вышедшая из моды одежда и т. д.) приводят в действие межгрупповую категоризацию и определенные возрастные стереотипы, которые в свою очередь предопределяют характер языкового поведения молодого коммуниканта по отношению к пожилому. Таким образом, поскольку в стереотипном представлении пожилые люди испытывают затруднения с когнитивными процессами, со слухом и зрением, во время разговора с пожилым собеседником молодой собеседник приспосабливает свое языковое поведение с помощью повышения голоса, отбора и ограничения тем для разговора (обычно по пути упрощения), с помощью задавания вопросов для проверки понимания, а также, нередко и посредством использования снисходительной речи (Ryan et al. 1995). Заметим, что хотя некоторые пожилые люди несомненно испытывают проблемы со снижением слуха, а в некоторых случаях и когнитивных способностей, этого снижения не наблюдается у значительной части пожилых людей. Таким образом, трудно судить с первого взгляда нуждается ли пожилой человек в том, чтобы более молодой партнер по коммуникации произносил свои реплики подчеркнуто громко и четко, или упрощал бы их. Именно из-за этой неопределенности и вступают в действие возрастные стереотипы, часто без учета реальных коммуникативных возможностей пожилого участника общения.

Среди затруднений, которые испытывают пожилые участники коммуникационного процесса, многие исследователи выделяют специфическую реакцию на шум (Giordano 2000). Большинство молодых людей получают удовольствие от шумной среды, стимулирующей активную деятельность, и быстро начинают скучать без шумовых стимулов. Пожилые люди предпочитают более тихую и спокойную среду поскольку с возрастом людям сложнее справляться с когнитивной интерференцией, вызываемой посторонними шумовыми стимулами. Пожилые в меньшей степени способны проявлять разделенное внимание, не могут настроится на восприятие информации и легко отвлекаются при наличии посторонних шумов. Поэтому, общаясь с пожилыми людьми, следует обращать внимание на выбор тихой, спокойной среды без посторонних раздражающих шумов. Кроме того, смыслоразлечительная функция мозга с возрастом начинает действовать медленнее, и престарелые люди часто нуждаются в большем времени для обработки прослушанной информации и формулирования ответов.

Высокий темп, а также слишком низкий темп речи могут создавать дополнительные сложности для пожилых людей. Средний темп речи оценивается как произнесение от 125 до 175 слов в минуту, в то же время наш мозг способен обрабатывать объем информации, соответствующий 400–800 словам в минуту. Эксперименты показали, что когда темп речи падает до уровня ниже 100 слов в минуту или превышает 300 слов в минуту, слушание становится затруднительным (Wolff et al. 1983), особенно это справедливо по отношению к пожилому слушателю. Следует учитывать, конечно, тему разговора и степень сложности обсуждаемой проблемы: при повышении степени сложности восприятие осуществляется эффективнее при более низком темпе речи.

Модель затрудненной коммуникации в процессе старения фокусирует внимание на том, что пожилые коммуниканты сталкиваются с подобной формой общения (громкая, упрощенная, снисходительная речь) постоянно и в разных коммуникативных ситуациях и испытывают негативные, вредные последствия, которые сводятся к снижению социальной и коммуникативной активности, постепенному потерю контроля за ходом общения с представителями более молодого поколения, а также и к самостереотипизации: вхождению в роль плохо соображающего и слабо слышащего человека. Все это может приводить к временному ощущению беспомощности у пожилого человека, а в более длительной перспективе, к постоянному состоянию социальной, физической и эмоциональной подавленности. Среди последователей CPM подчеркивается цикличность этого процесса и закрепления стереотипа беспомощности через повторяющиеся коммуникативные акты.

5. Модель активизации стереотипов в межпоколенческом общении

Модель CPM была развита в работах Hummert et al. (1994, 1998), которая предложила убедительную модель активизации стереотипов в межпоколенческом общении (the stereotype activation model of communication). Модель активизации стереотипа анализирует появление как негативных, так и позитивных стереотипов в межпоколенческом общении. Активизация стереотипа связана с возрастом, частотой коммуникативных контактов, качеством контактов с пожилыми людьми, а также когнитивным уровнем общения. Так, люди среднего возраста по сравнению с молодыми обладают более комплексными стереотипическими представлениями о пожилых людях. Сами пожилые имеют наиболее многомерные и позитивные взгляды о пожилых. По наблюдениям Hummert, более развитые люди (в когнитивном отношении) оказываются в состоянии вести общение с человеком другого поколения, при котором они максимально чутко подстраиваются к коммуникативным и иным нуждам партнера по разговору и оказываются меньше подвержены стереотипическим представлениям о пожилых. Модель активизации стереотипов подчеркивает важность и еще одного фактора в межпоколенческом общении: объем и качество предыдущих коммуникативных контактов между людьми разного возраста. Так, если у молодого коммуниканта имелись и реализовались возможности для частого общения с пожилыми, их представления об общении с пожилыми людьми, и о пожилых людях вообще, вероятно, будут богаче и позитивнее. Напротив, у молодых людей с низким уровнем когнитивного развития и редкими контактами с пожилыми скорее всего будут приводиться в действие более негативные стереотипы относительно престарелых людей.

При этом активизация определенных стереотипов несомненно связана и с характеристиками самих пожилых участников коммуникации. Как уже отмечалось, такие физические характеристики, как наличие морщин и седых волос, старческая сутулость и сгорбленность, необходимость пользоваться палкой или другими вспомогательными средствами при ходьбе способствуют активизации определенных стереотипов. Условия, при которых происходит коммуникация, также влияют на активизацию стереотипов. Например, пожилые коммуниканты, которые проживают в домах для престарелых, с большей вероятностью вызывают негативные стереотипы и обуславливают использование речевого поведения, адаптированного к определенному возрасту.

Глава II

Факторы межпоколенческой коммуникации

1. Возрастные категории в историческом развитии

В социолингвистических исследованиях часто используются такие термины, как возрастная когорта и поколение. Возрастная когорта (или возрастная группа) обычно определяется достаточно произвольно, в зависимости от цели социологического или социолингвистического исследования. Интервалом времени для выделения возрастной группы может быть год, несколько лет, например до 19, 20–24, 25–34, 45–54, 55–59, 60 лет и старше, (Беляева 2004, 2005; Савченко 2002), десятилетие, 20–29, 30–39, 40–49 и т. д. (Романов 2000, 2004) или больший временной отрывок.

Совокупность людей, которые родились в течение некоторого исторического периода, составляет поколение. Нередко в социологических исследованиях различают реальное поколение, состоящее из людей, которые родились в определенный исторический интервал времени, и гипотетическое поколение — совокупность современников разного возраста (например, военное поколение, поколение покорителей целины и т. д.). Границы такого поколения определены не только возрастными, но и ценностными и социально-ролевыми критериями (Мангейм 2000). Для настоящего исследования актуальным является и второе значение слова поколение — «совокупность родственников одинаковой степени родства по отношению к общему предку»: внуки, дети, родители, дедушки и бабушки. В этом случае понятие поколения не имеет жестко закрепленной связи с возрастом.

Проблемы межпоколенческого общения так или иначе связаны с возрастными характеристиками участников общения. Повышенное внимание к фактору возраста, возрастная категоризация и возрастная сегрегация, являются следствием исторических изменений, которые происходили в последнее столетие в России и на Западе. Стремительная индустриализация и урбанизация, разрушение патриархальной семьи, сокращение рабочего дня и рабочей недели, рост продолжительности жизни, внедрение новых понятий, таких как социальные гарантии, выход на пенсию и пр., оказывали влияние на изменяющиеся представления людей о возрасте как социальной категории.

С исторической точки зрения наши сегодняшние представления о детстве, отрочестве, молодости, среднем и пожилом возрасте резко отличаются от представлений наших предков. Например, произошли значительные перемены в представлении о детстве. Так, в средневековье на детей возлагались взрослые обязанности (Karp & Yoels 1982): дети, как и взрослые, работали в сельском хозяйстве, занимались ремеслами, выполняли работу по дому. В средневековых портретах детей, а иногда даже и младенцев, изображали со взрослыми чертами, как взрослых в миниатюре. Однако постепенно экономические условия жизни изменялись и, соответственно, происходили изменения в представлениях о детях. Пришло осознание того, что дети имеют свои особые потребности в физическом, социальном и психическом развитии. Например, было признано, что детям не только свойственна потребность в играх, но и то, что игры необходимы для их нормального развития. Как помнят многие читатели, в период развитого социализма в СССР дети стали называться привилегированным классом и оказались в центре многих социальных инициатив.

В языковом плане в предпубертатный период, в возрасте 11–14 лет, происходит приобщение к молодежному жаргону и овладение молодежным сленгом. В этом возрасте подростки, учась в школе, лишены еще прав взрослых людей и зависимы от взрослых. У подростков время, проводимое в школе и среди сверстников, оказывается значительно больше времени, проводимого в общении с членами семьи. Стремление к независимости от родителей, учителей и других окружающих их взрослых, поиск собственного я, усилия по самоутверждению в среде сверстников, членство и выполнение определенной роли в неформальных молодежных группах — все это, так или иначе, влияет на языковое поведение подростка.

В современной России как и на Западе, внешние атрибуты молодежной независимости и протеста выражаются в особенностях прически; волосах, окрашенных в оранжевый или зеленый цвета; кольцах в губах, языке, пупке и пр. частях тела; потертых и порванных особым манером джинсах. Хотя опыт студентов в ВУЗах отличается от опыта старшеклассников в школе, существует, как известно, много сходных факторов, характерных для большинства представителей учащейся молодежи. Это финансовая зависимость от родителей, нередко отсутствие работы или, по крайней мере, стабильной денежной работы, отсутствие пока еще собственной семьи и/или обязанностей по воспитанию детей, интенсивные поиски друзей и подруг, партнеров противоположного пола и т. д.

Окончание формального образования, получение стабильной работы, заведение семьи и детей приходится, естественно, на разный возраст у разных людей, но в среднем, изменение семейного и рабочего статуса в России происходит в возрасте 23–30 лет. Приблизительно с этого возраста, очевидно, должно начинать меняться и языковое поведение. В целом ряде исследований на материале английского языка (Labov 1966; Trudgill 1974; Horvath 1985; Williams & Garret 2002) было показано, как более взрослое поколение носителей языка проявляла черты большего консерватизма по сравнению с языковым поведением молодежи.

Было отмечено, что у людей старше 30 лет проявляется стремление к большей степени стандартности и литературности в собственной речи и одобрительное отношение к высокой степени литературности в речи окружающих. Обычно это объясняется следующими факторами: необходимостью использовать литературный язык на рабочем месте (что весьма характерно для тех, кто стремится к продвижению по службе); лингвистическим давлением в среде окружающих сверстников и коллег по работе; установками на использование норм литературного языка и попытками внедрить в речь ребенка правильные литературные формы при воспитании собственных детей (что особенно характерно для женщин-матерей, Labov 1991). Как показали некоторые социолингвистические работы, с достижением пенсионного возраста и выходом на пенсию происходит ослабление тенденции к языковому консерватизму (особенно среди мужчин, Labov 1972). С уходом на пенсию теряется необходимость придерживаться литературных норм из-за карьерных соображений, а в присутствии уже взрослых детей или в случае, когда взрослые дети уже покинули семью, не нужно обязательно говорить литературно в воспитательных целях. Таким образом, пенсионеры, по крайней мере, англоязычные пенсионеры, начинают говорить менее литературно и правильно, чем более молодые и еще работающие люди.

Тенденция к языковому консерватизму может сосуществовать с тенденцией к «консервации» речевых навыков с возрастом. Например, исследуя вопрос о социальной маркированности языковых единиц, Л. П. Крысин (2000) проследил за употреблением γ фрикативного вместо нормативного г среди лиц различного возраста. Было установлено, что если в сравнительно молодом возрасте речь говорящего содержала эту произносительную особенность, то в зрелом возрасте человек уже не мог отказаться от γ, независимо от устремлений носителя языка к правильности речи.

Представления о среднем возрасте, как особой возрастной категории, стали формироваться уже только в послевоенные годы (Chudacoff 1989).

Появились стереотипные представления об этом периоде жизни, например, понятие о кризисе среднего возраста, привлекшее внимание многих исследователей. Взрослый человек осознает, что молодость уходит, и пытается найти свое место в новых условиях. Опустевшее семейное гнездо, разъехавшиеся дети постоянно напоминают людям среднего возраста о приближающейся старости. Новые поиски смысла жизни людьми среднего возраста, помимо воспитания детей, приводят к разного рода изменениям в привычном поведении. В России, для иллюстрации одного из аспектов мужского кризиса среднего возраста и попыток его преодоления вполне применима старинная пословица «седина в бороду — бес в ребро». В США кризис среднего возраста у мужчин может проявляться в появлении повышенного интереса к спортивным автомобилям или, как и в России, к молодым женщинам. В России кризис среднего возраста в последние годы рассматривается с учетом небывалого всплеска смертности среди сорокалетних мужчин в 90-е гг. XX в., которая оказывалась в 4–5 раз выше, чем смертность женщин в этом возрасте. По мнению специалистов, кризис среднего возраста у российских мужчин проходит на фоне существенно возросших стрессогенных факторов, депрессий, а также массовых алкогольных отравлений и значительного роста самоубийств.

Несвоевременное исполнение социальных и иных ролей, вне общественно принятого возраста, часто осуждается, что хорошо проявляется в фольклорных нарративах: *Какая она уж невеста! Из годов вышла.* «Невозможность выйти замуж мотивируется завершением определенной возрастной фазы... несвоевременная реализация социальной роли влечет как бы выпадение человека из строго регламентированного течения традиционной жизни» (Устюжинова 2001, 2).

Современные представления о пожилом возрасте тесно ассоциируются с достижением пенсионного возраста и, часто не совпадающего с ним, выхода на пенсию. Определение старости стремительно изменялось в последнее столетие. Старость стали связывать не только и не столько с прожитыми годами, сколько с факторами здоровья, социального и финансового благополучия. Рост средней продолжительности жизни, новейшие достижения в медицине и социальном обеспечении в XX в. предопределили то, что во многих развитых странах хронологические определения старости уже не совпадали с тем, что понималось под старостью веком раньше. С ростом продолжительности пожилого периода в жизни людей стали появляться и новые термины (например, ср. в английском языке: the young old; the old old; the oldest old — молодые старые, старые старые, старейшие).

В прошлые века изменяющиеся представления о старости систематически не изучались, хотя существуют любопытные материалы, проливающие свет на эту проблему. Так, этнографические материалы XIX–XX вв. дают возможность судить о крестьянских представлениях о старости в России. Устойчивой возрастной границы наступления старости крестьянская традиция не выделяла, хотя, как правило, стариками и старухами считали людей, достигших пятидесятилетнего возраста (Панченко 2005). По мнению А. А. Панченко, для русских крестьян маркером наступления старости зачастую была утрата человеком репродуктивных способностей и полноценности — как в физиологическом, так и в социально-экономическом отношении. Среди очевидных атрибутов старости в российской деревне была и стариковская одежда. «Старики редко имели штаны (ходили в подштанниках), старухи вместо рубах и сарафанов носили глухую одежду типа сарафана без лямок или передники с рукавами... В целом стариковская одежда приближалась к детской по целому ряду признаков: практическое отсутствие половых различий, запрет на новое платье даже в праздники, отсутствие каких бы то ни было украшений, необязательность штанов (для мужчин) и даже перепоясывания и т. д.» (Бернштам 1988, 69).

Обозначения временных единиц в русском фольклоре (Устюжанинова, 2001) также помогают в анализе традиционного понимания старости в русской деревне. Старость часто описывается с использованием лексических единиц: *год, лето, век. Выйти из годов, из лет выйти, с лет вышедши, из лет вон* — эти выражения семантически близки и означают «состариться, достигнуть конца жизни». «Весь жизненный срок целиком, вся жизнь» описывается словом *век*, которое проявляется в указанном значении в таких выражениях, как *свой век, во весь век, на веку, при веку*, и в производном слове *вековщина* — «срок жизни». Старость, конец жизни описывается выражениями: *лета дойдут, года уходят, вековщина кончается*.

В фольклорных записях хорошо просматриваются такие характеристики старости как частичная исключенность из общества, постепенное лишение социальных продуктивных ролей, наступающая недееспособность (Устюжанинова, 2001, 3): *Я долго в колхозе-то робила, а теперь уж вышла из годов, дак сижу вот дома; Я все на ферме была, дояркой, а года вышли — мне пенсию назначили, не стал больше робит; Рад бы еще побурлачить, да, брат, веки изнемогают; Скоро и вековщина кончится, раз не встаю; Сижу дома год годский. Никуда не хожу: остарела.* Автор исследования подчеркивает, что «физическая активность стариков, напротив, воспринимается как нечто необычное, выходящее за рамки возрастного стереотипа»: *Ирина ходова старуха, веку-то много, а еще ходова и за коровами ходит.* (Там же, 3). Преодоление жизненной границы в фольклорных нарративах часто оценивается негативно, как покушение на чужое, на чужую долю. В конструкциях нередко используется глагол заесть — «присваивать, захватывать» с негативными коннотациями: *Он чужой век заедает; Аль не рожен, не крещен, аль я чужой век заел* (Там же, 4).

В последние сто лет возраст выхода на пенсию стал во многих странах стал новой вехой обозначения начала старости. В СССР пенсионный возраст (55 лет для женщин и 60 лет для мужчин) был установлен в 1932 г. на основе обследований рабочих, выходящих на пенсию по инвалидности, и с тех пор не повышался, хотя характер и условия труда заметно изменились (Синявская 2002). Если в советский период выход на пенсию в 55 лет для женщин и в 60 лет для мужчин казался нормой, то сейчас в России все чаще ведутся дискуссии о необходимости поднять пенсионный возраст до 65 лет или выше, как это уже сделано в США, Канаде и некоторых других западных странах. Так в Великобритании после поднятия пенсионного возраста для женщин с 60 до 65 лет ведется активная дискуссия о дальнейшем увеличении пенсионного возраста до 67 лет к 2030 г. и до 68 лет к 2050 г. (Pensions Commission Report).

За последние 15 лет в пост-советской России все общество прошло через сложнейший период трансформации, однако реформы, как известно, по-разному были восприняты и по-разному отразились на разных поколениях людей и на их взаимодействии и коммуникации друг с другом. Как отмечают социологи, в период общественных реформ «можно наблюдать сложные взаимодействия между различными когортами, их конкурентную борьбу в за социальные преимущества в период трансформаций, формирование и постепенное распространение на другие возрастные группы новых элементов в системе ценностей в молодых когортах» (Беляева, 2004, 32).

Возраст стал существенным дифференцирующим фактором в российском обществе, причем зависимость материального положения и возраста людей стала обратной. Молодое поколение в современной России оказывает доминирующее влияние на изменение ценностей других поколений, поскольку оказалось в лидирующем положении в борьбе за социальные преимущества. В советский период образование, возраст, опыт, стаж и социальные связи во многом определяли уровень материального благополучия. Старшее и среднее поколение находились в более выгодной экономической ситуации; пожилые материально помогали молодым, иногда даже находясь на пенсии. В советский период старшие поколения «являлись тем центром, вокруг которого концентрировались экономические интересы, они несли основную трудовую нагрузку, обеспечивали стабильность ценностной системы общества» (Там же, 33). Внезапный переход к рыночным отношениям дал неоспоримые преимущества молодому поколению, молодежь явно вырвалась вперед, а люди среднего и пожилого возраста демонстрировали совсем иные темпы адаптации к новым экономическим реалиям и скорость освоения новых социальных практик.

Требования рыночной экономики лучше усваивались молодыми людьми, которые стремились получить нужное образование и востребованную специальность; готовы были переучиваться и, если надо, менять место работы; готовы были проявить инициативу и взять на себя риск, связанный с предпринимательской деятельностью. Признается, что через 15 лет после начала реформ раздел между поколением россиян, хорошо приспособившихся к рынку и тех, кто испытывает проблемы с адаптацией, проходит по возрасту в 45 лет (Беляева 2005) и, естественно, с каждым годом продолжает сдвигаться в сторону увеличения. Люди старше 45 лет в массе не удовлетворены своим положением в результате реформ, чувствуют себя ущемленными, многие высказываются за возвращение к плановой социалистической экономике. С другой стороны, чем моложе российские респонденты, тем чаще они оптимистично оценивают свое материальное положение.

Социальное самочувствие отражается в общение между поколениями, для которых свойственна как конкурентная борьба, так и сотрудничество и взаимопомощь, особенно на внутрисемейном уровне. Если в советское время типичными можно было считать разговоры о разных формах материальной помощи со стороны пожилых в адрес молодых («бабушка внесла первый взнос за кооперативную квартиру для внучки», «родители подкинули деньжат к отпуску», «дед отдал внуку автомобиль»), то в постсоветское время динамика материальных трансферов изменилась, что отражается на коммуникативном уровне («с таким богатеньким внуком и пенсия не нужна»; «племянник пристроил родителей на свою фирму и зарплату им платит по полной»; «другие пенсионерки сигареты у метро продают, а эта из-за границы не вылезает — всюду ее дочка отправляет» — из разговоров людей пенсионного возраста). Таким образом, для воссоздания социального портрета поколений в сегодняшней России важно учитывать динамику их социального статуса, стратегию экономического поведения.

Ценностные ориентации российской молодежи и россиян старшего возраста во многом не совпадают. Исследование института социологии РАН «Молодежь новой России: образ жизни и ценностные приоритеты» (Известия, 07.06.2007) показало, что во взглядах представителей двух поколений имеются расхождения по значительному количеству вопросов, от морали до оценки реформ последних 15 лет. Например, на вопрос «Согласны ли вы с тем, что нынешние реформы в России проводятся в интересах молодежи?», молодые россияне почти в два раза чаще, чем люди старшего поколения (29 % и 19 % соответственно), давали утвердительный ответ. Примечательно, что более двух третей опрошенных молодых людей считали, что Россия нуждается в стабильности, а не в кардинальных реформах, проявляя в этом вопросе больший конформизм, чем люди старшего поколения. Молодым людям свойственно стремление к успеху в жизни и молодые россияне готовы энергично бороться за материальные блага. На вопрос «Допустимо ли иногда переступать моральные границы, чтобы добиться успеха в жизни?» респонденты пожилого возраста дали 36 % положительных ответов и 63 % отрицательных. Среди же молодых более половины (55 %) смогли бы переступить через моральные принципы ради успеха в жизни. Почти половина молодых участников опроса была уверена, что моральные нормы и ценности старшего поколения существенно устарели. Для российской молодежи свойственны больший оптимизм и вера в собственные силы: две трети молодых считают, что их благосостояние зависит только от них, тогда как половина представителей старшего поколения полагала, что это в большей степени зависит от экономической ситуации в стране.

Социально-культурные нормы и прошлый опыт старшего поколения в определенном смысле претерпели девальвацию. Если 20–30 лет назад в России в межпоколенных отношениях предполагалась полная преемственность и заимствование опыта старшего поколения, то в пост-советский период молодежь выступает как доминирующий субъект межпоколенного взаимодействия и оказывает значительное влияние на среднее и пожилое поколения россиян. Революционные перемены в обществе усиливают ощущения межпоколенных различий, о чем свидетельствует изменение аксиологических норм, произошедших в результате капиталистических реформ последних 15 лет.

2. Положение пожилых в пост-советской России

Как и во многих странах Европы, население России стремительно стареет. В 1939 и 1959 гг. доля лиц 60 лет и старше составляла соответственно 6,7 % и 9,0 %, а в 2002 г. — уже 18,5 %. Растет и нагрузка на трудоспособное население: в 1939 г. на 1000 чел. трудоспособного возраста приходилось 164 чел. пенсионного возраста, в 1959 г. — 202 чел., а в 2002 г. — 335 чел. (Синявская 2002). В последние 5 лет процесс сокращения населения трудоспособного возраста и одновременного роста количества пенсионеров в России проходил особенно быстро. К январю 2007 г. население России по данным Федеральной Службы Государственной Статистики насчитывало около 142 млн чел., а из них пенсионерами являлись 38 млн чел. Из 38 млн пенсионеров около 19 млн были старше 65 лет, и около 12 млн чел. старше 70 лет. В это же время население в трудоспособном возрасте составляло около 90 млн чел. Другими словами, к началу 2007 г. на 1000 чел. трудоспособного возраста приходилось 442 чел. пенсионного возраста. Старение населения, увеличение доли пожилых людей в поколенческой структуре приводит к тому, что старшее поколение играет еще более заметную роль в социальных отношениях и в межпоколенческой коммуникации.

В пост-советский период российская пенсионная система прошла через несколько кризисов: многолетний дефицит Пенсионного фонда, частые неплатежи и недоплатежи в 90-е гг. прошлого века, дефолт 1998 г., монетизация льгот 2005 г. и др. (для более подробного описания см. Малеева,

Синявская 2005). Нельзя сказать, что и советская пенсионная система была безгрешна, в ней тоже имелся ряд очевидных недостатков: низкий запас прочности в условиях роста численности пенсионеров; низкая дифференциация пенсий как логическое продолжение уравнительной политики в социальной сфере; относительно ранний возраст выхода на пенсию, что увеличивало давление на пенсионную систему; распространенная практика досрочного выхода на пенсию. Однако, несмотря на то, что средний размер пенсий был невелик, «не следует упускать из виду, что часть функций по материальному обеспечению пожилых людей была выведена за рамки пенсионной системы и осуществлялась через политику льгот и привилегий, предоставлявшихся многочисленным группам пенсионеров. Речь идет о бесплатных или частично оплачиваемых услугах: транспортных, жилищно-коммунальных, здравоохранительных и т. д. В этих условиях пенсии обеспечивали социально приемлемый уровень материального обеспечения большей части пожилых людей» (Малеева, Синявская 2005, 2).

В исследованиях подчеркивается, что оптимальное функционирование пенсионной системы, базирующейся на принципе солидарности поколений, возможно при соотношении десяти плательщиков пенсионных взносов на одного пенсионера. Исходя же из приведенных ранее данных, это соотношение в России приближается к 2 : 1, что неизбежно ведет к усилению налоговой нагрузки на работающих граждан. Казалось, следовало бы уже давно поднимать пенсионный возраст в стране с 55–60 лет для женщин и мужчин до 60–65 и даже 65–70, сохраняя пятилетнюю разницу в пенсионном возрасте для женщин и мужчин; или же выравнивать срок выхода на пенсию для обоих полов на более высоком уровне в 60 или 65 лет. Примечательно, однако, что на вопрос: «Одни считают, что пенсионный возраст женщин и мужчин должен быть одинаковым. Другие считают, что женщины должны выходить на пенсию раньше. С каким мнением — первым или вторым — Вы согласны?», всего 14 % российских респондентов согласились с первым мнением, а подавляющее большинство (74 %) посчитали, что женщины должны выходить на пенсию раньше мужчин. Впрочем законодательное изменение пенсионного возраста является одним из наиболее болезненных вопросов для граждан любой страны и часто может приводить к серьезному противодействию между правительством и населением, как это, например, было во Франции и Германии в недавнем прошлом. В России, особенно после массовых выступлений, связанных с монетизацией льгот в 2005 г., правительство прекрасно понимает чуткость населения к возрастной границе пенсионного обеспечения и пока не решается на политически рискованную реформу по пересмотру пенсионного возраста.

Среди текущих и перспективных задач российской пенсионной системы исследователи видят снижение зависимости пенсионной системы от демографических факторов; усиление связи размера пенсий с реальными взносами гражданина в пенсионную систему в течение его трудовой жизни; повышение ответственности работника за финансирование будущей пенсии; обеспечение достойного уровня пенсий в реальном исчислении, а также снижение налоговой нагрузки на работодателя, устранение государственного монополизма в пенсионной сфере и снижение зависимости пенсионной системы от политических факторов (Малеева, Синявская 2005, 4). Пока эти задачи еще не решены и продолжают оставаться предметом обсуждения, пожилые россияне, в условиях неадекватного пенсионного обеспечения, часто готовы продолжать трудиться, получая и пенсию, и зарплату. На вопрос: «Если бы это зависело от Вас, то Вы прекратили бы работать или продолжили бы работать по достижении пенсионного возраста?», 23 % респондентов ответили, что прекратили бы работать, тогда как 36 % продолжили бы работать (Там же, 13). Однако даже у активных, здоровых, трудоспособных пенсионеров возникает много сложностей при продолжении работы и попытках устройства на работу.

Динамика роста пожилого населения в России ставит новые практические задачи по переосмыслению возможностей и ограничений трудовой деятельности пожилых людей, по выработке стратегии вовлечения пожилых людей в сферу занятости и по пересмотру пенсионного порога (Елютина 1999). «Многие из „вытолкнутых“ на пенсию не потеряли мотивацию к работе, хотели бы продолжить трудовую деятельность, однако на практике сталкиваются с серьезными трудностями, связанными с низкими социальными квалификациями» (Елютина, Смирнова 2006, 40). Имеются в виду прежде всего представления в российском обществе о желательности раннего выхода на пенсию, проведения времени в заботах о доме и оказания помощи в воспитании внуков.

Некоторые исследования по проблемам пенсионеров (например, Зелински 2007) дают рекомендации, как стать счастливым пенсионером, а не вышедшим в тираж трудовым кадром. Зелински предлагает заранее, как минимум за несколько лет, составить план жизни на пенсии, найти для себя интересное увлечение, постараться выйти на пенсию вовремя и по собственному желанию, а не в результате увольнения, что дает психологическое преимущество; предусмотреть финансовое обеспечение в пожилом возрасте Тем не менее выход на пенсию часто ассоциируется с потерей социального статуса, обрывом связей с коллегами и знакомыми, дефицитом общения, с ухудшением материального состояния пожилого человека и его семьи. При выходе на пенсию пожилые испытывают высокий стресс и депрессию, особенно в случае вынужденного покидания работы, под давлением начальства и сослуживцев. По некоторым данным, в США, среди пенсионеров, вынужденно покинувших работу, уровень самоубийств стремительно возрастает и оказывается во много раз выше, чем у людей продолжающих трудиться. Можно предположить, что аналогичная тенденция имеет место и в России.

Напротив, продолжение работы в пожилом возрасте способствует поддержанию социального статуса человека, созданию более стабильного и благополучного материального положения, сохранению чувства самоуважения и независимости. К сожалению, практика дискриминации по возрастному признаку при найме на работу широко распространена в современной России. Об этом красноречиво свидетельствуют объявления о приеме на работу в различных сферах.

Например, на сайте rabota.ru, где содержатся данные о вакансиях во всех регионах страны, в более 70 % объявлений о работе имеются прямые ограничения по возрасту, которые распространяются практически на все сферы профессиональной деятельности. В фирмах с высокими профессиональными и образовательными требованиями при найме почти всегда выдвигаются и требования по возрасту. Например, на вакансии в области телекоммуникационных технологий набираются в основном мужчины в возрасте до 40, максимум 45–50 лет. На должности юриста и юрист-консульта требуются мужчины и женщины от 25 до 40 лет; крайне редко встречаются объявления, где верхняя возрастная планка равна 50 годам. В области страхования преимущество при найме отдается сотрудникам до 40–45 лет. В розничной торговле обычно требуются работники в возрасте не старше 40 лет. При поиске секретарей верхняя возрастная граница и вовсе оказывается не выше 35 лет.

Аналогичные возрастные требования распространяются и на менее квалифицированные виды работ. При вакансиях на работу охранником в основном требуются мужчины до 50–55 лет. В редких случаях, около 5–10 % объявлений, охранником, чаще сторожем или вахтером, готовы взять мужчину пенсионного возраста. При найме домработницы, большинство работодателей подыскивают женщин от 35 до 45–50, в крайнем случае 55 лет. Для женщин пенсионного возраста возможности трудоустройства ограничиваются уборкой помещений и некоторыми другими видами малооплачиваемого, низкоквалифицированного тяжелого труда. Как видно, возрастные ограничения охватывают не только людей пенсионного возраста, но и распространяются на группы более молодых потенциальных работников.

Анкетирования руководителей фирм и предприятий показывают, что в вопросе найма на работу пожилых людей руководители в основном придерживаются одной из трех стратегий: полного исключения пожилых, неполного исключения пожилых и стратегии вынужденного включения (Елютина, Смирнова 2006, 42); причем под пожилыми сотрудниками часто понимаются работники в возрасте старше 45 лет. Руководители, высказывающиеся за полное исключение пожилых при найме на работу, обычно устанавливают для себя предельную возрастную планку: «*Я не возьму на работу человека старше 35–40 лет. Почему? Потому что я сам еще молодой, и для меня существует моральный барьер — не принимать на работу людей старше себя. К тому же я думаю, что и для них будет такой же барьер — не захотят, чтобы ими руководил человек намного моложе их»* (мужчина, 26 лет, директор фирмы). Потенциальная опасность подрыва авторитета молодого руководителя видимо является основной причиной в такого рода решениях. Другим мотивом в отказе рассматривать пожилых в качестве реальных претендентов на рабочии вакансии является сомнение в том, что пожилые работники окажутся в состоянии обучиться новым технологиям и поддерживать стремление к инновациям: *«Мы работаем с компьютерными технологиями, а люди старше 45 лет в этом разбираться не могут»* (мужчина 29 лет, директор фирмы); *«Как правило, пожилые сотрудники тормозят развитие организации. Они слишком привязаны к прошлому. Поэтому полезно, когда такие сотрудники уходят»* (мужчина, 31 год, руководитель организации). Коренной перелом, который произошел в стране в 1991 г. явился, как кажется, одним из важных факторов в определении перспективности сотрудника при устройстве на работу: человек, который сложился как работник в период развитого социализма, является менее желательным кадром для руководителя сегодняшнего капиталистического предприятия. Некоторые руководители действуют в соответствии со сложившимися стереотипами о старости: *«Стереотипы о стариках, пожилых людях, вероятно оказывают влияние на мое отношение к ним. Но ведь стереотипы не могли возникнуть на пустом месте. Скорее всего, они отражают реальность»* (женщина, 34 года, директор салона).

Негативные стереотипы о работниках третьего возраста не всегда оказываются незыблемыми, особенно когда они входят в противоречие с примерами из жизни реальных людей: *«У нас коммерческая фирма, так что вряд ли в этой сфере может работать пожилой человек (задумывается). А с другой стороны, моя тетя — ей за 70 лет, а у нее такая деловая активность, столько энергии, что мне до нее далеко. Наверное, есть какой-то небольшой процент пожилых людей, которые сохранили энергию, здоровье. Тогда, они, конечно, могут работать, почему бы и нет»* (мужчина, 37 лет, директор фирмы).

Также обнаруживается то, что стереотипные представления о пожилых работниках определенным образом связаны с возрастом самого руководителя. В случаях, когда руководитель принадлежит к группе людей среднего и, особенно, пожилого возраста, у него проявляется внутрипоколенная солидарность и более взвешенное и здравое отношение к пожилым работникам: *«Да, у нас есть возрастные ограничения при приеме на работу, как, наверное, у всех — 30–35 лет. Только я думаю, мы мало от этого приобрели. А проиграли много — отпугнули тех, кому сейчас за 40, 50 лет.*

А ведь именно они — настоящие профессионалы. Я вообще считаю, что после 40 — самый расцвет» (мужчина, 47 лет, директор по персоналу).

Следует согласиться с рассуждениями авторов опроса о том, что «в профессиональной сфере пожилые люди вынужденны постоянно компенсировать „неудачный" возраст, беря на себя подчас слишком много работы и обеспечивая ее высококачественное выполнение. Ведь в массовом сознании закрепилось представление о том, что молодой человек может не выполнить работу в силу различных обстоятельств, а пожилой — только по одной причине: он стал старым и больше не справляется. Именно эти представления делают пожилого работника беззащитным перед произвольным толкованием его профессиональных качеств» (Елютина, Смирнова 2006, 45). Парадокс состоит и в том, что многие российские фирмы и предприятия несут реальные потери в результате дискриминационной политики в отношении пожилых работников: *Сокращения происходят на заводе довольно часто. Администрация требует от начальников отделов сокращать в первую очередь пенсионеров, конечно, неофициально. Но вот, например, в моем отделе самые надежные работники — пожилые. Приходится ходить в администрацию и отстаивать их, иначе — работать некому. В прошлом году в моем отделе все-такие уволили пожилую женщину, так сейчас ее работу четверо выполняют и не справляются»* (мужчина, 50 лет, начальник технического отдела).

Примером эффективной работы пожилых людей может служить профессиональная деятельность ближайших родственников автора книги. Моя теща, Валентина Андреевна, до 78 лет (фактически до самой смерти) работала гинекологом в одной из женских консультаций Санкт-Петербурга. Несмотря на разные физические недомогания последние годы она выходила на работу во все положенные смены, часто вела работу сразу на двух или трех участках, подменяя заболевших коллег, самым добросовестным образом относилась к своим врачебным обязанностям и всегда поддерживала репутацию высококвалифицированного специалиста. Бывшие и текущие пациенты часто звонили домой, консультировались с Валентиной Андреевной, ценя ее знания, многолетний опыт, интуицию и искреннюю заинтересованность в людях. Хотя многие из ее коллег пенсионного возраста уходили из консультации на заслуженный отдых, разговоры в семье о своем выходе на пенсию Валентина Андреевна не поощряла и всегда подчеркивала, что работа ее поддерживает и придает силы.

Мой отец в возрасте 76 лет продолжает эффективно работать в исследовательской области — он специалист по океанологии и физике атмосферы. Своей работой отец разрушает стереотип о косности пожилых и их неспособности и неумении овладевать новыми технологиями. Около 10 лет назад он освоил персональный компьютер, на котором программирует, пишет статьи и доклады для конференций. Ежегодно отец публикует 3–4 статьи в реферируемых научных журналах, участвует в конференциях, а также в работе ученого совета института. Важную роль в его работе играет профессиональное общение с коллегами. Как известно, сейчас высок средний возраст сотрудников в российской науке — низкие зарплаты и отсутствие нового научного оборудования привели к массовому оттоку за границу и в другие сферы деятельности ученых молодого и среднего возраста. Отец рассказывает, что в последние годы сотрудники института, многие его же возраста, регулярно обсуждают за чаем научные, политические и иные новости. Более молодые сотрудники высоко ценят отца за его бескорыстный научный труд. Смысл своей жизни он видит прежде всего в научной работе и продвижении науки. Когда отец гостит у нас, то обычно в качестве аргумента для своего отъезда приводит либо подготовку в докладу, либо работу над статьей или научным отчетом, которые надо сдавать.

К сожалению, в современной России дискриминация по возрасту получила широкое распространение; закрепилось неравное положение в профессиональной сфере людей разного возраста, что отражается и в стереотипных представлениях о деловых и профессиональных качествах пожилых людей. Руководители предприятий и компаний, а также чиновники, регулирующие правила приема на работу, игнорируют тот факт, что дискриминационная политика в отношении пожилых резко ухудшает материальное благосостояние и социальное самочувствие огромной группы людей, выключает их из сферы профессионального внесемейного общения, обрывает социальные связи.

3. Изменения в структуре семьи и в характере коммуникации

Последнее столетие было отмечено постепенным, но неуклонным сокращением количества детей в семье практически во всех развитых странах Европы, Азии и Америки. Наряду с этим происходила интенсификация процесса по воспитанию и образованию детей вне семьи. Еще в начале XX в. семьи с 10—12 детьми в России не представлялись чем-то необычным. Дети в такой семье имели братьев и сестер на десяток лет старше или моложе их и были вовлечены в естественное общение с родными людьми, относящимися к разным поколениям. Как известно, современная семья в развитых странах имеет гораздо меньше детей. Наряду с этим существенно выросла средняя продолжительность жизни, а значит, в семьях имеется больше здравствующих бабушек и дедушек, а также прабабушек и прадедушек.

Изменения в структуре семьи в США и Канаде также связаны с возросшей мобильностью населения. Люди обычно не остаются жить в том месте, где они родились и выросли. Получив образование, найдя работу и заведя собственную семью, американцы и канадцы нередко поселяются на значительном расстоянии от своих родителей. Впрочем, фактор расстояния не всегда является определяющим для характера общения между людьми. Например, в последнее десятилетие в США и Западной Европе воздушное сообщение стало существенно более дешевым, простым и доступным, что создает условия для более частого общения с глазу на глаз для родственников и друзей. Кроме того, широкое использование телефонов, электронной почты и других средств связи позволяет поддерживать контакты на больших расстояниях.

Демографическая структура семей претерпела существенные изменения также и в связи с тем, что сегодня большинство женщин в развитых странах активно вовлечены в трудовой процесс вне дома, а значит, способны уделять меньше времени и внимания как воспитанию детей, так и уходу за престарелыми родственниками. Кроме того, высокий процент разводов привел к существованию значительного количества семей лишь с одним постоянно проживающим родителем.

В целом переход от высокой рождаемости и высокой смертности к низкой рождаемости и низкой смертности, характерный для современных развитых стран, оказывает существенное влияние на контакты между поколениями, на отношения и коммуникацию внутри семьи и на другие элементы общества (Bengston et al. 1994). В связи со снижением рождаемости и ростом продолжительности жизни структура семьи в развитых странах изменилась радикально и в своем графическом изображении стала чем-то напоминать длинный стручок фасоли с немногими побегами на нем: 4–5 поколений с малым числом людей в каждом поколении. Таким образом, во внутрисемейной коммуникации, на фоне общего снижения общения между членами семьи, создаются условия для несколько большего общения между представителями разных поколений, чем для коммуникации со своими братьями и сестрами внутри одного поколения, зачастую из-за отсутствия братьев и сестер. Исследования, проведенные в 90-е гг. (Lawton et al. 1994) показали, что 69 % взрослых детей, по их собственным оценкам, общались как минимум один раз в неделю со своими матерями (около 60 %, если речь шла об обоих родителях), 20 % взрослых детей общались ежедневно с матерями, 12 % указывали на ежедневное общение с отцами. Это же исследование продемонстрировало, что женщины играют центральную роль в вопросе семейной солидарности. Матери чаще, чем отцы проживали в том же доме или по соседству и поддерживали регулярное общение с родственниками. В семьях, которые не претерпели разводов, общение между взрослыми детьми и отцами было также достаточно регулярным и частым. Исследование Lawton et al. (1994) также показало, что люди с более высоким образованием чаще переезжали с места на место, и это негативно сказывалось на частоте и качестве общения.

4. Межпоколенческие коммуникативные контакты вне семьи

Исследования, посвященные общению между родственниками разного возраста, в целом более многочисленны, чем работы, направленные на исследование коммуникации между людьми, не объединенными родственными узами. Внесемейное общение сводится к контактам между друзьями, коллегами по работе, соседями по дому, знакомыми, малознакомыми и незнакомыми людьми. Межпоколенческое общение вне семьи возможно на работе, в учебных, общественных, спортивных и религиозных организациях, в медицинских учреждениях и заведениях социального обеспечения, в театрах и на концертах, возможно также общение в магазинах, на транспорте и просто на улице.

Социолингвисты подчеркивают, что современное общество стратифицировано по возрастному признаку и поэтому внесемейные коммуникационные контакты между представителями разных поколений в последние десятилетия свелись к минимуму (Chudacoff 1989). Возрастная сегрегация происходит в таких общеизвестных социальных контекстах как помещение детей в школу, где коммуникационные контакты в основном происходят со сверстниками. Затем выпускник школы может провести еще несколько лет за обучением, получая высшее образование, и также общаясь в основном со сверстниками. Молодые люди, которые все таки общаются с людьми пожилого и среднего возраста, делают это обычно на работе, выполняя свои профессиональные обязанности, в качестве медсестер, социальных работников, официантов, продавцов и пр. Однако многие коммуникативные акты в профессиональной ситуации существенно ритуализированы, и эти ритуализированные ролевые отношения, а также нехватка времени на работе, обычно не позволяют разглядеть за клиентом партнера по общению.

Опрос, проведенный среди студенческой молодежи в Калифорнии (Williams & Nussbaum 2001, 37) показал, что в среднем молодые люди проводили в общении со своими сверстниками (в возрасте до 35 лет) около 84 % времени, с людьми среднего возраста около 13 % времени и только 4 % своего времени в общении с пожилыми людьми (старше 65 лет). Респонденты рассказали о том, кто были их собеседниками, как часто происходили коммуникативные контакты, где велась беседа, на какую тему и каковы были их взаимоотношения с партнерами по разговору. Выяснилось, что при беседе с пожилыми собеседниками в 62 % случаев партнерами по коммуникации оказывались пожилые женщины. Уровень предварительного знакомства в среднем был весьма низким: 38 % были абсолютно незнакомыми людьми; 37 % были знакомы не напрямую, а через третье лицо; и лишь около 7 % пожилых собеседников оказались сотрудниками по работе, соседями, членами общих церковных или клубных организаций.

На вопрос о том, в течение какого времени молодые люди знали своих пожилых партнеров по общению (Williams & Nussbaum 2001), были получены следующие ответы: 40 % повстречались впервые, 17 % знали своих собеседников в течение нескольких недель или месяцев, 18 % были знакомы с коммуникационными партнерами от одного до пяти лет, 10 % — от 5 до 10 лет и 12 % отметили, что знали своих собеседников всю жизнь.

Межпоколенческие коммуникативные контакты проходили разных местах: 36 % в доме или квартире, 30 % в учебном заведении или на работе, 20 % в ресторане, клубе или спортивном сооружении, 7 % в общественном транспорте, около 6 % в учреждениях здравоохранения или домах для престарелых. Разброс тем для разговоров был весьма широк: планы о жизни, взаимоотношения между людьми, образование, получение совета или предоставление информации, выполнение просьбы инструментального характера (например, при разговоре с официантом в ресторане), политика, спорт, хобби, воспоминания, состояние здоровья, путешествия, современная молодежь и пр. Причем лишь небольшой процент коммуникативных актов можно было описать как имеющих какую-либо глубину. В разговорах, которые по мнению молодых собеседников принесли удовлетворение, в 20 % темой разговора являлось обсуждение обучения, а также планов и ожиданий на будущее (Williams & Nussbaum 2001). Среди неудовлетворительных разговоров наиболее распространенной темой для бесед (26 %) были какие-либо неудачные поступки, действия, провалы со молодых людей, часто не соответствовавшие ожиданиям их пожилых собеседников. Примечательно, что при сообщении о неудовлетворительных разговорах, респонденты также отмечали более высокий статус своего собеседника, возможно потому, что пожилые собеседники нередко являлись клиентами и заказчиками, а молодые люди их обслуживали, работая продавцами, официантами и т. д.

В целом проводимые исследования показывают, что межпоколенческие внесемейные контакты в европейском и американском обществе весьма ограничены, а поэтому и исследовать их довольно затруднительно. Очевидно также, что в тех случаях, когда происходит межпоколенческое общение вне семьи, в большинстве случаев оно носит весьма поверхностный или формализованно-ритуальный характер.

Аналогичные рассуждения справедливы и для российской ситуации с внесемейной межпоколенческой коммуникацией. Например, ежедневные походы людей пенсионного возраста в продуктовые магазины, казалось бы, предоставляют некоторую возможность для общения с более молодыми коммуникантами, продавцами в магазине. Однако, обратим внимание на характер и тематику коммуникации: «*А на какой полке у вас соль стоит?*» — «*Во втором ряду внизу*»; «*Доченька, мне помидорчики бы взвесить*» — «*Кладите пакет на весы и нажимайте цифру 56*»; «*Дисконтная карточка у вас есть? Давайте!*»; «*Поищите, пожалуйста, четыре рубля тридцать копеек!»* — *«Ой, совсем мелочи нет!»*; *«У вас булочка какая-то не очень свежая?»* — *«У нас все сегодняшнее!».* Очевидно, что особой глубиной подобные коммуникативные контакты не отличаются.

Когда в России появились первые рестораны быстрого обслуживания МакДоналдс, в прессе отмечалось, что молодые, динамичные и приветливые работники кафе активно общаются с клиентами. Заметим, что МакДоналдсы, как недорогие, демократические точки питания привлекают разновозрастную публику. Какого же рода общение происходит между работником МакДоналдса и клиентом? *«Свободная касса, свободная касса!...»* (работник машет рукой или флажком, привлекая внимание), *«Делайте ваш заказ!»*, *«Картошка большая, средняя или маленькая?»*, *«Соус к картошке сырный, кисло-сладкий или кетчуп?»*, *«Мороженое с клубникой или с шоколадом?»*, *«Подождите, пожалуйста, фиш филе будет готово через минуту»*, *«Ваш заказ 354 рубля, приятного аппетита, ждем вас снова!».* Как видно, коммуникация клиента с работником ресторана носит строго инструментальный характер и, хотя может приносить некоторое удовлетворение (особенно, если сопровождается улыбкой, располагающей жестикуляцией и другими невербальными средствами), все же является достаточно поверхностной.

Более глубинный характер при внесемейном общении могут носить коммуникативные контакты с соседями по дому или по двору. Многолетнее знакомство, общие бытовые проблемы (например, отключение горячей воды), взаимные услуги и помощь позволяют лучше узнать друг друга и вести более личностную коммуникацию при контакте. *«Анна Ивановна, ну как твое ничего?»*, *«Да, Маш, давление опять подскочило, так и крутит, так и крутит! Ночью совсем не спала...»*, *«Да какой там спала — опять эта чертова сигнализация от кошек сработала»*, *«Вон из подвала серенький выглядывает, так он все под машинами шастает, они и гудят».* *«От машин совсем жизни не стало, уже из соседних дворов к нам ставят, паразиты!».* Заметим, однако, что неповерхностные коммуникативные отношения между соседями возникают чаще, когда коммуниканты оказываются ближе друг к другу по возрасту. И наоборот, при значительной возрастной разнице между соседями, коммуникация между жильцами соседних квартир чаще носит поверхностный и формальный характер.

Значимая внесемейная коммуникация между людьми разного возраста, несомненно, имеет место в том случае, когда оба участника коммуникации могут назвать друг друга друзьями. Как известно, дружба обычно строится на какой-либо общности и похожести людей: близость проживания, схожие обстоятельства и интересы (например, две молодые мамаши с колясками во дворе; владельцы собак одной породы; сотрудники на работе, сидящие друг напротив друга и пр.) схожие взгляды на жизнь, и, конечно, близость по возрасту. Однако разница в возрасте не всегда является помехой для формирования дружеских отношений между людьми. По данным Bettini et al. (1991), около 85 % пожилых людей (средний возраст около 80 лет) отмечали, что у них имеются друзья, относящиеся к другому поколению. В то же время лишь 35 % респондентов студенческого возраста также указали, что у них имеются друзья среднего и пожилого возраста. Эта статистика хорошо показывает, что с возрастом увеличивается и возрастной диапазон, в котором люди заводят друзей, но также и то, насколько меньше молодые люди пользуются возможностью завести друзей вне своей возрастной группы. Что же касается проявлений коммуникативных дружеских отношений в обеих возрастных группах, то они оказались весьма схожими: совместные разговоры, обсуждение семейных проблем, проведение времени вместе, подача и получение советов. Друзья разного возраста также обсуждали вопросы здоровья, спорта, отдыха и путешествий. В другом исследовании (Williams et al. 2001) на вопрос о различии между дружбой внутри своей возрастной группы и вне нее, большинство ответов указало на различия по степени равенства между коммуникантами. Также около 50 % опрошенных посчитало, что они ощущали существенную поколенческую разницу в процессе общения со своими друзьями из иной возрастной группы, что проявлялось в различиях во вкусах, отношении к различным историческим событиям, опыте работы и пр.

Указанные исследования, таким образом, доказывают некоторую распространенность внепоколенческой дружбы, и коммуникации, основанной на такой дружбе. Однако, остается неизученным, какие же именно коммуникативные навыки способствуют завязыванию и поддержанию дружеских отношений между людьми разного возраста, а какие коммуникативные практики являются препятствием для межпоколенческой дружбы.

Поскольку социолингвистические исследования по межпоколенческой внесемейной коммуникации (такие как, Williams & Nussbaum 2001) проводятся в основном среди студентов, то репрезентативность их ограничена — трудно с уверенностью распространить результаты опроса на нестуденческую молодежь и другие группы населения. Примечательно то, что в ответ на существующую и достаточно очевидную проблему (почти полное отсутствие внесемейных контактов между поколениями) разработаны и проводятся разного рода проекты, направленные на изменение этого положения (Fox & Giles 1993), такие как программа «приемные бабушки и дедушки» (adopt a grandparent), проживание в студенческих общежитиях с «нетрадиционными» (55–65-летними) студентами. Среди проектов, поддерживающих и развивающих контакты и понимание между поколениями, есть неформальные, как например, устные рассказы пожилых людей для детской аудитории в библиотеках и книжных магазинах, или же детально разработанные, утвержденные и апробированные программы, такие как университетские курсы подготовки медицинских и социальных сотрудников для работы в домах для престарелых. Более подробно об этих и других проектах, направленных на развитие межпоколенческой коммуникации и на преодоление коммуникативной изоляции особенно пожилых людей, рассказывается в последней главе книги.

5. Коммуникативные трудности и фактор власти при внесемейном общении

Взрослые люди, работающие учителями, врачами, полицейскими, социальными работниками и пр., нередко отмечают, что у молодых людей, с которыми им приходится сталкиваться в профессиональной деятельности, нередко отсутствуют необходимые навыки коммуникации. Молодые люди в свою очередь подчеркивают, что наличие власти у взрослых и подчас сопутствующее ей отсутствие уважения к собеседникам, вызывают проблемы в общении со взрослыми вне семьи.

Жалобы на коммуникативные навыки молодежи поступают от людей разных профессий. Например, английские полицейские отмечали, что у молодежи отсутствует мотивация общения с полицией (Drury & Dennison 2000). Нередко полицейские понимают под эффективной коммуникацией односторонний процесс (Drury 2003): передачу какой-либо информации (советов, рекомендаций, указаний, требований и приказов) молодежи. Полицейские осознают, что часто проблема общения с молодежью объясняется разницей в обладании властью. В ходе собеседования полицейские утверждали, что стараются в общении быть прямыми, открытыми и не говорить в снисходительном тоне с молодежью и подростками. В том же интервью (Drury & Dennison 2000) полицейские объясняли нежелание молодых людей разговаривать с ними тем, что для молодежи типично отрицание каких-либо авторитетов, свойственно негативное отношение к власти и тем, что молодежь испытывает определенное внутригрупповое давление. Как правило, полицейские сами не считают себя виновниками в неудачном, неэффективном общении с молодежью.

Мотивация общения с милицией отсутствует, несомненно, и у российской молодежи. Особенно наглядно это проявляется, например, в период облав в больших российских городах на призывников. Известно, что в последние две недели до окончания призыва в армию (в декабре и в июне) военкоматы договариваются с милицией, которая выделяет сотрудников для проведения облав и добора недостающего числа призывников. Наряды милиции, как правило, дежурят у станций метро и проверяют документы на отсрочку от призыва у молодых людей, которые выглядят моложе 27 лет. Как правило, для того, чтобы доказать наличие отсрочки от призыва, молодые люди должны носить с собой паспорт, студенческое удостоверение и форму 26, которая свидетельствует о праве на отсрочку от службы в армии. В Петербурге около станции метро «Черная Речка», автору, который стоял недалеко от наряда милиции (два старшины милиции средних лет), удалось подслушать следующий разговор в июне 2007 г.:

— *Молодой человек, ваши документы!* (старшина обращается к парню лет двадцати)

— *Да у меня уже проверяли на «Удельной»* (станция метро в Петербурге).

— *Проверяли, еще раз проверим. Паспорт давайте и форму 26!*

— *У меня студенческий билет с собой,... вот* (парень достает из кармана и показывает студенческий билет милиционерам)

— *Так,* (рассматривает студенческий билет)... *Лесотехническая академия. Коль!* (обращается к другому сержанту), *да там, кажется, нет военной кафедры, и отсрочки у этого лесника быть не должно. Да и печати в студенческом билете сомнительные.*

— *Да нормальные печати, в деканате ставили, чего вы придираетесь?*

— *Чего-чего?... Придется тебя на сборный пунк доставлять! Коль, вызывай машину! Форма 26 у тебя есть?*

— *Дома есть.*

— *Ну вот что,... звони родителям,... если за полчаса подвезут сюда 26-ю форму, то отпустим, если нет, будешь на сборном пункте разбираться...*

Трудно рассчитывать, что молодой человек может рассматривать подобную коммуникацию в качестве удовлетворительной. Помимо очевидного и подчеркнутого дисбаланса власти, в разговоре имеет место и снисходительный тон со стороны милиционеров, и пренебрежительный переход на «ты» в середине диалога, и явное недоверие со стороны работников правоохранительных органов, и необоснованные требования по доставке справки.

Проблемы межпоколенческой коммуникации отмечаются и в области медицины. Так, в опросе, проведенном в Великобритании, английские врачи указали, что с точки зрения коммуникации, молодых пациентов можно отнести к разряду наиболее проблемных пациентов. По мнению врачей, эффективная коммуникация в медицинской области обычно сводится к правдивому самораскрытию со стороны молодого пациента (Drury 2003). Врачи также осознают, что умение выслушивать пациента является ключевым навыком эффективной коммуникации со их стороны. Впрочем, аналогичные требования к общению с молодежью предъявляют и педагоги.

Со своей стороны представители молодежи, как показывают опросы (Catan et al. 1996), рассматривают эффективное общение со взрослыми вне семьи прежде всего с точки зрения достижения практических результатов. Количество молодых людей, сообщивших о негативных результатах внесемейного общения со взрослыми, превысило число респондентов, предоставивших положительные отзывы. В то время как взрослые обычно возлагают вину за неудачное общение на представителей молодежи, молодые люди, в свою очередь, видят причины неудачного общения именно в коммуникативном поведении взрослых (Drury 2003).

Подростки прекрасно осознают, что в их отношениях со взрослыми вне семьи (учителя, полицейские, врачи) существует дисбаланс власти. Именно отсутствие власти у одних и наличие власти у других является одним из главных объяснений неудовлетворительного общения с точки зрения молодежи. По их мнению, взрослые, обличенные властью, проявляют односторонность и отсутствие уважения к мнению молодежи. Например, в ситуации общения с врачами, подростки жаловались на то, что врачи недостаточно внимательно их выслушивали, относились к ним снисходительно, давали им ненужные и непрошеные советы; подростки жаловались также и на то, что не всегда понимали вопросы врачей (Drury 2003, 68).

Очевидно, что при коммуникации между молодыми людьми и людьми, которые обладают властью и принадлежат к более старшему поколению, стороны имеют разные цели и задачи. Представляется, что для молодых людей является желательным достижение более равного статуса в общении со старшими. Достижение более равного статуса предполагает, например, более равное распределение самораскрытий в разговоре, относительный паритет в предоставлении какой-либо значимой личной информации, схожесть в манере задавания вопросов (тот, кто задает больше вопросов, как правило, имеет поддерживает высокий статус и контролирует ход коммуникации), проявление эффективных навыков слушания со стороны всех участников коммуникации и пр. Однако, с точки зрения врачей, работников системы образования или правоохранительных органов, взаимообразные самораскрытия, подробные объяснения мотивов, подчеркнутая вежливость, использование навыков активного слушания, которые потенциально могли бы поднять статус молодого собеседника и смягчить проблему властного неравенства, расходятся с задачами поддержания дисциплины в классе, сохранения авторитета врача в глазах больного или авторитета милиционера у молодых жителей района. Таким образом, властное и статусное неравенство коммуникантов остается одним из актуальных вопросов внесемейной межпоколенческой коммуникации, который требует дальнейшего изучения.

6. Особенности и проблемы внутрисемейного общения между поколениями

Внутрисемейное общение это то, что окружает людей с момента рождения и до самой смерти. Семья воспитывает, защищает, предопределяет идентичность человека, обеспечивает его связи с внешней средой. Семейные связи в психическом, социальном, финансовом и прочих аспектах отражаются в коммуникативных актах между членами семьи.

Семейные связи между членами семьи имеют форму горизонтальных связей внутри одного поколения (между братьями и сестрами, племянниками и племянницами и т. д.) и форму вертикальных межпоколенных связей (между родителями и детьми, бабушками, дедушками и внуками и внучками, тещей и зятем, невесткой и свекровью и т. д.). Как уже отмечалось, в данной работе нас интересуют прежде всего вертикальные межпоколенные коммуникативные связи. Часть межпоколенных связей внутри семьи обусловлены генетически, а другая часть формируется через институты брака, развода, усыновления и удочерения.

Внутрисемейные контакты как правило проходят в форме диалогов. Внутрисемейная диалогическая коммуникация обычно носит характер бытового разговора (Гойхман, Надеина 2006), для которого, в отличии от деловой беседы или переговоров, свойственны незапланированность, большое разнообразие обсуждаемых тем (личные, социальные, общекультурные, политические и др.) и используемых языковых средств. Кроме того для бытовых разговоров свойственны саморепрезентация личности (стремление выразить свое Я), частые отклонения от темы, перескакивание с одной темы на другую, отсутствие, как правило, целевых установок и необходимости принятия какого-либо решения. Большинство внутрисемейных диалогов характеризуется разговорным стилем речи.

Анализ научных публикаций показывает, что значительное количество исследований по контактам внутри семьи за последнее десятилетие (Floyd & Morman 2006) концентрировалось на исследовании общения между супругами (около 44 % всех работ), и общения между родителями и детьми (около 25 % опубликованных работ), тогда как остальные формы внутрисемейного общения, особенно межпоколенная коммуникация, не получали должного внимания со стороны исследователей. Так общение между взрослыми детьми и пожилыми родителями, общение с тетями и дядями, племянниками и племянницами, внуками и внучками, правнуками и правнучками изучалось лишь в 5 % опубликованных работ и можно смело утверждать, что эти формы внутрисемейной коммуникации являются малоизученными.

Какое время занимает внутрисемейное общение в повседневных делах? Исследования показывают, что в среднем жители России имеют около 30 часов свободного времени в неделю, мужчины около 34 часов, а женщины около 27 часов (Патрушев 2004). Общение с членами семьи и близкими друзьями занимает у россиян в неделю около четырех часов, у мужчин чуть меньше, а у женщин несколько больше. Для сравнения, просмотр телевизионных программ, по данным В. Д. Патрушева, занимал у российских горожан-мужчин около 14 часов в неделю, а у женщин чуть меньше 11 часов в неделю. Правда, надо отметить, что в исследовании В. Д. Патрушева беседы с членами семьи трактовались как обособленный вид деятельности, тогда как совместный просмотр телепередач, или совместные занятия спортом можно было бы рассматривать как вид общения, если в процессе этой деятельности члены семьи обмениваются репликами и мнениями.

Для сравнения жители американских городов посвящают почти в два раза больше времени внутрисемейному общению: в США и мужчины и женщины проводят более 8 часов в неделю в общении с членами семьи (Патрушев 2004).

Межпоколенные конфликты в современной российской семье являются важным фактором, во многом определяющим характер внутрисемейного общения. Изучение межпоколенных конфликтов, их форм проявления, их причин и последствий, а также способов урегулирования имеет большое значение для семейной политики, но также и для понимания специфики внутрисемейного общения. Конфликтность в отношениях обычно рассматривается как процесс нарастания противоречий в интересах, взглядах и ценностях, приводящий к столкновению сторон, обостряющий способы взаимодействия между ними и затрудняющий коммуникацию.

При составлении вопросов анкетирования, проведенного специалистами МГУ (Вдовина 2005), была поставлена задача проанализировать межпоколенные конфликты в современной российской семье. В опросе приняло около полутора тысяч анкетируемых, отобранных методом случайной выборки из Москвы и Московской области. В целом оказалось, что большинство респондентов довольны своими взаимоотношениями в семье: взаимоотношения с родителями (довольны 49 % опрашиваемых, не совсем довольны 32 %), отношения с детьми (36 %, 26 %), отношения с бабушками и дедушками (36 %, 17 %), отношения с супругами (36 %, 27 %), отношения с внуками (17 %, 6 % — лишь треть опрошенных имела внуков). Менее довольны респонденты оказались и отношениями с другими родственниками, более далекими родственниками (31 %, 45 %). Значительное число анкетируемых посчитало свою семью благополучной (62 %), тогда как только 28 % опрошенных отнесли свою семьи к разряду «не совсем благополучных».

Респонденты отметили, что в их семьях случаются конфликты разной интенсивности, и обычно конфликтующими сторонами бывают родители и дети (41 %), деды и внуки (19 %), супруги (24 %) и другие члены семьи (32 %). Что же касается продолжительности и частоты конфликтов, из ответов респондентов было установлено, что в половине всех случаев конфликты кратковременны и редки, в 21 % случаев кратковременны, но случаются часто; в 11 % семей конфликты нечасты, но продолжительны, и в 5 % семей межпоколенные столкновения случаются часто и продолжаются долго (Вдовина 2005).

На вопрос следует ли младшим по возрасту членам семьи подчиняться старшим в потенциально конфликтных ситуациях, лишь одна пятая часть опрошенных ответила положительно. Большинство высказалось в пользу равноправных отношений между членами семьи, принадлежащими к разным поколениям.

В исследовании МГУ было выявлено, что, по мнению респондентов, причинами межпоколенных конфликтов могут служить такие явления, как алкоголизм одного из членов семьи (57 %), совместная жизнь поколений в стесненных условиях (55 %), вступление в брак сына или дочери «с неподходящим человеком» (53 %), отсутствие в семье единства, взаимного уважения и дружбы (50 %), несовместимость интересов и целей (49 %), материальные проблемы (44 %), вмешательство родственников в жизнь семьи (43 %), аморальное поведение (38 %), жилищные проблемы (35 %), взросление детей (34 %), создание детьми собственной семьи (22 %), передел семейного имущества (18 %), борьба за власть и влияние в семье (16 %) (Вдовина 2005, 103). Взаимодействие и коммуникация с родственниками супруга, со свекровью и снохой, тещей и зятем, также являются конфликтогенными факторами. Кроме того анкетируемые отметили, что различные особенности в поведении родителей и других членов семьи могут сказываться на межпоколенном общении. В частности отмечались такие факторы, как неправильное воспитание детей, напряженные супружеские отношения, развод и раздельное проживание родителей, повторные браки, а также подстрекательство посторонних.

Можно согласиться к замечаниями респондентов о том, что межпоколенные конфликты предопределяются не только личными и семейными характеристиками людей, но и целым рядом социальных предпосылок. Около половины анкетируемых отметило, что различные ценностные ориентации молодого, среднего и пожилого поколения в современной России являются источниками дополнительных конфликтов в межпоколенном общении. Молодое и старшее поколения в России по-разному оценивают социально-экономическую ситуацию в стране, наличие или отсутствие духовного кризиса, падение нравов, отношение в обществе к пожилым людям. Лишь 6 % опрошенных посчитали, что межпоколенные конфликты в семье не связаны с общественными процессами.

Конечно, было бы неверно рассматривать молодое, среднее и старшее поколения в России, как некие сплоченные когорты людей, объединенные общим пониманием сегодняшних проблем, единой идеологией и т. д. Как показано в интересном исследовании А. В. Соколова (2005), современное поколение молодых в собственной оценке предстает группой людей с весьма противоречивыми взглядами, ценностями и нормами поведения. На вопрос: *«Какие отрицательные и положительные черты вы находите у своих сверстников?»* молодые люди в возрасте от 18 до 22 лет дали ответы, которые были затем сгруппированы автором в 10 негативных черт, пороков нынешнего молодого поколения и 10 позитивных характеристик современной молодежи.

К отрицательным чертам опрошенные отнесли следующее: бесцельное существование, потребительское отношение к жизни, апатичность, пассивность, иждивенчество, лень, тунеядство и разгильдяйство; алкоголизм, пьянство, наркомания и курение; эгоизм, корыстолюбие, жадность, зависть, отсутствие коллективизма и взаимопомощи; агрессивность, насилие, жестокость, озлобленность, цинизм, хулиганство и преступность; хамское поведение, бескультурье, грубость, бездуховность, неуважение к старшим; лживость, лицемерие, безответственность, расхлябанность, предательство и ловкачество; аморальность, распущенность и разврат; бездумное следование моде и глупое подражательство; отсутствие патриотизма, неумение ценить свою историю и равнодушие к судьбе России; а также, зависимость от техники (Соколов 2005, 93–94).

С другой стороны, молодые петербуржцы (опрос проводился в Санкт-Петербурге) отметили целый ряд положительных черт у сегодняшнего молодого поколения: целеустремленность, целенаправленность, деловитость и организованность; самостоятельность, самодостаточность, независимость и свободолюбие; жизненная активность, уверенность в будущем, предприимчивость, трудолюбие и напористость; интеллектуальность, умственное развитие и творческие способности; стремление к знаниям и овладению культурой; альтруизм, доброта, дружелюбие, гуманизм, честь, правдивость и порядочность; патриотизм и любовь к Родине.

Автор исследования хорошо осознает парадоксальность ответов анкетируемых и результатов опроса, где в портрете современного молодого поколения соседствуют агрессивность и гуманизм, бездуховность и интеллектуальность, апатичность и предприимчивость, т. е. качества, взаимоисключающие друг друга. Вывод автора работы заключается в призыве «уйти от попыток построить один, единственный социальный портрет, представляющий всю молодежь постсоветской России — от старшеклассников и учащихся ПТУ до студентов и военнослужащих. Дело в том, что существует не один, а несколько социально-психологических портретов, и наложение их друг на друга порождает нелепые конфигурации» (Соколов 2005, 96). Среди современной российской молодежи автор исследования видит как минимум три большие группы: интеллектуальную элиту, расколотую по этическому принципу на интеллектуалов и интеллигентов; неителлектуальную молодежную массу, с неразвитыми духовными интересами и ориентирующуюся на потребление массовой культуры; и маргинальную прослойку между двумя основными стратами.

В целом недовольство молодежью со стороны старшего поколения подпитывается еще и тем, что молодое поколение не является объектом, пассивно усваивающим традиции и опыт старшего поколения, а «выступает в качестве активного субъекта, создающего и передающего новую социальную информацию. Однако старшее поколение не готово рассматривать молодежь как деятельного субъекта, отвергая ценности и опыт молодого поколения» (Нор-Аревян 2003, 15).

Возвращаясь к проблеме межпоколенных коммуникативных конфликтов, следует заметить, что разнородность современного молодого поколения без сомнения отражается на восприятии внутрисемейных коммуникативных проблем средним и старшим поколением. По данным М. В. Вдовиной (2005), большинство респондентов (65 %) полагает, что между поколением отцов и поколением детей в сегодняшней России конфликты происходят более остро, чем между дедами и внуками, поскольку поколение пожилых людей в целом более лояльно относится к внукам. Также, опрошенные (76 %) в массе согласились с высказанным мнением о том, что совместное проживание в семье нескольких поколений в большей степени способствует коммуникативным конфликтам, чем раздельное проживание поколений. С другой стороны, респонденты не поддержали идею о том, что (49 % опрошенных против), что чем значительнее разница в возрасте между членами семьи, тем больше вероятность возникновения коммуникативного конфликта. По мнению большинства опрошенных, абсолютная разница в возрасте не влияет на происхождение и протекание межпоколенных конфликтов.

С точки зрения взрослых детей, семейные отношения остаются одним из важных критериев в определении успеха в жизни. Мнение детей относительно образа жизни родителей в целом характеризуется уважением (44,9 %), непонимание и раздражение вызывает у 15,3 % опрошенных; достаточно большой процент молодежи проявляет безразличие (19,4 %) или затрудняются ответить (17,3 %) (Здравомыслова 1998, 22). Несмотря на в целом достаточно уважительное отношение к образу жизни родителей, молодое поколение россиян совершенно не собирается перенимать или повторять жизненный опыт родителей, в т. ч. и в строительстве собственной семейной жизни. Это хорошо проявляется, например, в отношении молодого поколения к популярной ныне форме совместной жизни без регистрации брака.

В анкете (Вдовина 2005) высказывалось мнение о том, что совместное проживание без регистрации брака может усугублять межпоколенные конфликты. Это утверждение было поддержано лишь 37 % опрошенных и отвергнуто 48 % респондентов. Ряд факторов, по мнению респондентов, не влияет на межпоколенные конфликты: наличие неполной семьи (без отца или без матери), наличие трех и более детей в семье (гипотеза о зависимости между количеством детей и конфликтогенностью была отвергнута).

Формы межпоколенческих кофликтов могут быть весьма разнообразными и включать, по мнению опрошенных (Вдовина 2005), психологическое давление членов семьи разных поколений друг на друга (68 %), эмоциональное отчуждение (28 %), физическое насилие, удары, побои (27 %), материальные лишения, лишение денежной поддержки или собственности (26 %), социальную изоляцию, оставление без заботы и помощи, бойкотирование и изгнание из семьи (22 %), а также сексуальные домогательства, в основном со стороны мужчин старшего поколения по отношению к женщинам младшего поколения в семье (8 %).

Говоря о физическом и эмоционально-психологическом насилие при межпоколенных отношениях в семье, к сожалению, нужно констатировать, что все чаще это насилие направлено против людей пожилого и преклонного возраста (Пучков 2005). В Саратове и в Саратовской области были изучены материалы Саратовского УВД, проведены интервью с работниками социальных служб, а также проведен опрос около 3000 жителей от 60 лет и старше в нескольких районах города и области. Комплексное исследование помогло выявить причины, формы и последствия насилия против пожилых в современных российских условиях.

По мнению П. В. Пучкова, основными причинами внутрисемейного насилия против пожилых является их беспомощность, зависимость от родственников и социальных работников в получении необходимой помощи. Предоставление помощи пожилым родственникам, оказание заботы о старших для многих более молодых членов семьи является обузой, нежелательной обязанностью. Кроме того, такие факторы, как бедность, безработица, алкоголизм, немотивированная агрессивность членов семьи напрямую сказываются на жестоком обращении с пожилыми родственниками. Изучение проблемы внутрисемейного геронтологического насилия затруднено, поскольку практически отсутствует официальный учет актов жестокого обращения с пожилыми со стороны родственников; сами жертвы насилия часто не хотят, отказываются или опасаются предпринимать обращения в милицию или какие-либо иные правовые действия против членов своей семьи. П. В. Пучков (2005) испытывал серьезные трудности в проведении опроса среди жертв геронтологического насилия именно из-за нежелания и боязни пожилых людей говорить об этой проблеме даже в условиях анонимного интервьюирования. Обширную информацию принесли глубинные интервью с социальными работниками, которые непосредственно соприкасались с престарелыми людьми. Исследователь выделил несколько типов насилия и представил репрезентативные нарративы социальных работников для иллюстрации типов жестокого обращения с людьми преклонного возраста.

Примером физического насилия может служить следующий нарратив:

«Женщина 1919 года рождения. Соседи позвонили, что женщину обижает сын. Мы пошли узнать. Он вроде бы ее избивает. Вышла женщина, очень пожилая. Синяк у нее на щеке под глазом

*расплывшийся, отекшее лица. Женщина еле двигается. Истощен-
ная. Начали разговаривать. Она толком ничего не рассказывает,
боится. Доверилась нам, когда узнала, кто мы. Мы сели на кухне,
начали разговаривать. Сначала сына не было. И тут из-за двери
выходит сын, 64 года. Он сразу набросился на нас. Сначала он по-
думал, что мы пенсию принесли и потребовал, чтоб мы ему отдали. Он помахивал вот таким тесаком. Мы стали говорить, что мы
мормоны, уговариваем его маму пойти в эту религию. Женщина
плохо слышит, общение затруднено. Второй раз пришли. Я начала
ее уговаривать сначала пожить в центре, чтобы хотя бы немного
откормить. Единственное, что сделали, написали в милицию, просили принять меры. Другого чего-то сделать мы не в силах. Кроме
того, боимся туда ходить»* (Социальный работник, женщина, 54 года).
(Пучков 2005, 37)

Эмоционально-психологическое насилие может проявляться в вербальной агрессии или в создании коммуникативной изоляции пожилого
человека со стороны членов семьи:

*«К нам обратилась бабушка. Когда я пришла, увидела, что она
живет в семье. Объясняет, что у нее есть внучка, двое детей. Эту
внучку бабушка воспитывала всю жизнь. Внучка приехала отку-
да-то с Дальнего Востока, где жила ее дочка. У бабушки есть еще
одна дочь в Ленинском районе. У нее своя семья. Но квартиру бабушка все-таки отдает внучке. Пока еще были маленькие дети,
бабушка была нужна, она помогала воспитывать этих детей, си-
дела всегда с ними. Потом дети подросли. Теперь внучка начала ее
терроризировать. Они ее закрывают в комнате, не разрешают выходить оттуда, поносят бабушку матом, окриками: „Когда ты по-
дохнешь?“, „Ты зажила здесь, по столько уже не живут!“. Она на
улицу не может выходить. Поэтому бабушка обратилась к нам,
чтобы мы пока ее взяли на обслуживание. Она говорит: „Мне нужна
моральная поддержка, понимаете. Мне надо общаться с кем-то“».*
(Социальный работник, женщина 52 года) (Пучков 2005, 37–38)

Отсутствие удовлетворительного продуктивного общения с внучкой,
социальная и коммуникативная изоляция в семье подталкивают пожилого
человек к переезду в специальное учреждение для престарелых. Эмоцио-
нально-психическое насилие может совмещаться с пренебрежительным
уходом за пожилым человеком:

*«Женщина 80 лет. Бывший преподаватель. У нее сын, сноха,
живут в трехкомнатной квартире. Сноха выпивает, не ладит со
свекровью. Насилия физического нет, только оскорбления. Они не*

хотят ее обслуживать, ничего не хотят делать. Она участник войны, получает большую пенсию, очень больной человек (недержание и т. д.). То им купит стиральную машину, то еще чего-то, во многом экономит, а сноха не хочет ее обслуживать, да еще на социального работника: „Вы за это деньги получаете, плохо ухаживаете"» (Социальный работник, женщина 51 год). (Пучков 2005, 38)

Из интервью социальных работников выясняется, что имеют место и случаи сексуального насилия в отношении пожилых членов семьи, не обязательно со стороны самих родственников, но с их согласия. Такая форма насилия может происходить особенно в тех случаях, когда престарелый человек из-за когнитивных, речевых, слуховых или иных проблем оказывается не в состоянии адекватно вербализировать свои мысли и лишен способности к самозащите: «*Был еще такой случай у нас. Внук за бутылку водки разрешал бабушку пользовать*» (Социальный работник, женщина, 49 лет). Среди иных способов жестокого обращения с пожилыми П. В. Пучков также выделяет и насилие, связанное со злоупотреблением медикаментозными средствами, преднамеренно неправильным использованием лекарственных и рецептурных средств:

«У нее родственники: сестра, тетка и племянница. И чтоб она их не беспокоила, эти родственники поили ее какими-то таблетками. Они приходили на час, на два, максимум, каждый день. Когда приходили мы (социальные работники), она всегда была в каком-то полуобморочном состоянии. Когда приходила я с проверкой после обеда, там уже никого не было» (Социальный работник, женщина, 51 год) (Пучков 2005, 38)

Помимо физического и эмоционально-психологического насилия, также выделяют особую форму финансово-экономического притеснения (Пучков 2005) в отношении пожилых. Эта форма насилия приобретает широкое распространение в условиях массовой бедности российского населения, распространения разного рода финансовых махинаций, а также роста наркомании и алкоголизма. Сюда можно отнести как присвоение денег и имущества, так и насильственное принуждение к написанию или изменению завещания:

«Вот новенькая бабушка, мы ее недавно взяли на обслуживание, 1925 года рождения, практически прикована к постели. Жил с ней внук. Он то ли наркоман, то ли выпивает. Ей никакого внимания не уделял. Забрала ее к себе одна родственница. В квартире, что могли, все продали. Телевизор еле „отвоевала". В конце концов, она добилась, чтобы вернуться в свою квартиру. Внук уехал в дру-

гое место. Сейчас бабушка живет одна, а мы ее обслуживаем»
(Социальный работник, женщина, 51 год) (Пучков 2005, 38)

Проанализировав родственные отношения жертв и субъектов геронтологического насилия, П. В. Пучков получил следующие результаты: главными притеснителями пожилых членов семьи являются их ближайшие родственники: дети 27 %, внуки 8 %, супруги 7 %. Братья, сестры, тети, дяди, племянники и племянницы совокупно составляют еще около 17 % угнетателей. Заметную роль в насилии над пожилыми играют не прямые родственники, а близкие друзья и соседи по дому, почти 24 %. Образовательный уровень субъектов насилия дал следующую картину: 23 % имели высшее образование, 38 % среднее, 14 % среднее специальное, техническое образование, около 6 % с разными формами неоконченного образования; около 5 % начальное, около 13 % не сообщили об уровне образования. Нетрудно заметить, что люди с разным уровнем образования могут участвовать в актах агрессии против своих пожилых родственников.

Примечательно, что среди притеснителей пожилых людей насчитывалось большое количество людей старшего поколения, около 42,5 % (П. В. Пучков 2005, 40), что подталкивает к сомнению относительно наличия внутрипоколенной солидарности, которая, казалось бы, должна иметь место, если следовать постулатам межгрупповой теории. Вероятно, важную роль в вопросе притеснения пожилых людей играет и фактор семейной истории. Отвечая на вопрос о том, имели ли место конфликты между респондентами и их детьми, родственниками и соседями, 43,5 % опрошенных пожилых людей отметили, что такие конфликты «присутствовали всегда». Кроме того в актах геронотологической агрессии в 27 % случаев играл роль алкоголь и в 5 % случаев была отмечена наркотическая зависимость субъектов насилия. Автор исследования подчеркивает масштабность явления геронтологической агрессии в современных российских условиях и делает вывод о дегуманизации общества, аморальности и падении нравов среди значительного количества россиян.

Таким образом нетрудно заметить, что существует целый ряд факторов: социальные, психологические, экономические, демографические, социо-культурные и аксиологические, которые обуславливают наличие межпоколенческих конфликтов, отражающихся в коммуникативном процессе между членами семьи. Семейная коммуникационная сфера является первичной и сохраняет определяющее влияние на характер межпоколенной коммуникации. Необходима такая стратегия взаимодействия поколений в семье, которая бы обеспечивала снижение конфликтности межпоколенного общения, которая бы вела к большему сотрудничеству поколений, гуманному и толерантному отношению между членами семей.

7. Возрастные стереотипы и клише

Стереотипное мышление нередко связывают с шаблонной негативной оценкой чего-либо, с низкой информированностью человека, а также с непродуманным поведением. Следует отметить, однако, что стереотипное мышление выполняет важную функцию: в определенных ситуациях оно позволяет уменьшать сложность социального мира и социальных взаимоотношений. Так, стереотипное мышление является эффективным подходом при коммуникативных контактах с незнакомыми людьми. Встречаясь с кем-либо впервые и начиная разговор, собеседники мало знают друг о друге, а значит, степень неизвестности высока (Berger & Bradac 1982), что вызывает у коммуникантов психологический дискомфорт. Обычно участники коммуникации сразу же пытаются уменьшить уровень неизвестности путем отнесения собеседника к той или иной социальной группе, что помогает поднять степень предсказуемости и уменьшить дискомфорт.

Возраст человека это то, что мы замечаем при встрече практически сразу, относя человека к той или иной возрастной группе. Отнесение к возрастной группе или предъявление возрастных требований прослеживается и при приеме на работу («требуется женщина-секретарь с опытом работы, до 30 лет»; «бухгалтер до 40 лет»; «няня к трехлетнему ребенку от 35 до 50 лет» и т. д.); и в системе здравоохранения («рекомендуется ежегодное прохождение маммограммы женщинам после 40 лет»); в рекламе («после 25 каждая женщина должна использовать наш увлажняющий крем», «предоставляем специальные скидки для людей пенсионного возраста!») и в других областях. Эйджизм (ageism) — дискриминация по возрастному показателю, хорошо просматривается в этих и других примерах. В исследованиях отмечается, что в западных культурах существует достаточно устойчивое негативное отношение к пожилым людям (William & Giles 1998), которое проявляется в общении с ними.

Некоторые из приведенных в предыдущем параграфе рекламных цитат указывают на очевидную дискриминацию по возрастному признаку. В докладе генерального секретаря Международной Организации Труда (Равенство в сфере труда, 2003) подчеркивается, что страны должны противодействовать дискриминации с сфере труда, в частности бороться с такими ее проявлениями, как: установление при найме на работу предельного возраста; практика заявлений работодателя о том, что пожилой трудящийся не может «продвигаться по службе» или что он «обладает слишком большим опытом»; установление возрастных ограничений при найме для женщин; установление предельного возраста для профессиональной подготовки; замена пожилых трудящихся молодой рабочей силой в тех случаях, когда заработная плата повышается в зависимости от возраста; создание таких условий, которые заставляют пожилых трудящихся уходить на пенсию раньше срока, например, предложение вариантов ухода на пенсию под завуалированным давлением. В современной России нередко декларируются широкие права пожилых людей (Васильчиков и др. 2000), но в практике найма работников зрелого возраста мало что меняется.

Среди исследователей, занимающихся проблемами социальной геронтологии, психологией старения и другими смежными науками, был проявлен значительный интерес к способам стереотипизации пожилых людей и использования определенных клише в их адрес. Использование определенных клише и стереотипных высказываний в отношении какой-либо группы людей является также и актуальным социолингвистическим вопросом. Например, в отношении пожилых людей существует большое количество клише, имеющих, как правило, негативную коннотацию: *старая калоша, старая карга, старая кошелка, старая перечница, старый пень, старый пердун, старый хрен* и пр. В каких коммуникативных ситуациях актуализируются подобные клише? Какова практика употребления этих выражений в разных возрастных группах? Насколько отношение к подобным клише зависит от пола, возраста и образования носителей языка? Эти и другие вопросы могли бы послужить отправной точкой для интересного социолингвистического и коммуникативного анализа.

Эйджизм напоминает и другие формы дискриминации в обществе, например, по этническому или гендерному принципу. Заметим, что возраст представляет собой континуум, а границы между возрастными категориями часто размыты и предопределяются лишь контекстуально. Эйджизм оказывается особой формой дискриминации, на которую находятся интересные ответы в обществе. Например, девочки в подростковом возрасте массово используют косметику, чтобы выглядеть взрослее и быть принятыми в группу более старших подростков. С другой стороны, по данным CNN, только в США в 2006 г. было проведено около 11 млн косметических операций, большая часть из которых была направлена на изменение внешности с тем, чтобы выглядеть моложе своих лет. Манипуляции с возрастом не ограничиваются только этим. Так, среди фамильных преданий в нашей семье фигурирует рассказ, в котором одна из знакомых женщин в 90-е гг. прошлого века специально потеряла паспорт и свидетельство о рождении, а затем подправила свой возраст в паспортной анкете в сторону уменьшения на 10 лет с тем, чтобы выйти замуж за иностранца, который ставил жесткие возрастные условия для невесты. Из разговоров со знакомыми и коллегами удалось узнать о многочисленных схожих случаях, когда менялся паспортный возраст в сторону увеличения или уменьшения для соответствия требованиям при приеме на работу, избежания призыва в армию, получения дополнительных пенсионных льгот и т. д.

Примечательно, что историко-этимологический анализ слова *старый* показывает, что в древне-русском языке данное слово имело в основном нейтральные и положительные коннотации. Ср. индо-европейскую основу *star-o* — «большой»; литовские слова *storas* — «толстый, коренастый», *storeti* — «толстеть»; древне-скандинавский корень *storr* — «большой»; слово *sthira* в санскрите в значении — «крепкий, твердый, сильный, спокойный»; *staurran* в готском «ворчать, быть упорным». В работе по геронтологической терминологии (Covey 1993) отмечается, что слова в европейских языках, обозначавшие пожилой возраст, изначально имели позитивную коннотацию и ассоциировались с мудростью, житейским опытом и трудовыми навыками, однако затем стали приобретать более негативные оттенки в значении, указывающие на утрату трудоспособности, беспомощность и зависимость, что косвенно свидетельствовало о понижении статуса пожилых. В русском языке это хорошо можно продемонстрировать на примере двух словообразовательных рядов, в один из которых входят такие слова, как *старец, старейшина, староста, старшина*, а в другой — *старичье, старье, старпер* и пр. Пожилые люди в наше время не хотят, чтобы их называли старыми, стремятся дистанцироваться от негативных ассоциаций, связанных с понижением статуса престарелых людей. Авторы многих исследований высказывались в пользу употребления лексических единиц, которые бы не представляли собой клише дискриминационного характера (Schaie 1993). В ходе социолингвистического опроса (Barbato & Freezel 1987), проведенного в США, респонденты отдали свое предпочтение в пользу слов: *mature American, senior citizen, retired person*, которые в большей степени ассоциируются с активным, прогрессивным образом жизни, чем слова *aged, elderly*, где отчетливо прослеживаются негативные ассоциации.

Возрастные клише и ярлыки отражают целый ряд социальных смыслов. В обзорном труде (Coupland & Coupland 1990) отмечалось, что исследования, ведущиеся по вопросам старения, имеют декрементальную возрастную ориентацию, т. е. в них делается акцент на дефиците коммуникативных или социолингвистических компетенций у пожилых. Обратимся к конкретным стереотипическим представлениям о коммуникативных особенностях людей пожилого возраста.

Одним из распространенных стереотипов пожилых людей является *болтливость*. Болтливый старик и болтливая старуха - знакомые клише и в жизни, и в художественной литературе. Насколько же этот стереотип соответствует действительности? Болтливость, включение нерелевантной информации в неоправданно длинное повествование, по данным социолингвистических исследований свойственна всего около 20 % пожилых людей (Ruscher & Hurley 2000). Как правило, нерелевантная информация включает разного рода воспоминания, которые не интегрированы в повествование. Болтливость является одной из черт, которая ассоциируется со старостью, возможно потому, что, как показывают исследования, именно чрезмерная разговорчивость коррелирует с возрастным показателем у пожилых людей. Например, при социолингвистическом обследовании американских военных в отставке средней возраст наиболее болтливых пожилых офицеров оказался около 67 лет, тогда как для менее словоохотливых отставных офицеров средний возраст был около 64 лет (Gold et al. 1988). Помимо высокой корреляции с возрастом оказалось, что чрезмерная болтливость также коррелирует с безразличием к восприятию индивидуума в глазах других людей и с более низкими невербальными навыками. Отметим также, что пожилые люди, которые в своих высказываниях не отвлекаются от темы разговора, не включают нерелевантной информации в повествование, нарушают представления более молодых участников общения о коммуникативных особенностях пожилых и тем самым не поддерживают сложившийся стереотип (Duval et al. 2000).

К другим коммуникативным явлениям, которые обычно тесно связывают с пожилым возрастом, относят *акты болезненного самораскрытия*. Заметим, что в социальной психологии разделяют акты самораскрытия на болезненные и неболезненные. Болезненные акты самораскрытия являются передачей негативной, сугубо личной информации в процессе общения. В исследовании (Coupland et al. 1991), проведенном на Уэльсе, принимали участие 20 молодых (от 30 до 40 лет) и 20 пожилых (от 70 до 87 лет) женщин, которые до эксперимента не знали друг друга. Участники эксперимента вели между собой диалоги (молодая женщина — пожилая женщина, а также пожилая женщина — пожилая женщина), записанные в аудио и видео формате. Первоначальная цель исследования заключалась в том, чтобы определить, какие формы коммуникативного приспособления используют молодые женщины при беседе с пожилыми. Однако в ходе проводимого исследования интерес авторов переместился в большей степени на анализ коммуникативных актов болезненного самораскрытия. Анализ записанных диалогов показал, что практически все болезненные самораскрытия (утрата близких, плохое здоровье, неподвижность, одиночество, семейные и финансовые проблемы) были сделаны именно пожилыми участниками диалогов, причем практически в равной пропорции при беседе с молодыми женщинами или при разговоре с своими пожилыми сверстницами. В диалогах пожилые женщины более 17 % времени потратили на раскрытие личной болезненной информации, тогда как у молодых собеседниц на это ушло менее 2 % от общего времени разговоров. Первоначальное раскрытие какой-либо болезненной информации вело к дополнительным вопросам со стороны молодых участниц беседы, и, как по цепочке, приводило к новым болезненным самораскрытиям.

В схожем эксперименте (Shaner et al. 1994) были сопоставлены случаи разного вида самораскрытия. Выяснилось, что в разговоре с пожилыми собеседниками, молодые коммуниканты раскрываются даже чаще, чем пожилые. Однако сопоставление именно болезненных самораскрытий показало, что они происходят в два раза чаще со стороны пожилых участников разговора.

Считается, что болезненные самораскрытия нарушают нормы саморепрезентации во время беседы с незнакомыми людьми (Berger et al. 1982; Coupland et al. 1988). Обычно речь идет о нарушении трех норм саморепрезентации: (1) не передавать информацию личного характера новым знакомым, (2) не пересказывать какую-либо негативную информацию о себе, (3) не раскрывать о себе слишком много во время первого разговора. Как следствие нарушения нормы болезненные самораскрытия обычно оцениваются негативно слушателями, причем как сама полученная информация, так и ее пожилой проводник. Рассчитывают ли на такую реакцию пожилые люди, раскрывая свои наболевшие проблемы? Когда задается вопрос, почему престарелые коммуниканты раскрывают о себе болезненную информацию, в ответ нередко можно услышать утверждения о том, что пожилые люди хотят представить себя в лучшем свете, найти подходящие объяснения своим болячкам, слабостям и ущербности. Следуя теории коммуникационного приспособления можно считать, что пожилые коммуниканты стремятся таким образом сохранить лицо и защитить свое «я». Другим объяснением болезненных самораскрытий является мотив самоидентификации — темы смерти друзей и супругов, темы болезней естественны для пожилого возраста и помогают пожилым лучше объяснить и представить себя окружающим (Bonnesen & Hummert 2002, 280). Болезненные самораскрытия помогают также ограничивать темы разговора и позволяют избежать невыгодных сравнений с более молодым собеседником, которые могли бы возникнуть, если бы, например, зашел разговор о спорте, туризме или романтических отношениях. Еще одним мотивом болезненных самораскрытий может быть стремление пожилых собеседников поддерживать контроль за ходом разговора, переводя разговор к привычным жалобам. Нередко, у пожилых вырабатывается устойчивая привычка к болезненным самораскрытиям, которые становятся просто рутинным способом поддержания коммуникации.

Помню, как моя прабабушка в последние 5–7 лет жизни, (а она дожила до 93 лет) часто и слезно жаловалась на боли в спине, на неуважение со стороны невестки, на раннюю смерть двоих сыновей, на недостаток внимания со стороны близких: «Вот не станет меня, так попомнит, как она со мной не разговаривала, да уже поздно будет». Репертуар и даже последовательность болезненных самораскрытий у прабабушки были хорошо известны членам семьи. Жалобы, как правило, заканчивались предложением попить чаю. В процессе чаепития настроение у прабабушки улучшалось и тут уже можно было услышать от нее более приятные воспоминания, например, об игре в рулетку в Монте-Карло. В Монте-Карло прабабушка была во время своего медового месяца на рубеже веков, девятнадцатого и двадцатого, когда прадедушка для своей молодой жены устроил поездку по Европе. Оказавшись впервые в казино, прабабушка не смутилась и в рулетку поставила на черное. Прадедушка же решил подстраховаться и, ничего не говоря жене, поставил на красное точно такую же сумму. В результате семейный бюджет не выиграл, но и не пострадал. Эту историю бабушка рассказывала множество раз и обычно за чаем.

Молодые участники общения более негативно реагируют на болезненные самораскрытия пожилых людей (Bonnesen & Hummert 2002, 289) — рассказы о смертях и болезнях часто воспринимаются ими как неуместные, неподходящие, слишком личные и т. д., а сами пожилые коммуниканты оцениваются ими в качестве малокомпетентных. Пожилые же собеседники оказываются более расположенными к выслушиванию болезненных самораскрытий в разговоре. Вероятно, можно судить о том, что с возрастом меняются нормы самораскрытия. Здесь, как кажется, хорошо прослеживается действие принципа взаимной выгоды, описываемого в рамках теории социального обмена: многие пожилые люди готовы с сочувствием выслушивать болезненные самораскрытия незнакомых людей, но в свою очередь нередко и сами стремятся поделиться собственными болезненными переживаниями в расчете на внимательное и участливое выслушивание.

Еще одним стереотипом коммуникативного поведения пожилых людей является **раскрытие** ими **своего возраста** (Coupland et al. 1991). Раскрывая свой возраст в разговоре, пожилые люди тем самым часто переводят беседу на обсуждение возраста. По наблюдениям Coupland et al., обсуждение возраста у пожилых людей нередко играет роль объяснения состояния здоровья, каких-либо проявлений болезни. Заявления о возрасте также иногда делаются, чтобы подчеркнуть контраст между реальным состоянием здоровья и тем состоянием, которое обычно связывается с определенным возрастом. «Ведь мне уже 82! Да что вы, ну вам никак не дашь! Другие в этом возрасте уже и из дома не выходят, а вы, вот смотрите, каким вы огурцом!...». Nussbaum & Bettini (1994) записали разговоры между внуками и внучками и их бабушками и дедушками, где последних попросили рассказать что-либо, что, по им мнению, «раскрывает смысл жизни». Авторы работы отметили, что почти в каждом рассказе бабушки и дедушки упоминали о своем возрасте. Дедушки говорили в основном о здоровье и о своих юношеских воспоминаниях, а бабушки предпочитали говорить о семье и о семейной истории.

К другим негативным стереотипам пожилых нередко относят забывчивость, одиночество, плохое состояние здоровья и дурашливость. Впрочем, с пожилым возрастом в странах Запада ассоциируются далеко не только негативные стереотипы. В работе (Hummert et al. 1994) при анализе ассоциаций, связанных с пожилым возрастом, было выделено 12 стереотипов, к которым были подобраны соответствующие прилагательные *предприимчи-*

вый, активный, хорошо информированный (adventurous, active, well informed), *патриотически настроенный, ностальгирующий, убежденный* (patriotic, nostalgic, determined), *жалующийся, озлобленный, требующий* (complaining, bitter, demanding), *в депрессии, безнадежный, заброшенный* (depressed, hopeless, neglected).

Перечисленные стереотипные черты вполне пригодны и для описания пожилых граждан России. Например, в нынешних российских условиях хорошо известны группы пожилых людей, активных, хорошо информированных, патриотически настроенных и убежденных, которые с ностальгией вспоминают Советский Союз и времена развитого социализма, и решительно поддерживают политические партии и движения коммунистического и социал-демократического толка, выходя на митинги и демонстрации. С другой стороны, стереотип заброшенного, озлобленного российского пенсионера, жалующегося на маленькую пенсию, непомерно растущие цены и квартплату, наглое и заносчивое поведение новых хозяев жизни, широко растиражирован и в российской прессе, и на некоторых телевизионных каналах (по крайней мере в 90-е гг.).

Примечательно, что стереотипы старости предстают несколько по-иному в случае, когда общение происходит между близкими людьми, например, между внуками и их бабушками и дедушками. Родственная близость влияет на оценку молодыми людьми их бабушек и дедушек следующим образом. По результатам исследования (Pecchioni & Croghan 2002) был сделан вывод о том, что, если у молодого человека или девушки живы дедушки и бабушки, то именно степень близости со старшими родственниками определяет более или менее положительное отношение к общению с пожилыми, вне зависимости от возраста бабушки или дедушки. Впрочем, достаточно высокая степень близости к бабушкам и дедушкам не исключает и отрицательные стереотипные оценки. Исследователи подчеркивают, что у молодых людей именно отношение к их собственным бабушкам и дедушкам (Fox & Giles 1993; Williams & Nussbaum 2001) влияет на формирование отношения к старению и старости в целом и на формирование соответствующих стереотипов.

8. Восприятие коммуникации между людьми разных поколений

Общение между людьми разного возраста может вызывать чувство удовлетворения или ощущение неудовлетворенности у участников коммуникации. Какие же факторы влияют на положительное или отрицательное восприятие межпоколенческого общения? Опрос среди молодых людей по восприятию общения с людьми пожилого возраста (Williams & Nussbaum

2001, 91) указал на несколько таких факторов. Ощущение неудовлетворенности от разговора у молодых участников общения ассоциировалось с жестким негативизмом пожилых коммуникантов. Это проявлялось в тех случаях, когда молодые участники опроса полностью соглашались с утверждениями о том, что пожилые люди говорили много и исключительно о себе и своих проблемах, а также с утверждениями о том, что молодые собеседники не знали, как реагировать и что говорить в ответ на жалобы пожилых людей. Другим фактором, влияющим на чувство удовлетворения от общения, оказался фактор взаимной подстройки коммуникантов друг к другу. Взаимное приспособление собеседников давало ощущение того, что возрастная разница между участниками коммуникации скрадывалась и собеседники находили в разговоре общие интересы: пожилые участники разговора были позитивно настроены, вели живую дискуссию, с интересом выслушивали молодого собеседника и избегали вынесения каких-либо отрицательных оценок в адрес партнера по коммуникации.

В ходе другого опроса по изучению общения между представителями разных поколений исследователи (Williams & Giles 1996) просили студентов вспомнить и описать недавние внесемейные разговоры с пожилыми собеседниками, которые вызывали чувство удовлетворения или чувство разочарования и неудовлетворенности. Респондентов попросили описать один «удовлетворительный» и один «неудовлетворительный» разговор из их практики общения с пожилыми. Затем была проанализирована содержательная сторона описанных разговоров с целью выявления наиболее часто встречающихся тем разговоров. Результаты обследования показали, что наибольшее удовлетворение от разговора молодые собеседники получали в том случае, когда пожилые люди подстраивались к коммуникативным нуждам студентов, т. е. выражали одобрение собеседнику, внимательно слушали, подбадривали комплиментами, рассказывали интересные истории и т. д. Удовлетворение вызывали разговоры, в которых оба собеседника разного возраста выражали позитивные эмоции. Примечательно, что в этих случаях возрастная разница между собеседниками часто не воспринималась молодыми людьми в качестве существенного фактора, влияющего на ход разговора. По наблюдениям Williams & Giles (1996), в 90 % случаев именно пожилые люди делали комплименты своим более молодым собеседникам и проявляли эмоциональную поддержку.

С другой стороны, при неудовлетворительных разговорах пожилые собеседники не проявляли внимания, слушали молодых участников разговора без интереса, казались неинформированными, не понимающими суть разговора, иногда акцентировали нежелательное внимание на своих молодых собеседников. По словам студентов, в подобных разговорах пожилые нередко жаловались на состояние здоровья и другие проблемы в жизни. Некоторым молодым собеседникам казалось также, что пожилые переносили на них негативные стереотипные взгляды о том, что молодежь в целом наивна и безответственна. Молодые собеседники отмечали, что таких условиях разговора сами они неохотно продолжали беседу и нередко вынуждены были, «прикусив язык», сдерживать себя, выказывая уважение к пожилому возрасту собеседника.

Во внесемейных разговорах, проанализированных исследователями (Williams & Giles 1996), особое место занимали нарративы, которые сводились к рассказам о каких-либо случаях из жизни, коротким воспоминаниям. По данным исследователей, и молодые и пожилые собеседники в равной степени проявляли интерес к таким повествованиям. Вопреки устойчивым представлениям, две трети рассказов пожилых людей касались не событий многолетней давности, а сравнительно недавних эпизодов и случаев из их жизни. Молодым собеседникам нравилось, когда пожилые участники разговора передавали свои собственные наблюдения о каких-либо текущих, недавних или исторических событиях. Среди же повествований со стороны молодых собеседников, наиболее распространенной темой были рассказы об учебе и рассуждения о будущих профессиональных планах. Школа, университет и будущая карьера представляются наиболее естественными темами для обсуждения особенно в межпоколенческом разговоре, ибо, как кажется девушкам и молодым людям, именно обсуждение этих тем обычно сопровождается одобрением со стороны пожилых собеседников. С другой же стороны, некоторые пожилые собеседники могут расценить попытки перевести разговор только на будущие планы молодых как проявления юношеского эгоцентризма.

Еще в 80-е гг. прошлого века социологи отмечали, что в условиях западного современного общества люди разного возраста оказываются все больше и больше сегрегированы (Chudacoff 1989). Справедливость этого наблюдения подтверждается и сегодня. Контакты между людьми разного возраста сокращаются по мере того, как молодежь концентрируется в университетских кампусах, все больше людей преклонного возраста помещаются в дома для престарелых, граждане предпенсионного возраста поселяются в квартирные комплексы, где, согласно утвержденным правилам, проживают только семьи без детей и т. д. По некоторым данным (Williams & Garret 2002), люди студенческого возраста общаются с теми, кому за 65 лет, не более 5 %–10 % от общего времени, проводимого в общении внутри и вне семьи. Частота коммуникативных контактов с пожилыми людьми вне семьи влияет на восприятие пожилых людей и отношение к пожилым людям и старению (Giles et al. 2001; Williams et al. 1996). Молодые люди, которые признают, что чаще общаются с людьми в преклонном возрасте, более склонны рассматривать пожилых собеседников в положительном свете, как людей, которые стремятся приспосабливаться к коммуникативным нуждам другой стороны.

Обратимся к рекомендациям по улучшению восприятия межпоколенческого общения, которые были сделаны со стороны представителей студенческой молодежи (Williams & Nussbaum 2001, 99). В общих чертах рекомендации молодых коммуникантов сводились к пожеланиям в адрес пожилых собеседников стараться лучше приспосабливаться, эмоционально и когнитивно, к потребностям молодых, проявлять меньше негативизма, стремиться лучше выслушивать собеседника, стараться высказываться с большей ясностью. Также было отмечено, что оба разновозрастных партнера по общению должны быть более вовлечены в разговор, а также должны стараться эмоционально приспособиться друг к другу, что может проявляться во взаимных сочувствии и заботе. Примечательно также и то, что, по мнению значительной части респондентов, крайне трудно существенно улучшить впечатление от разговора, который уже был воспринят как вполне удовлетворительный. Что же касается улучшения впечатления от неудовлетворительных разговоров, то среди рекомендаций были сделаны, на наш взгляд, и не слишком конструктивные предложения, сводящиеся к тому, чтобы в будущем вообще не вступать в разговор с подобными собеседниками, а также избегать пожилых людей в целом.

Одной из очевидных проблем описанных опросов является то, что респондентами в большинстве случаев оказываются люди молодого возраста, как правило, студенты первого и второго курса, записавшиеся на лекции по введению в коммуникативные исследования, межкультурную коммуникацию, социолингвистику и другие подобные дисциплины. Университетские профессора и научные сотрудники, ведущие изучение коммуникативных процессов, чаще всего обращаются к этой наиболее доступной (добавим также, подручной и зависимой) группе респондентов со своими опросами и экспериментами. Подобных опросов среди пожилых проведено намного меньше и с меньшим количеством участников. Причем опросы среди пожилых людей охватывали в основном постояльцев домов для престарелых, испытывающих разного рода когнитивные и коммуникативные затруднения. Подобная практика избирательных и не вполне репрезентативных опросов, во-первых, снижает надежность и валидность коммуникативных исследований, а во-вторых, представляет картину восприятия межпоколенческой коммуникации в однобоком плане, где мнения людей студенческого возраста представлены в полной мере, а взгляды и представления пожилых и здоровых участников коммуникации оказываются менее изученными.

9. Коммуникация между поколениями в восточных культурах

Во время поездки по Таиланду в 2003 г. мне запомнился следующий случай. При регистрации в отеле в городе Чианг Май на севере Таиланда я стоял в небольшой очереди. Обычно иностранцев просят подойти к стойке регистрации без промедления, следуя традиционным для Таиланда заповедям гостеприимства. На этот же раз молодой менеджер за стойкой прежде всего пригласил на регистрацию тайца, которому на вид было лет 60 или 65. Когда дошла очередь до меня, менеджер специально извинился за небольшую задержку и сказал, что в Таиланде принято обслуживать прежде всего пожилых постояльцев и иностранцев, но пожилым все-таки отдается предпочтение.

Ученые, ведущие исследования в области межпоколенческой коммуникации, хорошо понимают, что характер коммуникации между людьми разных поколений во многом зависит от культурных особенностей общества. В последние 10–15 лет заметен очевидный интерес к изучению взаимосвязи между характером общения и культурой общества (Gudykunst et al. 1996; Ng 1998). Географический охват подобных исследований достаточно велик. Исследования общения между разными поколениями в последнее десятилетие проводились не только в США и европейских странах, но и в Южной Корее, Японии, в Гонконге и на Тайване (Williams et al. 1997; Cai et al. 1998; Noels et al. 1999; Giles et al. 2001). Исследователи стремились выявить различия в общении между поколениями в восточных странах, т. к. традиционно считается, что именно в этих странах сохраняются коллективистские ценности и более уважительное отношение к пожилым, чем на Западе (Gudykunst & Matsumoto 1996).

Приводя утверждение о том, что восточные культуры более ориентированы на коллективистские ценности, а культуры стран Запада проникнуты индивидуализмом (Hofstede 1980), нельзя забывать об очевидной опасности универсальных обобщений. Уровень индивидуализма среди американских граждан или уровень коллективизма среди монголов или китайцев несомненно варьируется (Triandis et al. 1985), и правильнее говорить об относительном индивидуализме или коллективизме членов общества и носителей языка. Причем очевидно и то, что индивидуалистические и коллективистские тенденции могут проявляться в общение одного и того же носителя языка в зависимости от ситуации и контекста.

Кроме того не следует забывать, что традиционные воззрения в Китае и других странах Дальнего Востока на характер отношений между поколениями имеют свои внутренние противоречия, в частности противоречия между конфуцианской и даоистской традицией (учением Лао-Цзы). Ранние учения даоизма в Китае рассматривали людей и окружающую среду в постоянной взаимозависимости и подчеркивали важность гармонии в этих взаимоотношениях. Эти представления остаются важными в восточной традиции, а в последние несколько десятилетий также были импортированы и на Запад. Вспомним хотя бы популярную теорию двух начал «Инь» и «Ян», принципы правильной расстановки мебели в жилом или рабочем помещении (Фен Шу), или же оздоровительную гимнастику Тай-Чи, которые как раз и построены на основе древних даоистских учений. Даоизм, впоследствии подвергнувшийся влиянию пришедшего из Индии буддизма, характеризуется определенным недоверием к вербальной коммуникации, убеждением в том, что слова и предложения могут сознательно скрывать истинные намерения говорящего и что духовная универсальная истина не может быть адекватно выражена вербально.

Конфуцианская же традиция, распространившаяся не только в Китае, но и в других странах Дальнего Востока, подчеркивала важность строгого соблюдения традиционных порядков и обычаев, в т. ч. и в общении. Главнейшей обязанностью человека являлось почитание старших и предков. В одном из конфуцианских сочинений говорится: «всегда выражать полное уважение к родителям, доставлять им пищу самую любимую; скорбеть, когда они больны; до глубины души сокрушаться при их кончине; и приносить им, усопшим, жертвы с торжественностью — вот пять обязанностей сыновьего благочестия». Конфуцианские правила лояльности и послушания старшим предписывали ученикам свято следовать наставлениям Учителя, а преемникам — ревностно оберегать опыт предшествующих поколений. Традиция передачи знания из уст в уста стремилась исключить возможность превратного толкования Учения, а воспользоваться письменными источниками без помощи наставника было невозможно. Долг ученика перед наставником и старшими товарищами является пожизненным и неоплатным.

С другой стороны, многие исследователи разделяют мысль о том, что социальная ориентация в странах Запада базируется на принципах либерализма. Общество строится из индивидуумов, каждый из которых обладает своими неотъемлемыми правами и стремится к автономии (Kim 1994). Люди на Западе действуют рационально, в своих собственных интересах, стремясь достичь индивидуального успеха и самореализации (Gudykunst et al. 1996), и в значительно меньшей степени ориентируются на представления старших, своих учителей, родителей, и других старших родственников в своем поведении и коммуникативном взаимодействии с окружающими людьми. При общении с собеседниками из иной культурной среды люди ориентируются на мультикультурные нормы общения. Исследование в Германии было обращено на изучение коммуникативного поведения турок-иммигрантов в конфликтной ситуации (Klinger & Bierbraver, 2001). В конфликтном общении с другими иммигрантами из Турции обычно использовалась менее агрессивная, непрямая форма общения; когда же участником конфликта был немец, турецкие иммигранты проявляли более прямую и инструментально направленную форму общения, свойственную немцам.

В определенной степени негативные стереотипы в отношении общения с пожилыми людьми могут быть отнесены именно на счет индивидуализма, ориентацию на краткосрочные прагматические отношения и стремление к независимости в западном обществе. Общение с пожилыми людьми требуют времени, налагает дополнительные нежелательные обязательства и часто не несет с собой какой-либо ощутимой прагматической, инструментальной пользы. Налицо очевидный контраст с традиционными представлениями восточных культур.

В соответствии с конфуцианскими принципами гуманизма, праведности, пристойности и мудрости (Yum 1988), почитание пожилых в традиционных восточных культурах не ограничивается семейным кругом, но распространяется на соседей и общество в целом. Уважение к старшим на уровне семьи выражалось в почитании предков, в подчинении родителям и уважении к ним, в оказании финансовой поддержки родителям (Zhang & Hummert 2001). На внесемейном уровне уважение к старшим проявлялось прежде всего в их более высоком социальном статусе в обществе. Почитание стариков до последнего времени являлось широко распространенной общественной нормой в таких странах, как Япония (Tobin 1987), Южная Корея (Park & Kim 1992), Китай (Ho 1994). Примечательно, что в Гонконге до 60-х гг. прошлого века при знакомстве друг с другом было принято называть не только имя, но и собственный возраст (Ng 1998). Это позволяло строить общение со старшими по возрасту собеседниками согласно этикету общения.

В более ранних исследованиях распространенность уважительного отношения к пожилым в странах Востока подтверждалась полученными эмпирическими данными. Так, например, опросы в Шеньяне (Sher 1984) дали результаты, которые указывали на позитивный имидж пожилых людей в Китае. Несмотря на серьезные изменения в китайском обществе в 80-е гг. прошлого века, уважение и почет к старикам сохранялись. Жизненный опыт и знания пожилых китайцев составляли своеобразную цепочку, способствовали поддержанию связи между настоящим и прошлыми поколениями, предками, историей и культурной традицией (Wong 1979). Сам процесс старения описывался в нарративах участников еще одного исследования как позитивный процесс, отражающий гармонию человека с естественными процессами в окружающей среде. Кроме того подчеркивалось, что пожилые люди на Востоке представляются более деятельными и активными, чем на Западе, и эффективно обеспечивают поддержание межпоколенческого общения и связей в семье (Nagasawa 1980).

Однако недавние исследования в странах Дальнего Востока указывают на определенные изменения в этой области. Так в работе, посвященной изучению роли и статуса пожилых людей в Гонконге (Chow 1999), было установлено, что пожилые члены семьи уже более не рассматриваются в качестве глав семей, а также более не обладают правом принимать какие-либо окончательные решения в семейных делах. Исследования, направленные на изучение отношения к общению с людьми разного возраста в этих странах, не принесли результатов, поддерживающих гипотезу, что общение со стариками воспринимается более позитивно в странах Востока, чем на Западе.

В Южной Корее исследователи (Song et al. 1989; Youn et al. 1991) изучали ожидания и представления пожилых людей относительно их общения с более молодыми поколениями и в целом относительно положения пожилых в корейском обществе. В результате урбанизации и влияния западной культуры традиционный уклад корейской семьи (при котором, старший сын жил с пожилыми родителями) распался. Пожилые корейцы в своих нарративах выражали недовольство этими изменениями в семейных традициях и потерей статуса, которая проявляется в утрате былого влияния на своих детей. По данным исследователей (Song et al. 1989), молодые члены семьи не пытаются в должной мере понять психологическое состояние пожилых родителей (в возрасте от 55–84 лет). Старение для корейцев ассоциируется с нарастающим конфликтом, неприятными формами общения с молодыми, ощущением неуважения со стороны молодых и все большей отстраненностью от своих детей (Youn et al. 1991). Пожилые корейцы рассчитывают на более близкие отношения со своими детьми, но часто эти расчеты не совпадают с реальностью.

В другой работе (Ikels et al. 1992) подчеркивается, что, как и на Западе, так и на Востоке, у людей складываются достаточно негативные представления о пожилых, что сказывается на общение с ними. К негативным стереотипам относятся представления о физической немощи, материальной зависимости, ухудшении навыков межпоколенческого общения. Кроме того, описывается как весьма распространенное в странах Востока представление, заключающееся в том, что к пожилым людям надо относиться хорошо и уважительно, но их мнение не следует воспринимать серьезно.

Одно из исследований было направлено на сравнение общения между поколениями в девяти странах: Южной Корее, Японии, КНР, Гонконге, на Филиппинах, в США, Австралии, Новой Зеландии и Канаде (Williams et al. 1997). Полученные результаты показали, что молодые участники опроса из перечисленных азиатских стран в целом выразили менее позитивное отношение в оценке общения с пожилыми людьми по сравнению с молодыми респондентами из стран Запада. Причем, наиболее негативное отношение было выражено молодыми участниками опросов в Гонконге и Китае. Было сделано предположение, что подобное отношение к общению с пожилыми в азиатских странах может быть объяснено массовой вестернизацией, укреплением индивидуализма, быстрым размыванием традиционных ценностей, в частности почтительного отношения к старшим на Востоке, которое может восприниматься как нечто отжившее и неактуальное.

Результаты другого исследования (Gallois et al. 1999), проведенного в тех же странах тихоокеанского региона, дали менее однозначную картину. С одной стороны, молодые люди из азиатских стран в большей степени, чем западная молодежь, поддерживали уважительное отношение к старшим, если оно проявлялось в финансовой и физической поддержке пожилых. Однако, в вопросе общения с пожилыми, а также социально-эмоциональной поддержки в целом, западная молодежь высказывалась более позитивно, чем молодые респонденты из стран тихоокеанского региона. Следует заметить, что отношение к коммуникации с пожилыми среди азиатской молодежи сильно менялось, если вопрос ставился об общении с престарелым родственником, а не просто с незнакомым или малознакомым пожилым человеком (NG et al. 1997). Отношение к общению с родственниками было гораздо более позитивным, чем отношение к коммуникации с малознакомыми пожилыми людьми.

В сравнительном исследовании, проведенном на Тайване и в США (Yeh et al. 1998), респонденты в возрасте до 30 лет должны были оценить записи (якобы аутентичных) разговоров между пожилыми и молодыми собеседниками. Респонденты с Тайваня в целом оценили более негативно как пожилых, так и молодых участников разговора, по сравнению с оценками, полученными в ответах молодых американцев. Опрос, проведенный среди пожилых граждан КНР (Cai et al. 1998), показал, что престарелые китайцы воспринимали своих ровесников как собеседников, которые менее склонны приспосабливаться к коммуникативным нуждам участника разговора по сравнению с более молодыми собеседниками. Пожилые китайцы также посчитали, что молодые члены их семей в большей степени склонны к коммуникативному приспособлению, чем представители молодежи, не являющиеся их родственниками.

В другом сравнительном исследовании, также проведенном на Тайване и в США (Giles et al. 2001), участники опроса студенческого возраста сопоставляли свой опыт общения со сверстниками и общения с пожилыми людьми. Результаты этого опроса показали, что молодые люди и в США, и на Тайване расценивали общение с пожилыми людьми как более трудный и менее желательный процесс, что разговор со сверстниками. Престарелые собеседники представлялись эгоцентричными, не заинтересованными в общении с молодежью, и вообще менее заинтересованными в общении. Молодые собеседники отмечали, что чувствовали моральный долг быть вежливыми и уважительными в общении с пожилыми людьми в большей степени, чем в общении со сверстниками. Впрочем, среди американских респондентов разница в оценке общительности и настроя на общение среди молодых и пожилых собеседников оказалась незначительной.

Исследование, проведенное в Китае (Zhang & Hummert 2001), было построена на серии собеседований с пожилыми и молодыми людьми. В работе отмечалось, что традиционные нормы уважения младших к старшим в контексте изменяющейся культуры могут служить объяснением как конфликтных, так и гармоничных отношений между собеседниками в процессе коммуникации. Китайское *ксиао* (уважение младших к старшим) в качестве ведущего принципа в этики отношений, традиционные конфуцианские ценности определяют иерархию социальных ролей в зависимости от возраста в китайском обществе. Пожилые люди обладают более высоким статусом, чем молодые, и, как показало упомянутое исследование, стремятся поддерживать сложившиеся статусные отношения. В своих комментариях пожилые китайцы подчеркивали, что считают своим долгом обучать и поучать молодых, действуя в соответствии с китайскими пословицами: «Хорошее лекарство горько во рту, но полезно для здоровья; хорошие слова больны для ушей, но выливаются в правильные поступки»; «Молодым людям надо говорить меньше, а слушать больше». Однако молодые участники собеседований в Китае выражали стремление к большей независимости от пожилых и пожелание равного статуса в общении с людьми разных поколений.

Возможным объяснением изменений в традиционных восточных ценностях могут служить, по мнению авторов работы (Giles et al. 2001, 172), сдвиги, которые произошли в области экономики стран тихоокеанского региона, в частности Тайваня. В связи с возросшей мобильностью рабочих, возможностью жить вне родительского дома, ростом высоких технологий, проникающих в быт людей, молодые люди вырастают с новыми социальными ожиданиями и ценностями, которые отличаются от ценностей поколения их дедов и отцов. Пожилые и престарелые люди уже не всегда видятся мудрыми и знающими все и вся в современной жизни. И хотя традиционное уважение к старшим поддерживается в обществе в определенной мере, по части подготовленности и информированности пожилые люди уступают молодым жителям тихоокеанского региона, многие из которых все больше разделяют ценности западного общества.

Несколько работ специально сравнивали отношение к семейному и внесемейному общению с пожилыми людьми в странах Запада и Востока. Была высказана гипотеза о том, что в азиатских странах люди при конфликтном характере коммуникации избирают разную тактику общения в зависимости от того, проходит ли общение с членами семьи или с незнакомыми людьми (Ting-Toomey et al. 2005). Утверждалось, что при конфликтном общении в кругу семьи наиболее распространенной тактикой коммуникации в азиатских странах является тактика избегания открытого конфликта и избегания самого общения, в то время как при общении вне семьи с незнакомыми людьми открытая конфронтация представлялась более допустимой. В исследовании (Ng et al. 1997), сопоставлявшем отношение к общению с пожилыми родственниками и с пожилыми незнакомыми людьми среди новозеландцев европейского и китайского происхождения, были получены данные, свидетельствующие о том, что незнакомые пожилые, по мнению участников опроса, меньше стремились приспособится к коммуникативным нуждам собеседника, в то время как пожилые родственники по этому показателю расценивались более положительно. В целом респонденты китайского происхождения оценивали более негативно общение с молодым поколением, чем участники опроса с европейскими корнями. Пожилые китайцы оценивали общение с новозеландскими европейцами более положительно, чем новозеландцы европейского происхождения общение с новозеландцами китайского происхождения. В собеседовании пожилые новозеландцы китайского происхождения подчеркивали свою приверженность нормам вежливости и уважения к пожилым людям.

Таким образом, сопоставительные исследования показали, что по сравнению с ситуацией в западных странах на Востоке, в частности в странах тихоокеанского региона, пожилые собеседники (вне семьи) представляются менее желательными собеседниками молодым людям, т. к., по мнению молодежи, чаще жалуются, ограничены в кругозоре, менее внимательны к собеседнику и выказывают меньше поддержки по сравнению с собеседниками-сверстниками. Возможно, это означает, что пожилые люди в этих культурах менее склонны приспосабливаться к общению с молодыми собеседниками и продолжают настаивать на традиционном уважении к пожилому возрасту, несмотря на то, что групповой статус пожилых людей в целом снижается в последние десятилетия. Кроме того в странах, претерпевших или претерпевающих быструю модернизацию, пожилое поколение из-за более низкого образования и нежелания отказываться от традиционных ценностей, часто оказывается косвенной жертвой таких экономических и социальных преобразований. В КНР, Японии, Корее, Тайване и на Филиппинах молодые собеседники высказывали более уважительное отношение к пожилым, чем к своим сверстникам, но в то же время отмечали сильное желание избегать или прерывать разговор с пожилым собеседником, особенно не членом их семьи.

10. Избегание тем в процессе коммуникации

Среди исследователей, занимающихся проблемами общения, существует точка зрения, согласно которой не всегда целесообразно полностью раскрываться в разговоре, и избегание определенных тем в беседе вполне функционально оправданно (Afifi & Burgoon 1998). Например, жалобы и претензии в адрес собеседника могут серьезно испортить взаимоотношения, а избегание таких жалоб в состоянии поддержать и защитить сложившиеся социальные связи. Нередко утверждается, что для поддержания здоровых отношений с индивидуумом необходим определенный баланс между открытостью и закрытостью. Раскрывая какую-либо личную информацию, люди остаются незащищенными и уязвимыми (Petronio 2002), поэтому многие собеседники выстраивают определенные границы, за которые они стремятся не заходить при раскрытии какой-либо личной информации. Даже в том случае, когда собеседники высоко ценят открытость в отношениях, если осознаваемый риск раскрытия информации высок, обычно участник общения старается уйти от рискованной темы в разговоре. Аргументы, приводимые в пользу ухода от темы разговора (Caughlin & Afifi 2005, 483) обычно сводятся к следующему: самозащите, защите дружеских отношений и стремлению не допустить их ухудшения, предотвращению конфликта во взаимоотношениях, отсутствию близости с собеседником.

С другой стороны, открытость в целом высоко ценится в западной культуре и имеется достаточно эмпирических исследований, показывающих, что избегание тех или иных тем для разговора, сохранение в секрете, утаивание какой-либо информации от собеседника обычно негативно отражается на взаимоотношениях и проявляется в общении, которое не приносит удовлетворения (Caughlin & Golish 2002).

Избегание каких-либо тем в разговоре и сохранение информации в секрете следует рассмотреть в контексте межпоколенческого общения. Например, в общении между детьми и родителями, маленькие дети, по сравнению с родителями, имеют довольно ограниченные права по утаиванию какой-либо информации от родителей, но постепенно со взрослением ребенка им начинает осознаваться право на утаивание информации и таким образом права подростка постепенно выравниваются с правами взрослого человека (Petronio 2002). У подростка и его родителей, таким образом, появляется необходимость по пересмотру границ личной свободы и по пересмотру неписаных правил ведения общения со старшим поколением. Схожая динамика наблюдается и в школе — достаточно посмотреть на различия в общении учителей с учениками начальной школы и старшеклассниками. Таким образом, более старший участник коммуникации, обладающий большим влиянием и властью, обычно имеет больше возможностей и прав на сокрытие личной информации, без существенных последствий в отношении уровня удовлетворения от общения.

11. Восприятие снисходительной и упрощенной речи пожилыми

Снисходительная и упрощенная речь является еще одним фактором в межпоколенческой коммуникации. Несколько исследований, проведенных в США, продемонстрировали, что при общении с пожилыми людьми нередко употребляются упрощенные формы речи (Giles et al. 1993; Hummert

et al. 1998, La Tourette & Meeks 2000). Снисходительное, упрощенное общение обычно происходит в медицинских и социальных учреждениях, где
пожилым людям оказываются те или иные медицинские или социальные
услуги. Социальные геронтологи считают, что качество общения и количество коммуникативных актов являются важнейшими факторами для благополучной старости, а снисходительное обращение и упрощенная форма
общения ведут к большей зависимости пожилых и способствуют ускоре-
нию умственного и физического упадка (Coupland et al. 1991).

Высказывалось мнение, что обитатели домов для престарелых чаще
оказываются реципиентами снисходительной речи и реже выступают против такого обращения, поскольку они быстро привыкают к подобной форме обращения, а также находятся в более зависимой ситуации от обслуживающего социального и медицинского персонала и просто боятся протес-
товать (Hummert et al. 1998).

Под снисходительной манерой общения обычно понимается целый
комплекс черт (см, например, La Tourette & Meeks 2000): повышение голоса, преувеличенное интонирование, покровительственные формы обращение (*бабуля, бабулька, дедуля, дедулька*), использование форм первого лица
во множественном числе, а также уменьшительно-ласкательных форм
(*укольчик сделаем…, таблеточку сейчас примем…, клизмочку поставим…*),
покровительственное невербальное поведение (поглаживание, похлопы-
вание по плечу), манера обращения во многом сходная с манерой обращения с маленькими детьми.

В медицинских и социальных учреждениях России подобная манера
общения встречается не так часто и более свойственна внутрисемейному
общению с престарелыми людьми. Например, при уходе за пожилыми в
семье в речи представителей более молодых поколений были зафиксированы следующие формы:

> *Бабулька, бабуленьки, дедулька, дедок.*
> *А сейчас кашку ням-ням.*
> *Теперь чайку с печеньецем.*
> *Ну а теперь баинки топ-топ пойдем.*

Примером покровительственной речи при внесемейном общении могут служить диалоги, записанные в общественных местах. В следующих
примерах имеет место чрезмерное коммуникативное приспособление, и
манера обращения с пожилыми людьми действительно похожа на общение с маленькими детьми:

> *— Как наша головка сегодня чувствует?*
> *— А где мы кофточку забыли?, А что же мы пуговичку-то не*
> *застегнули?*
> (на приеме в поликлинике)

— *Сейчас, бабушка, вот здесь распишемся и денежку получим,
...вот так вот!* (в банке при получении пенсии);

— *Дедуле-то место уступить надо. Дедуль, иди, садись сюда*
(в общественном транспорте);

— *Бабуль, давай творожок наш купим, и сметанку, бабуль, не
забываем. Да, пробуй-пробуй сметанку, бабуль!* (молодая продав-
щица на рынке при обращении к пожилой женщине)

Коммуникативное приспособление может принимать и иные формы,
когда с пожилым человеком говорят подчеркнуто строго, а иногда просто
по-хамски грубо. Диалог в сбербанке между пожилой женщиной и служа-
щей сбербанка средних лет:

— *Мне бы доверенность на сына заполнить?*
— *Паспорт давайте, сберкнижку, паспорт доверенного лица...
Заполните по форме, так чтоб разборчиво было!* (строгим голо-
сом). *Следующий!*
(Пожилая женщина не отошла от окошка и смотрит на образец
заполнения формы).
— *Ну что вам еще!* (работник банка раздраженным голосом).
— *Доченька, тут какой номер в квитанции писать?*
— *Гражданка* (обращается к пожилой женщине), *не задавайте
лишних вопросов! Не отвлекайте! Инструкция под стеклом на
столе, там все написано! Как дети...*(говорит про себя, тихим голосом)

В московском метро на эскалаторе:

— *На сходе с эскалатора не задерживаемся! Тележку уберите*
(обращается к пожилой женщине в микрофон), *вам говорят, с тележкой нельзя, русским языком говорят, нельзя с тележкой, а она
все претвсе прется...* (из речи оператора эскалатора в московском метро)

Некоторые исследователи также задались вопросом о том, как воспринимается снисходительная речь самими пожилыми людьми, и как сре-
да обитания пожилых влияет на это восприятие. La Tourette & Meeks (2000)
в частности пытались оценить, насколько проживание в доме для престарелых, по сравнению с проживанием в собственной квартире или доме,
влияет на восприятие снисходительной речи. Для анализа были сделаны
видеозаписи двух разговоров между молодой медсестрой и пожилой женщиной, которой предстояло сделать прививку от гриппа. Суть каждого раз-

говора была одной и той же, однако в одном случае исполнительница роли медсестры использовала по отношению к пожилому пациенту обычную речь, а в другом случае покровительственные и снисходительные выражения и интонации. Оказалось, что и обитатели домов для престарелых и пожилые люди, проживавшие в собственных домах и квартирах, предпочли обычную речь речи снисходительной. В тех случаях, когда использовалась обычная речь в обращении к пожилой пациентке, респонденты оценили медсестру как более уважительного, заботливого, компетентного и благожелательного человека. В свою очередь, респонденты высказали мнение, что пожилая пациентка, к которой обращались в нормальной (не снисходительной манере), была более удовлетворена общением.

Глава III

Социолингвистический опрос по проблемам межпоколенческой коммуникации

1. Задачи анкетирования и условия проведения опроса

Летом 2005 г. был проведен социолингвистический опрос, направленный на выяснение особенностей коммуникации людей, принадлежащих к разным возрастным группам. Предполагалось, что анкетирование позволит уточнить различия между общением с людьми близкими по возрасту и коммуникацией с представителями других поколений. Другая задача анкетирования заключалась в том, чтобы составить представление о типичных трудностях, которые испытывают люди в процессе внесемейной коммуникации с молодыми или более пожилыми собеседниками. Третья цель анкетирования сводилась к тому, чтобы получить данные, описывающие межпоколенческое общение в российском городе, и сравнить их с данными, полученными в результате схожих опросов, проведенных в Великобритании и США (Williams & Garret 2002), а также в Китае (Zhang & Hummert 2001) и на Тайване (Giles et al. 2001).

В опросе приняло участие 260 человек. Опрос проводился с помощью 20 студентов факультета социологии Санкт-Петербургского Государственного университета Маргариты Бутвиной, Елены Горевой, Екатерины Дорофеевой, Антонины Корнеевой, Марии Корчагиной, Анны Курковой, Андрея Минакова, Светланы Обидной, Ирины Пензиной, Анны Симоненко, Марии Скобелкиной, Варвары Сливкиной, Любы Смирновой, Елены Тыкановой, Марии Хворостяновой, Евгения Чижина, Екатерины Шишовой, Замиры Шошункаевой, Елены Яремчук и Елизаветы Ярышкиной. Неоценимую помощь в организации опроса оказал научный сотрудник факультета социологии СПбГУ Александр Владимирович Тавровский.

Анкетирование проводилось среди людей разного возраста и с разным уровнем образования. В основном анкеты были распространены среди студентов факультета социологии, а также среди членов семей и знакомых перечисленных выше студентов-интервьюеров. Заполнение анкет студентами во время или сразу после занятий обычно занимало около 12–15 минут. Значительная часть анкет была заполнена в домашних условиях без какого-либо ограничения по времени. В соответствии с декларированными правилами анкетирования, опрос проводился на условиях конфиденциальности, участники опроса не указывали своих имен и фамилий.

Как было отмечено, в опросе участвовало 260 человек. Из 254 участников, которые вернули целиком заполненные анкеты, 63 % были женщины и 37 % мужчины. По возрасту участники опроса распределились следующим образом: от 14 до 20 лет — 28 % (в этой самой многочисленной возрастной группе были в основном студенты младших курсов социологического факультета СПбГУ), от 20 до 30 — 19 %, от 30 до 40 — 13 %, от 40 до 50 — 19 %, от 50 до 60 — 11 %, от 60 до 70 — 5 %, от 70 до 80 — 4 %, от 80 до 90 — 1 %. Относительная многочисленность возрастной группы от 40 до 50 лет объясняется тем, что многие студенты-интервьюеры распространили анкеты среди своих родителей. Среди участников опроса 3 % имели неполное среднее образование, 23 % получили среднее образование, 34 % являлись студентами университета, 35 % имели законченное высшее образование, 5 % являлись аспирантами, кандидатами или докторами наук.

Участники опроса также должны были оценить себя с точки зрения собственной общительности. Исходя из шести возможных вариантов ответа 19 % респондентов посчитали себя «очень общительными», 44 % назвали себя «общительными», 20 % отнесли себя к разряду «скорее общительных, чем замкнутых», 14 % причислили себя к категории «скорее замкнутых, чем общительных», всего 3 % назвали себя «замкнутыми», и никто из опрошенных не посчитал себя «крайне замкнутым». Само по себе распределение ответов респондентов по шкале общительности указало на положительность самого понятия «общительный человек» и, соответственно, на отрицательные коннотации, связанные с понятием «замкнутый человек».

В ходе заполнения анкеты респонденты должны были ответить на серию вопросов, касающихся частоты общения с людьми разного возраста («общаюсь часто», «общаюсь довольно часто», «общаюсь иногда», «практически не общаюсь»), а также ощущений, которые они испытывают при общении с людьми, относящимися к четырем разным возрастным группам: до 20 лет, от 20 до 40 лет, от 40 до 60 лет и старше 60 лет («обычно доставляет удовлетворение», «иногда вызывает удовлетворение», «иногда вызывает негативные эмоции», «обычно вызывает негативные эмоции»). Далее, для выявления оценки характера общения с собеседниками из четырех возрастных групп респондентам были представлены утверждения, с которыми они могли согласиться или не согласиться. Утверждения, представленные в анкете, были заимствованы из опросов, которые были проведены исследователями, работающими в области межгруппового общения, в последние 10 лет (Williams, Ota et al., 1997; Harwood at el. 1998; Williams & Garret 2002):

Оцените, пожалуйста, характер вашего общения, согласившись или не согласившись со следующими утверждениями. Во время общения с пожилыми собеседниками в возрасте от 60 лет и старше, я замечаю, что нередко мои собеседники (отметьте крестиком все утверждения, с которыми вы согласны):

( ) рассказывают что-то интересное
( ) делают мне комплименты
( ) внимательно выслушивают меня
( ) дают советы
( ) завязывают со мной разговор
( ) стараются получить от меня информацию
( ) проявляются чувство юмора в разговоре
( ) поддерживают мое мнение
( ) жалуются в разговоре на здоровье
( ) жалуются в разговоре на жизнь
( ) негативно относятся к моему поколению
( ) разговаривают со мной пренебрежительно
( ) разговаривают со мной как с ребенком
( ) оказываются ограниченными, недалекими собеседниками
( ) быстро прекращают разговор
( ) подают короткие реплики
( ) отказываются вести разговор
( ) оказываются слишком болтливыми
( ) часто отклоняются от темы
( ) оказываются слишком самоуверенными
( ) в разговоре ведут себя нахально
( ) в разговоре подчеркивают разницу в возрасте между мной и собой
( ) распускают слухи
( ) говорят только о себе

Приведенные утверждения нетрудно связать с общей коммуникативной нацеленностью собеседника: на поддержание коммуникации, либо на прекращение общения; на самоутверждение в коммуникции, на уважение к собеседнику, на приспособление к коммуникативным нуждам собеседника и пр.

Дословно переведенные на русский язык некоторые из утверждений звучали несколько искусственно, и поэтому были подвергнуты стилистической правке. Например, утверждение: Negatively stereotyped my age group («Негативно стереотипизировал мою возрастную группу» — при дословном переводе) в нашей анкете приобрело следующую формулировку: «Негативно относятся к моему поколению». Некоторые утверждения имеют, несомненно, слишком общий характер и могли быть интерпретированы респондентами по-разному. Например, как отметил один из недовольных респондентов, «распускать слухи можно, придумывая какие-либо несуществующие факты и способствуя их распространению, либо просто являясь передаточным звеном в распространении непроверенной информации, либо передавая достоверную, но в то же время негативную информацию о ком-либо и т. д.». С нашей точки зрения, некоторая расплывчатость в формулировках утверждений не являлась фактором, снижающим валидность или интерпретативную ценность анкеты до тех пор, пока можно было разглядеть за формулировкой нацеленность на поддержание общения или ориентацию на прекращение коммуникации, отрицательный или положительный характер эмоции, связанной с процессом общения.

Во второй части анкеты респонденты реагировали на утверждения, связанные с оценкой собственного языкового поведения и собственных ощущений во время разговора с собеседниками, относящимися к одной из четырех возрастных групп: до 20 лет, от 20 до 40 лет, от 40 до 60 лет, и старше 60 лет. Анкетируемые должны были согласиться или не согласиться с перечисленными ниже утверждениями:

«Во время общения с собеседниками в возрасте старше 60 лет»:

( ) говорю медленнее
( ) говорю громче
( ) использую простые понятные слова
( ) часто использую жаргон
( ) не использую жаргон
( ) использую только литературные выражения
( ) заставляю себя быть вежливым
( ) избегаю в разговоре определенных тем
( ) не чувствую себя в своей тарелке
( ) не знаю, что сказать
( ) стараюсь поскорее завершить разговор
( ) разговариваю снисходительно
( ) нахожу с ними общие темы
( ) говорю на те темы, которые интересны моим собеседникам

В сходных исследованиях, проводимых в других странах, утверждения, включаемые в подобный опрос, могли несколько различаться. Например, в тех случаях, когда опрашивались только молодые люди, с целью выяснить их отношение к общению с пожилыми (Giles et al., 2001) среди предъявленных утверждений были такие, как «проявляю уважение к возрасту собеседника», «делаю скидку на возраст собеседника» и пр., которые в контексте нашего исследования, охватывающего все возрастные группы, были бы, с нашей точки зрения, не вполне уместными.

Анкетирование должно было подтвердить или помочь отвергнуть гипотезы, сформулированные автором исходя из теоретических посылок (теория коммуникационного приспособления и модель активизации стереотипов в межпоколенческом общении), опубликованных результатов экспериментальных исследований (Williams & Giles 1996; Giles et al. 2001; Williams & Garrett 2002) и собственных наблюдений за общением людей разного возраста.

1. Предполагается, что фактор возраста существенно влияет на оценку и восприятие общения между людьми. *Чем больше разница в возрасте между участниками коммуникации, тем реже будут происходить акты коммуникации и тем больше трудностей коммуниканты будут испытывать при общении вне семьи.*

2. Ожидается, что *участники коммуникации, которые воспринимают себя в качестве более общительных, в ходе опроса будут отмечать, что испытывают меньшие затруднения в инициации и поддержании коммуникации* с людьми, принадлежащими к разным возрастным группам, по сравнению с людьми, которые считают себя необщительными и малообщительными.

3. Одним из стереотипных мнений по оценке общения у американцев и англичан является то, что *способность приспосабливаться к коммуникативным нуждам собеседника постепенно ослабевает с возрастом.* Предполагается, что аналогичный стереотип будет зафиксирован и в оценке коммуникативных способностей пожилых среди респондентов в России.

4. Участники опросов среднего и пожилого возраста в США отмечали, что, с их точки зрения, наименьшее желание и потребность общения вне своей возрастной группы характерны для представителей молодого поколения, студентов и старшеклассников. Представляется, *что российская молодежь будет также воспринята (особенно респондентами пожилого и среднего возраста) в качестве наиболее самодостаточной в сфере коммуникативных потребностей.*

5. Предполагается, что уровень образования определенным образом должен влиять на характер общения индивидуума. *Чем выше уровень образования собеседника, тем вероятнее, что участник коммуникации может более гибко подстроиться под коммуникативные запросы и ожидания других участников беседы.*

6. С другой стороны, ожидается, *что наибольшее удовлетворение от общения люди получают при разговоре с собеседниками своей возрастной группы, со сходным уровнем образования и развития.*

7. В соответствии с результатами опубликованных исследований в США можно предположить, что и в российском материале проявится аналогичная тенденция: *по отношению к людям старшего поколения представители других поколений с наибольшей вероятностью будут использовать покровительственные интонации, разговаривать свысока или снисходительным тоном.*

8. Представляется, что в соответствии с положениями теории коммуникативного приспособления, для создания благоприятных условий для коммуникации *участники общения стремятся быть подчеркнуто вежливыми с представителями полярных возрастных групп, особенно при общении с собеседниками до 20 лет, и с собеседниками после 60 лет.*

9. Отношение к общению с представителями разных поколений в России может напоминать отношение в западных странах или же походить на отношение к коммуникации в странах Востока. Поскольку опрос проводился в Санкт-Петербурге, одном из наиболее «западных» российских городов, представлялось, что отношение к общению среди респондентов должно в большей степени соответствовать тем же самым настроениям, которые были выражены в схожих опросах западными респондентами.

2. Результаты опроса

Таблица 1.1.

Коэффициенты корреляции между возрастом носителей языка и частотой общения с представителями разных возрастных групп

	Возраст	Общение с людьми до 20 лет	Общение с людьми от 20 до 40 лет	Общение с людьми от 40 до 60 лет	Общение с людьми старше 60
Возраст	–				
Общение с людьми до 20 лет	0,399**	–			
Общение с людьми от 20 до 40 лет	0,152*	0,215*	–		
Общение с людьми от 40 до 60 лет	– 0,383**	–0,096	0,233**	–	
Общение с людьми старше 60 лет	– 0,569**	–0,138	–0,010	0,496**	–

** Корреляция статистически значима при $p < 0{,}01$
* Корреляция статистически значима при $p < 0{,}05$

Предположение 1 о том, что имеется зависимость между возрастом носителей языка и частотой общения с представителями разных возрастных групп, получило подтверждение. Результаты корреляционного анализа, представленные в Таблице 1.1., показывают, что для представителей всех четырех возрастных групп общей является следующая тенденция: общение в своей возрастной группе происходит значительно чаще, чем в иных возрастных группах, причем, эта зависимость частоты общения от возраста статистически значима для всех возрастных групп. Наиболее высокие коэффициенты корреляции были зафиксированы для ответов, оценивающих общение с людьми до 20 лет ($r = 0.399$, $p < 0,01$) и общение с людьми старше 60 лет ($r = -0,569$, $p < 0,01$). Также установлена статистически значимая зависимость между оценкой частоты общения в смежных возрастных группах, которая свидетельствует, например, о том, что общение между пожилыми людьми (старше 60) и представителями смежной возрастной группы (от 40 до 60 лет) имеет тенденцию происходить чаще ($r = 0,496$, $p < 0,01$), чем общение между пожилыми людьми и молодежью до 20 лет, а также между пожилыми людьми и людьми от 20 до 40 лет.

Таблица 1.2.

Коэффициенты корреляция между степенью общительности носителей языка и частотой общения с представителями разных возрастных групп

	Общительность	Общение с людьми до 20 лет	Общение с людьми от 20 до 40 лет	Общение с людьми от 40 до 60 лет	Общение с людьми старше 60
Общительность	–				
Общение с людьми до 20 лет	0,200**	–			
Общение с людьми от 20 до 40 лет	0,199**	0,215**	–		
Общение с людьми от 40 до 60 лет	0,021	–0,096	0,233**	–	
Общение с людьми старше 60 лет	–0,36	–0,138	–0,010	0,496**	–

** Корреляция статистически значима при $p < 0,01$

* Корреляция статистически значима при $p < 0,05$

Предположение 2 о существовании зависимости между степенью общительности носителей языка и частотой общения с представителями разных возрастных групп подтвердилось частично. Была установлена статистически значимая зависимость (Таблица 1.2.) между степенью общительности (в собственной оценке информантов) и частотой общения с молодыми людьми в возрасте до 20 лет ($r = 0,200$, $p < 0,01$) и с людьми в возрасте от 20 до 40 лет ($r = 0,199$, $p < 0,01$).

Другими словами, носители языка, которые посчитали себя очень общительными или просто общительными (вне зависимости от их возраста) указали на более частые языковые контакты с молодежью, однако их общительность никак не сказалась на частоте их коммуникации с представителями среднего и пожилого поколения. Таким образом, результаты нашего исследования подталкивают к выводу о возрастной избирательности общительного человека, который оказывается менее склонен проявлять свои экстравертные качества для завязывания или поддержания

Таблица 1.3.

Коэффициенты корреляции между возрастом носителей языка и уровнем вежливости в процессе общения с представителями разных возрастных групп

	Возраст	Вежливость в общении с людьми до 20 лет	Вежливость в общении с людьми от 20 до 40 лет	Вежливость в общении с людьми от 40 до 60 лет	Вежливость в общении с людьми старше 60
Возраст	–				
Вежливость в общении с людьми до 20 лет	0,303**	–			
Вежливость в общении с людьми от 20 до 40 лет	0,132*	0,474**	–		
Вежливость в общении с людьми от 40 до 60 лет	–0,115	0,280**	0,434**	–	
Вежливость в общении с людьми старше 60	–0,050	0,255**	0,322**	0,618**	–

** Корреляция статистически значима при $p < 0,01$
 * Корреляция статистически значима при $p < 0,05$

коммуникации с пожилыми людьми и потенциальными собеседниками среднего возраста, однако с готовностью вступает в разговор с более молодыми собеседниками.

Гипотеза 3 о наличии стереотипных представлений о том, что способность приспосабливаться к коммуникативным нуждам собеседника постепенно ослабевает с возрастом подтвердилась (Таблица 1.3). Судя по оценкам респондентов, имеется достаточно высокая степень корреляции между принадлежностью к возрастной группе старше 60 лет и положительными ответами на утверждения, указывающими на низкую коммуникативную приспособляемость: «часто отклоняются от темы» ($r = 0{,}307$, $p < 0{,}01$) и «говорят только о себе» ($r = 0{,}283$, $p < 0{,}01$).

Гипотеза 4 о том, что молодежь проявляет наименьшее желание и потребность общения вне своей возрастной группы и воспринимается (особенно респондентами пожилого и среднего возраста) в качестве наиболее самодостаточной группы людей в сфере коммуникативных потребностей также получила подтверждение. При оценке коммуникативного поведения лиц младше 20 лет реакция респондентов более старших возрастных групп на такие утверждения, как «внимательно выслушивают меня» ($r = -0{,}327$, $p < 0{,}01$), «завязывают со мной разговор» ($r = -0{,}259$, $p < 0{,}01$), «быстро прекращают разговор» ($r = 0{,}243$, $p < 0{,}01$), «отказываются вести разговор» ($r = 0{,}236$, $p < 0{,}01$) недвусмысленно свидетельствует об указанной тенденции в восприятии коммуникативных особенностей молодежи. Отметим, что статистически значимые показатели корреляции для первых двух утверждений имеют обратную зависимость, а для двух последних демонстрируют прямую зависимость.

Гипотеза 8 о том, что в целях коммуникационного приспособления, участники общения стремятся быть подчеркнуто вежливыми с представителями полярных возрастных групп, особенно при общении с собеседниками до 20 лет, и с собеседниками после 60 лет, получила лишь частичное подтверждения. Результаты опроса показали, что с возрастом носители языка стремятся проявлять вежливость в общении с молодым поколением, причем был зафиксирован достаточно высокий коэффициент корреляции ($r = 0{,}303$, $p < 0{,}01$), указывающий на статистически значимую зависимость в этом вопросе. Однако, вопреки нашим ожиданиям, ответы участников опроса показали, что вежливость в общении с пожилыми людьми никак не зависит от возраста участников общения, и молодые собеседники не старались проявить большую вежливость в беседе с людьми пожилого и среднего возраста. Если рассматривать вежливость, как один из показателей коммуникационного приспособления, напрашивается вывод о том, что молодые собеседники в целом менее ориентированы на языковое приспособление в беседе с более зрелыми людьми. Чем же можно объяснить подобную ориентацию?

Таблица 1.4.

Коэффициенты корреляции между возрастом носителей языка
и уровнем удовлетворения, получаемого в процессе общения
с представителями разных возрастных групп

	Возраст	Удовлетв. от общения с людьми до 20 лет	Удовлетв. от общения с людьми от 20 до 40 лет	Удовлетв. от общения с людьми от 40 до 60 лет	Удовлетв. от общения с людьми старше 60
Возраст	–				
Удовлетв. от общения с людьми до 20 лет	0,229**	–			
Удовлетв. от общения с людьми от 20 до 40 лет	0,300**	0,291**			
Удовлетв. от общения с людьми от 40 до 60 лет	–0,152*	–0,078	0,238**	–	
Удовлетв. от общения с людьми старше 60	–0,295**	0,023	0,015	0,382**	–

** Корреляция статистически значима при $p < 0,01$
* Корреляция статистически значима при $p < 0,05$

Как уже отмечалось, в основе коммуникационного приспособления лежит неосознанная уверенность в том, что похожесть в лингвистическом поведении делает людей более привлекательными для участника разговора, и создает ощущение, что собеседники склонны разделять взгляды и вкусы друг друга.

Люди изменяют свою речь (в нашем случае, стремятся быть вежливыми), чтобы представить себя в лучшем свете партнеру по общению и, таким образом, добиться одобрения со стороны собеседника. Похоже, что молодые участники общения в меньшей степени озабочены тем, чтобы добиться одобрения со стороны старших, сделать себя более привлекательными собеседниками при разговоре с пожилыми людьми и людьми среднего возраста, вероятно потому, что их усилия прежде всего направлены на коммуникативное приспособление и самоутверждение при общении в их собственной возрастной группе. Подобную тенденцию можно было бы назвать молодежным эгоцентризмом в общении.

Гипотеза 6 о том, что наибольшее удовлетворение от общения люди получают при разговоре с собеседниками своей возрастной группы, со сходным уровнем образования подтвердилась частично. Была найдена статистически значимая зависимость между возрастом носителей языка и уровнем удовлетворения, получаемого в процессе общения с представителями разных возрастных групп (Таблица 1.4). Для всех четырех возрастных групп коэффициенты корреляции были достаточно высоки ($r = 0{,}299$; $r = 0{,}300$; $r = -0{,}152$; $r = -0{,}295$; $p < 0{,}01$). Таким образом была зафиксирована прогнозируемая тенденция: люди более пожилого возраста отмечали, что обычно получают меньшее удовлетворение от беседы с более молодыми собеседниками, чем с людьми, принадлежащими к их же возрастной группе. Эта тенденция подтверждалась и ответами на другие вопросы анкеты, где по мере увеличения разницы в возрасте между потенциальными собеседниками рос процент положительных ответов на следующие утверждения: «говорят только о себе», «в разговоре подчеркивают разницу в возрасте между мной и собой», «негативно относятся к моему поколению», что свидетельствовало о снижении удовлетворения от общения.

Гипотеза 7 не подтвердилась. Предполагалось, что чем выше уровень образования собеседника, тем вероятнее, что участник коммуникации может более гибко подстроиться под коммуникативные запросы и ожидания других участников общения. Однако, корреляционный анализ не подтвердил выдвинутую гипотезу. Также не было выявлено статистически значимых зависимостей между уровнем образования носителей языка и удовлетворением, получаемым в процессе общения с людьми с более низким, с одинаковым, или с более высоким уровнем образования. Возможно, опрос в Санкт-Петербурге в этом аспекте был не вполне репрезентативным ибо, как уже было отмечено, 74 % участников анкетирования являлись студентами, имели законченное высшее образование или были аспирантами, кандидатами и докторами наук; и лишь 26 % респондентов имели среднее или неполное среднее образование. С другой стороны, и в наших предыдущих социолингвистических исследованиях фактор образования также играл подчиненную роль по сравнению с фактором возраста, например, в вопросе употребления англицизмов в речи носителей русского языка (Романов 2000), а также в вопросе использования жаргонной лексики (Романов 2004).

В Таблице 1.5. представлены результаты корреляционного анализа, которые указывают на еще одну весьма предсказуемую тенденцию в межпоколенческом общении: использование сленга в общении зависит от возраста собеседников и от того, с представителем какой возрастной группы идет общение. Статистически значимые зависимости были найдены для возрастной группы до 20 лет ($r = -0{,}397$, $p < 0{,}01$), и для возрастной группы от 20 до 40 лет ($r = -0{,}155$, $p < 0{,}05$). Участники опроса отмечали, что редко использовали сленг при общении с людьми старшего и среднего поколения и никаких значимых зависимостей между возрастом участника общения и использованием сленга для этих возрастных групп зафиксировано не было. Как известно, сленг может выполнять опознавательную функцию или функцию групповой идентификации (Романов 2004, 38–40); своеобразный пик употребления жаргонизмов в речи приходится на 19–20 лет (Там же, 181). Таким образом, чтобы приблизиться к стилистическому звучанию молодежной речи участникам общения более старшего возраста приходится включать в свою речь жаргонизмы. Напротив, для коммуникативного приспособления к речи пожилых молодым носителям языка следует избавляться от сленга в собственной речи.

Таблица 1.5.

Коэффициенты корреляции между возрастом носителей языка
и использованием сленга в процессе общения
с представителями разных возрастных групп

	Возраст	Сленг в общении с людьми до 20 лет	Сленг в общении с людьми от 20 до 40 лет	Сленг в общение с людьми от 40 до 60 лет	Сленг в общение с людьми старше 60
Возраст	–				
Сленг в общении с людьми до 20 лет	–0,397**	–			
Сленг в общении с людьми от 20 до 40 лет	–0,155*	0,335**	–		
Сленг в общении с людьми от 40 до 60 лет	0,076	–0,009	0,152*	–	
Сленг в общении с людьми старше 60	0,021	–0,004	0,119	0,127*	–

** Корреляция статистически значима при $p < 0{,}01$
 * Корреляция статистически значима при $p < 0{,}05$

Впрочем, следует осознавать, что большое количество жаргонных слов и выражений в речи молодежи может говорить о разных вещах: о желании быть похожим на других представителей молодежи, о стремлении придать своей речи неформальный характер, сделать свою речь более яркой и выразительной, о низкой культуре человека, о стремлении подчеркнуть свою оппозицию по отношению к другим группам людей, о низком уровне образования, о желании высказать протест против жестких языковых норм (Романов 2004, 154). Причем нами было установлено, что чем выше уровень образования респондентов и чем старше носители языка, тем более склонны они считать, что большое количество жаргонизмов в речи свидетельствуют о низкой культуре человека, а также, что употребляя жаргон, молодой человек или девушка стремятся придать своей речи неформальный характер.

Таблица 1.6.

Коэффициенты корреляции между возрастом носителей языка и выбором общих тем для разговора в процессе общения с представителями разных возрастных групп

	Возраст	Общие темыв разговоре с людьми до 20 лет	Общие темы в разговоре с людьми от 20 до 40 лет	Общие темы в разговоре с людьми от 40 до 60 лет	Общие темы в разговоре с людьми старше 60
Возраст	–				
Общие темы в разговоре с людьми до 20 лет	– 0,227**	–			
Общие темы в разговоре с людьми от 20 до 40 лет	–0,045	0,279**	–		
Общие темы в разговоре с людьми от 40 до 60 лет	0,251**	0,039	0,260**	–	
Общие темы в разговоре с людьми старше 60	0,350**	0,101	0,185**	0,434**	–

** Корреляция статистически значима при $p < 0,01$
* Корреляция статистически значима при $p < 0,05$

Корреляционный анализ позволил установить еще одну зависимость. Чем старше участники общения, тем чаще они утверждают, что находят общие темы в разговоре с людьми старше 60 лет ($r = 0{,}350$, $p < 0{,}01$), и тем реже они полагают, что обнаруживают общие темы для беседы с молодыми носителя языка ($r = -0{,}227$, $p < 0{,}01$). И наоборот, чем младше участники общения, тем вероятнее то, что они испытывают затруднения в нахождении общих тем для разговора с пожилыми собеседниками, и тем легче находят общие темы для беседы со своими сверстниками. Таблица 1.6. хорошо демонстрирует то, что корреляционные связи для средних возрастных групп оказались значительно слабее, а значит и фактор возраста играет меньшую роль для выбора общих тем для разговора при общении с людьми среднего возраста.

Таблица 1.7. представляет интересные результаты по вопросу корреляции между возрастом носителя языка и ответом на утверждение «гово-

Таблица 1.7.

Коэффициенты корреляции между возрастом носителей языка и разговором только о себе в процессе общения с представителями разных возрастных групп

	Возраст	Разговор о себе с людьми до 20 лет	Разговор о себе с людьми от 20 до 40 лет	Разговор о себе с людьми от 40 до 60 лет	Разговор о себе с людьми старше 60
Возраст	–				
Разговор о себе с людьми до 20 лет	–0,107	–			
Разговор о себе с людьми от 20 до 40 лет	0,101	0,142*	–		
Разговор о себе с людьми от 40 до 60 лет	0,132*	–0,016	0,272**	–	
Разговор о себе с людьми старше 60	0,090	0,026	0,192**	0,278**	–

** Корреляция статистически значима при $p < 0{,}01$
* Корреляция статистически значима при $p < 0{,}05$

рят только о себе». Выяснилось, что лишь для группы людей в возрасте от 40 до 60 лет корреляционные связи с фактором возраста являются статистически значимыми. Общая же тенденция (хотя и со слабыми корреляционными связями) такова: чем старше участники общения, тем они чаще считают, что люди среднего и старшего поколения имеют склонность говорить только о себе. Напомним, что около 47 % респондентов были моложе 30 лет и, вероятно, менторский тон поколения их родителей и также практика ставить себя в пример детям («В твоем возрасте я себе не позволяла...») отразились в установленной зависимости для возрастной группы от 40 до 60 лет ($r = 0,132, p < 0,05$).

3. Восприятие общения в разных возрастных группах

С тем чтобы оптимизировать шкалу вопросов, связанных с восприятием общения с представителями разных возрастных групп, был проведен факторный анализ (Бессокирная 2000). Как известно, факторный анализ нередко применяется в тех случаях, когда имеется большое количество переменных, описывающих одно и то же явление, и представляется желательным сократить количество переменных (а в нашем случае, количество вопросов анкеты), сведя их к нескольким композитным переменным. Достоверность композитных переменных проверяется и описывается альфой Кронбаха, поэтому помимо проведенного факторного анализа для каждой возрастной группы были также вычислены альфа Кронбаха (α).

Таким образом, факторный анализ был применен, чтобы агрегировать социолингвистическую информацию, суммировать восприятие общения в разных возрастных группах. С помощью статистической программы SPSS 14,0 в каждой возрастной группе было выделено 4 фактора, которые наилучшим образом описывали в суммарном виде восприятие общения. Композитные переменные состоят из переменных с достаточно высоким коэффициентом интеркорреляции (в нашем случае мы рассматривали интеркорреляции с коэффициентом от 0,4 и выше). Альфа Кронбаха (α) для каждой композитной переменной имела величину 0,7 или выше, что является высоким показателем при факторном анализе данного типа (Morgan & Griego 1998).

Таблицы 2.1., 2.2., 2.3., 2.4., описывающие компонентные матрицы восприятия общения в четырех возрастных группах, содержат 4 композитных фактора, которые можно было бы суммировать в следующем виде: фактор 1 — приспособление в общении, настрой на активное общение; фактор 2 — самовосхваление, эгоцентрический настрой при общении; фактор 3 — настрой на скорое завершение разговора, неподдержание разговора; фактор 4 — замкнутость, ориентация лишь на собственными проблемы в разговоре.

Таблица 2.1.

Восприятие общения с молодыми собеседниками, в возрасте до 20 лет.
Компонентная матрица

	Компоненты			
	1	2	3	4
Проявляют чувство юмора в разговоре	0,687			
Поддерживают мое мнение	0,608			
Делают мне комплименты	0,563			
Внимательно выслушивают меня	0,544			
Рассказывают что-то интересное	0,513			
Подают советы	0,472			
Завязывают со мной разговор	0,401			
Распускают слухи		0,677		
Оказываются недалекими собеседниками		0,618		
Оказываются слишком болтливыми		0,587		
Оказываются слишком самоуверенными		0,579		
В разговоре ведут себя нахально		0,521		
Говорят только о себе		0,410		
Подают короткие реплики			0,618	
Быстро прекращают разговор			0,589	
Подчеркивают разницу в возрасте			0,543	
Разговаривают пренебрежительно			0,433	
Отказываются вести разговор				0,621
Жалуются на здоровье				0,608
Жалуются на жизнь				0,456
Разговаривают со мной как с ребенком				0,456

Ротационный метод: Варимакс с нормализацией Кайзера

Из таблиц 2.1., 2.2., 2.3., 2.4. видно, что композитный фактор *настроя на активное общение* для всех четырех возрастных групп состоит из одинаковых компонентов с высоким коэффициентом интеркорреляции (*проявляют чувство юмора в разговоре, поддерживают мое мнение, делают мне комплименты, внимательно выслушивают меня, рассказывают что-то интересное, завязывают со мной разговор*). Сопоставление компонентных матриц показывает, что один компонент (*подают советы*) был оценен по-разному для разных возрастных групп. В возрастных группах до 20 лет и от 20 лет до 40 лет подача советов вошла в композитный фактор настроя на активное общение, т. е. была оценена положительно.

В группах восприятия общения с собеседниками в возрасте от 40 до 60 лет и старше 60 лет подача советов была воспринята более отрицательно, и данный компонент имел высокие коэффициенты интеркорреляции с

Таблица 2.2.

Восприятие общения с собеседниками в возрасте от 20 до 40 лет. Компонентная матрица

	Компоненты			
	1	2	3	4
Проявляют чувство юмора в разговоре	0,681			
Внимательно выслушивают меня	0,637			
Завязывают со мной разговор	0,581			
Делают мне комплименты	0,571			
Стараются получить от меня информацию	0,513			
Подают советы	0,516			
Поддерживают мое мнение	0,490			
Рассказывают что-то интересное	0,414			
Оказываются недалекими собеседниками		0,670		
Отказываются вести разговор		0,648		
Подают короткие реплики		0,581		
Оказываются слишком болтливыми		0,555		
Оказываются слишком самоуверенными		0,525		
Говорят только о себе		0515		
В разговоре ведут себя нахально		0,512		
Часто отклоняются от темы		0,425		
Распускают слухи		0,420		
Подчеркивают разницу в возрасте			0,723	
Негативно относятся к моему поколению			0,632	
Разговаривают пренебрежительно			0,614	
Быстро прекращают разговор			0,516	
Разговаривают со мной как с ребенком			0,445	
Жалуются на здоровье				0,686
Жалуются на жизнь				0,661

Ротационный метод: Варимакс с нормализацией Кайзера

такими компонентами, как *жалуются на жизнь, жалуются на здоровье* (Таблица 2.3), а также *негативно относятся к моему поколению, распускают слухи* (Таблица 2.4). Другими словами, подача советов людьми среднего и пожилого возраста воспринималась в качестве компонента, входящего в композитные факторы эгоцентрического настроя при общении и ориентации лишь на собственные проблемы в разговоре.

Для второго композитного фактора, условно названного фактором *самовосхваления, эгоцентрического настроя при общении*, общими компонентами для всех четырех возрастных групп оказались следующие: *оказываются недалекими собеседниками, в разговоре ведут себя нахально*. Определенные расхождения зафиксированы в отношении оценки таких компонентов, как *оказываются слишком болтливыми, оказываются слишком самоуверенными, говорят только о себе*. Если в возрастных группах до 20 лет и от 20 до 40 лет эти компоненты входят в композитный фактор самовосхваления, то в старшей возрастной группе эти компоненты имеют более высокий коэффициент корреляции с такими компонентами, как часто *отклоняются от темы, жалуются на здоровье* (Таблица 2.4.). Третий композитный фактор, выражающий настрой на скорое завершение разговора и на неподдержание разговора оказался менее однородным по наличию общих компонентов в разных возрастных группах по сравнению с предыдущими двумя факторами. Например, если в группе до 20 лет два компонента (*подают короткие реплики* и *быстро прекращают разговор*) имеют высокий коэффициент интеркорреляции (Таблица 2.1.), то в остальных возрастных группах этой зависимости не обнаружено и там третий фактор компонентой матрицы выглядит иначе. Так, факторный анализ восприятия общения с собеседниками в возрасте от 40 до 60 лет (Таблица 2.3.) показывает, что компонент *подают короткие реплики* имеет более высокий коэффициент корреляции с компонентами *разговаривают пренебрежительно* и *оказываются слишком самоуверенными*, т. е. для этой возрастной группы настрой на неподдержание разговора, очевидно, ассоциируется с пренебрежительным или самоуверенным настроем потенциального собеседника.

Наконец, в четвертый композиционный фактор, выделенный в результате факторного анализа, *замкнутость, ориентация лишь на собственными проблемы в разговоре*, вошли такие компоненты *как жалуются на здоровье, жалуются на жизнь, отказываются вести разговор*. Примечательно, что жалобы на здоровье и жалобы на жизнь в целом в процессе общения с собеседниками в старшей возрастной группе и в группе от 40 до 60 лет ассоциировались с компонентами, с которыми не было зафиксировано ассоциаций в двух младших возрастных группах. Так, среди собеседников старше 60 лет компонент *жалуются на здоровье* ассоциировался с компонентами *часто отклоняются от темы и говорят только о себе*.

Таблица 2.3.

Восприятие общения с собеседниками в возрасте от 40 до 60 лет.
Компонентная матрица

	компоненты			
	1	**2**	**3**	**4**
Проявляют чувство юмора в разговоре	0,655			
Внимательно выслушивают меня	0,641			
Завязывают со мной разговор	0,622			
Стараются получить информацию	0,619			
Делают мне комплименты	0,616			
Поддерживают мое мнение	0,596			
Рассказывают что-то интересное	0,524			
Распускают слухи		0,666		
Отказываются вести разговор		0,664		
Оказываются недалекими собеседниками		0,596		
Быстро прекращают разговор		0,549		
В разговоре ведут себя нахально		0,449		
Жалуются на здоровье			0,663	
Оказываются слишком болтливыми			0,626	
Жалуются на жизнь			0,588	
Подают советы			0,465	
Часто отклоняются от темы			0,424	
Говорят только о себе			0,389	
Подают короткие реплики				0,653
Разговаривают пренебрежительно				0,635
Оказываются слишком самоуверенными				0,536
Подчеркивают разницу в возрасте				0,528
Разговаривают со мной как с ребенком				0,526
Негативно относятся к моему поколению				0,524

Ротационный метод: Варимакс с нормализацией Кайзера

Восприятие жалоб на здоровье в качестве отклонения от темы разговора в речи пожилых представляется достаточно типичным явлением. В оценке общения с пожилыми собеседниками компонент *жалуются на жизнь* имел высокую степень интеркорреляции с компонентом *подчеркивают разницу в возрасте и негативно относятся к моему поколению*. Таким образом, выстраивается любопытная связь: жалобы на жизнь в устах пожилых воспринимаются либо как критика более молодых поколений, либо в качестве противопоставления старшего поколения по отношению к другим поколениям.

Таблица 2.4.

Восприятие общения с собеседниками старше 60 лет.
Компонентная матрица

	Компоненты			
	1	**2**	**3**	**4**
Внимательно выслушивают меня	0,717			
Делают мне комплименты	0,666			
Проявляют чувство юмора в разговоре	0,656			
Стараются получить информацию	0,646			
Завязывают со мной разговор	0,628			
Поддерживают мое мнение	0,581			
Рассказывают что-то интересное	0,472			
Разговаривают пренебрежительно		0,676		
Отказываются вести разговор		0,602		
В разговоре ведут себя нахально		0,582		
Быстро прекращают разговор		0,509		
Оказываются недалекими собеседниками		0,506		
Подают короткие реплики		0,420		
Разговаривают со мной как с ребенком			0,684	
Негативно относятся к моему поколению			0,613	
Подчеркивают разницу в возрасте			0,587	
Жалуются на жизнь			0,509	
Распускают слухи			0,417	
Подают советы			0,323	
Говорят только о себе				0,681
Часто отклоняются от темы				0,680
Жалуются на здоровье				0,512
Оказываются слишком самоуверенными				0,396
Оказываются слишком болтливыми				0,356

Ротационный метод: Варимакс с нормализацией Кайзера

4. Оценка собственного коммуникативного поведения

Факторный анализ был также проведен в отношении оценки собственного коммуникативного поведения в процессе общения с людьми разного возраста. Результаты факторного анализа для всех четырех возрастных групп представлены в Таблицах 3.1., 3.2., 3.3., 3.4. При факторном анализе также было выделено 4 композиционных фактора, которые, с некоторыми вариациями проявились во всех четырех возрастных группах.

Первый композиционный фактор, который описывает приспособление к коммуникативным нуждам собеседника (*говорю громче, говорю медленнее, не использую жаргон, использую только литературные выражения, заставляю себя быть вежливым*), включает одинаковые компоненты для оценки собственного коммуникативного поведения во всех четырех возрастных группах. Примечательно, что отношение к жаргону (*не использую жаргон*), как к фактору, затрудняющему коммуникацию в общении людей разных поколений, разделялось во всех возрастных категориях.

Таблица 3.1.

Оценка собственного коммуникационного поведения при беседе с людьми в возрасте до 20 лет. Компонентная матрица

	компоненты			
	1	2	3	4
Говорю громче	0,703			
Говорю медленнее	0,675			
Не использую жаргон	0,630			
Использую только литературные выражения	0,597			
Заставляю себя быть вежливым	0,514			
Часто использую жаргон		0,690		
Использую простые понятные слова		0,584		
Нахожу с собеседниками общие темы			0,682	
Говорю на те темы, которые интересны моим собеседникам			0,676	
Избегаю в разговоре определенных тем			0,489	
Не знаю, что сказать			0,433	
Стараюсь поскорее завершить разговор				0,648
Не чувствую себя в своей тарелке				0,603
Разговариваю снисходительно				0,403

Ротационный метод: Варимакс с нормализацией Кайзера

Таблица 3.2.

Оценка собственного коммуникационного поведения при беседе с людьми в возрасте от 20 до 40 лет. Компонентная матрица

	компоненты			
	1	2	3	4
Говорю медленнее	0,688			
Говорю громче	0,654			
Не использую жаргон	0,576			
Использую только литературные выражения	0,509			
Заставляю себя быть вежливым	0,505			
Часто использую жаргон		0,643		
Использую простые понятные слова		0,571		
Нахожу с собеседниками общие темы			0,693	
Говорю на те темы, которые интересны моим собеседникам			0,654	
Избегаю в разговоре определенных тем				0,671
Не чувствую себя в своей тарелке				0,642
Стараюсь поскорее завершить разговор				0,609
Не знаю, что сказать				0,570
Разговариваю снисходительно				0,431

Ротационный метод: Варимакс с нормализацией Кайзера

Второй композиционный фактор, который мы обозначили, как избирательность в употреблении нежелательных лексических средств (*часто использую жаргон, использую понятные простые слова*) может вызывать, на первый взгляд, недоумение. Тем не менее, использование понятной, простой лексики имеет высокую степень интеркорреляции с использованием жаргона. Очевидно, что упрощенная лексика в общении воспринимается как нежелательное явление, возможно, намекающее на отсутствие нужных когнитивных или иных способностей у слушателя.

Третий композиционный фактор описывает тематический выбор в процессе общения (*нахожу с собеседниками общие темы, говорю на темы, которые интересны моим собеседникам*). Причем при ведении беседы с людьми младше 20 лет в композиционный фактор вошло также утверждение (*избегаю в разговоре определенных тем*). Вероятно, здесь проявляется большая сенситивность со стороны более зрелых участников общения к коммуникативным нуждам молодых, которые не склонны, например, выслушивать критику при внутрисемейном общении.

Оценка собственного коммуникативного поведения при беседе с людьми в возрасте от 40 до 60 лет. Компонентная матрица

	компоненты			
	1	2	3	4
Не использую жаргон	0,676			
Использую только литературные выражения	0,623			
Говорю медленнее	0,597			
Говорю громче	0,591			
Заставляю себя быть вежливым	0,479			
Часто использую жаргон		0,677		
Использую простые понятные слова		0,398		
Говорю на те темы, которые интересны моим собеседникам			0,675	
Нахожу с собеседниками общие темы			0,655	
Избегаю в разговоре определенных тем				0,686
Стараюсь поскорее завершить разговор				0,633
Не знаю, что сказать				0,611
Не чувствую себя в своей тарелке				0,541
Разговариваю снисходительно				0,479

Ротационный метод: Варимакс с нормализацией Кайзера

Наиболее существенная разница в оценке собственного коммуникативного поведения с молодыми людьми в возрасте до 20 лет проявилась в том, что между утверждениями (*нахожу с собеседниками общие темы, говорю на темы, которые интересны моим собеседникам*) и утверждением (*не знаю, что сказать*) была зафиксирована довольно высокая степень интеркорреляции. Возможно здесь нашли отражение затруднения в выборе темы людьми среднего и старшего поколений при завязывании разговора с молодыми собеседниками, т. е. проявились сложности фатического (Черник 2002), контактоустанавливающего характера.

Четвертый композиционный фактор указывает на чувство неловкости и дискомфорт собеседника, на характер коммуникативного поведение при нежелательном общении (*стараюсь поскорее завершить разговор, не знаю, что сказать, не чувствую себя с своей тарелке, разговариваю снисходительно*). Для всех возрастных групп наименьший показатель интеркорреляции обнаруживает компонента *разговариваю снисходительно*, поскольку, как представляется, она описывает объективно нежелательное поведе-

Таблица 3.4.

Оценка собственного коммуникационного поведения при беседе с людьми в возрасте старше 60 лет. Компонентная матрица

	компоненты			
	1	2	3	4
Говорю медленнее	0,644			
Не использую жаргон	0,613			
Говорю громче	0,592			
Использую только литературные выражения	0,583			
Заставляю себя быть вежливым	0,581			
Часто использую жаргон		0,602		
Использую простые понятные слова		0,554		
Нахожу с собеседниками общие темы			0,713	
Говорю на те темы, которые интересны моим собеседникам			0,695	
Избегаю в разговоре определенных тем				0,613
Не знаю, что сказать				0,607
Не чувствую себя в своей тарелке				0,511
Стараюсь поскорее завершить разговор				0,478
Разговариваю снисходительно				0,387

Ротационный метод: Варимакс с нормализацией Кайзера

ние субъекта коммуникации в отношении коммуниканта любого возраста. В этом готовы признаваться лишь наиболее самокритично настроенные респонденты, которых обычно оказывается немного.

Таким образом, судя по данным факторного анализа, стратегия собственного коммуникативного поведения меняется незначительно в зависимости от возраста собеседника; используются практически те же приемы для инициации и поддержания коммуникации, выбора темы при общении, и для прекращения нежелательного общения.

5. Дискуссия

Одним из главных результатов анкетирования стало подтверждение того, что возраст носителей языка в российских условиях является важным фактором, обуславливающим частоту коммуникации и степень получаемого удовлетворения от общения во всех возрастных группах. Как и в исследованиях в США, Великобритании и на Тайване (Williams & Nussbaum 2001; Williams & Garret 2002; Lin & Harwood 2003), на материале петербургского опроса нами было установлено, что, во-первых, частота общения с представителями своей возрастной группы наиболее высока, и, во-вторых, частота снижается по мере возрастного удаления потенциальных собеседников. В то же время выяснилось, что общительные собеседники любого возраста с большей частотой вступают в общение с молодыми коммуникантами, хотя и не проявляют большей коммуникативной активности со своими сверстниками или людьми среднего возраста. Переведем это утверждение в план внутрисемейного общения: разговорчивые бабушки и дедушки готовы чаще общаться со своими внуками и внучками, но менее склонны вести длительные разговоры со своими взрослыми детьми или же с пожилыми родственниками и знакомыми. Односторонность этой тенденции проявляется в том, что разговорчивые внуки и внучки больше тянутся к общению с молодыми сверстниками, но не проявляют более высокой степени общительности со своими бабушками и дедушками. Совместная учеба молодых людей, совместное проведение свободного времени, романтические свидания со сверстниками, занятия спортом и т. д. создают условия для преимущественно внутрипоколенной коммуникации среди молодых и представляют собой своего рода сегрегационные барьеры, которые не способствуют созданию оптимальных условий для межпоколенного общения.

И корреляционный, и факторный анализы показали, что чем больше разница в возрасте собеседников, тем сложнее им находить общие темы для разговора. Молодые собеседники в своей массе не знают, о чем начать разговор с пожилыми, а пожилые коммуниканты сомневаются, какая тема может заинтересовать молодых. В наиболее благоприятных условиях в этом смысле находятся люди среднего возраста, которые с большей легкостью выбирают темы для разговоров и в компании молодых, и при общении с пожилыми. Следует помнить, однако, что в ходе опроса получены результаты, основанные на собственной субъективной оценке респондентами характера и тематики общения. С возрастом больше респондентов поддерживали мнение о том, люди среднего и пожилого возраста имеют склонность говорить в основном о себе и о собственных проблемах.

Примечательно, что фактор возраста играет существенно более важную роль в оценке удовлетворения, получаемого от общения, чем факторы образования и пола. Как уже отмечалось, степень получаемого удовлетворения от общения с людьми своей возрастной группы оказалась существенно выше во всех четырех группах, чем при общении с более молодыми или более пожилыми собеседниками. В то же время, судя по нашим данным, сопоставление общения с представителями своего пола или противоположного пола; а также сравнение общения с людьми с более высоким или более низким образованием не выявило статистически значимых зависимостей.

Результаты опроса подталкивают к выводу о своего рода коммуникативном эгоцентризме молодых российских участников коммуникации. Во-первых, из четырех возрастных групп молодежь была оценена как наименее коммуникабельная группа по отношению к общению вне групп сверстников. В этом вопросе выводы петербургского анкетирования совпали с данными, полученными в Великобритании (Williams & Garrett 2002). Во-вторых, вопреки казалось бы общепринятым нормам коммуникативного поведения, касающимся соблюдения бытовых приличий и конвенций в общении с пожилыми, ответы молодых респондентов показали, что молодежь не стремится проявлять вежливость в общении с людьми старшего поколения. При этом, судя по ответам анкетируемых, с возрастом люди стараются вести себя более вежливо по отношению к молодым собеседникам. В вопросе вежливости обнаружились серьезные различия с данными, полученными в Великобритании (Williams & Garrett 2002, 116), где коммуниканты молодого возраста, хотя и необщительные, были оценены в качестве более вежливых при коммуникативном контакте с пожилыми людьми.

Прямую зависимость между возрастом и вежливостью в общении интересно сопоставить с обратной зависимостью между возрастом и материальным положением (Беляева 2005, 63) в пост-советской России. Не подпитывается ли коммуникативный эгоцентризм молодых россиян, особенно в отношении пожилых, их собственным относительным материальным благополучием и приниженным в экономическом плане положением людей старшего возраста?

В анкету не были включены вопросы о материальном положении респондентов, их доходах и собственности ибо, как показывает практика опросов, анкетируемые нередко оставляют подобные вопросы без ответа или искажают данные о собственных доходах, даже в условиях гарантии анонимности опроса. Тем не менее, в будущих коммуникативных опросах фактор материального положения коммуникантов может дать более дифференцируемую картину отношения к общению, ибо коммуникативное поведение определяется не только возрастом, полом, образованием и местом проживания человека. Косвенные указания к этому имеются и в социолингвистических, и в паремиологических исследованиях (Романов 1998; Горшков, Тихонова 2004). В одном из недавних исследований анкетируемых просили отметить, согласны ли они с мыслями, высказываемыми в пословицах и поговорках. Так, с пословицей *Трудом праведным не наживешь палат каменных* согласились 44,9 % богатых россиян и 83,6 % бедных; с пословицей *Богачи едят калачи, да не спят ни днем ни в ночи* оказались согласны 51,2 % богатых и 68,6 % бедных; с пословицей *Чем беднее, тем щедрее, чем богаче, тем скупее* солидаризировалось всего 30,0 % богатых и 83,6 % бедных (Горшков, Тихонова 2004).

При изучении социолингвистической стратификации российского общества в возрастном аспекте обнаружилась еще одна трудность практического характера. Кстати, эту же трудность испытывают и эксперты, изучающие общество с позиций экономической или образовательной стратификации. «Эмпирический материал, которым, как правило, располагают сегодня социологи, не позволяет анализировать проблему расслоения общества, как целого, поскольку верхние слои (элита, субэлита, крупные собственники) и подлинные низы (нищие, бродяги, лица без регистрации) остаются вне досягаемости интервьюеров в подобных исследованиях» (Беляева 2005, 59). При достаточно масштабном социолингвистическом опросе по межпоколенному общению, который был проведен в Петербурге, нужно отметить, что низшие и высшие слои, не были охвачены интервьюированием. Репрезентативность опроса была ограничена еще и тем, что анкеты распространялись лишь в Санкт-Петербурге, и ответы респондентов на вопросы не отражали мнения жителей малых городов и сельских жителей, у которых круг потенциальных коммуникативных партнеров более узок.

Выделенные композитные факторы при анализе восприятия общения с людьми разного возраста и композитные факторы оценки собственного языкового поведения могут послужить отправной точкой для дальнейших коммуникативных исследований в России. Последующие опросы могут подтвердить или опровергнуть результаты факторного анализа по агрегация коммуникативных компонентов, что в свою очередь приведет к созданию более надежных инструментов коммуникативного анализа.

ГЛАВА IV

Социолингвистический опрос по использованию и пониманию церковной лексики представителями разных поколений

1. Церковная лексика в современном русском языке

Среди собственно языковых причин, затрудняющих общение между людьми разных поколений, следует выделить несовпадение словарных запасов (как пассивного, так и активного) у носителей русского языка молодого, среднего и пожилого возраста. Молодые участники коммуникации в большей степени склонны к использованию лексики, которая находится на границе и за границей нормы, например, профессионального жаргона, сленга и просторечия (Романов 2004). Лексика в речи людей среднего возраста обычно чаще всего соответствует норме. Пожилые люди в массе более консервативны в своей речи и склонны использовать в основном тот лексический запас, который сформировался у них к 20–25 годам. Часто для речи хорошо образованных пожилых людей характерны книжные и устаревшие слова.

Как известно, из всех языковых уровней (фонологический, морфологический, грамматический, синтаксический) именно лексика является наиболее чувствительной к изменениям в политике, экономике и культуре. В годы советской власти использование некоторых лексических элементов русского языка было искусственно приостановлено, часто по сугубо идеологическим причинам. Это особенно затронуло религиозную лексику, сфера употребления которой в русском языке очень существенно сузилась в XX в. В пост-советский период лексическая система претерпевает очевидную нестабильность, что проявляется в неустойчивости границ между ядром лексической системы и ее периферией. Наблюдается интересная тенденция, связанная с возвращением некоторых историзмов, архаизмов, и в целом устаревших слов обратно в общее словоупотребление.

Подобная тенденция по возрождению и возвращению в активное употребление казалось бы устаревших слов была отмечена в последнее десятилетие несколькими исследователями (Ryasanova-Clarke & Wade 1999; Dunn 1999). Некоторые из возрождающихся слов имеют отчетливые коннотации и сигнализируют о восстановлении традиционных гуманистических идеалов в социальной жизни и в сфере образования. Так еще в начале 90-х гг., А. Д. Дуличенко (1994) обратил внимание на активизацию слов с корнем *благо-: благозвучие, благолепие, благочиние, благотворительность, благородство* и т. д. По данным словаря русского языка XI–XVII вв., в русском языке существовало более 400 слов с этим корнем. Многие из этих слов нынешним носителям русского языка практически неизвестны (Дуличенко 1994, 162): *благободренный, благогласие, благодалец, благонарочитый, благоприбыток, благорумянство, благохитрение, благочестнодержавный.* В советское же время даже такие, прежде распространенные, слова как *благодать, благотворительность, благообразие* оказались на границе или за границей активного словоупотребления, однако теперь возвращаются с периферии к центру лексической системы.

В пост-советский период религиозная лексика, как и религия в целом, также испытывают очевидное возрождение интереса. Например, по некоторым подсчетам (Сулежкова 1995), около 800 библейских идиом используется в современном русском языке. Многие из них не только известны носителям русского языка, но и воспринимаются ими в качестве библейских цитат, обрывков евангелических текстов, что связано с существенным улучшением возможностей для детального ознакомления с библейскими источниками в последние 15–20 лет. Полузабытые слова, привязанные прежде к очень узкому контексту, сейчас вновь входят или, во всяком случае, имеют потенциал войти в широкое и активное употребление: *алтарь, аминь, апостол, бес, бог, богоугодный, благовест, грех, духовник, душеспасительный, житие, заповедь, исповедь, крестить, молитва, мощи, поститься, пророчество, риза, рождество, святой, спас, упокой, храм, чудотворный* и многие другие. В советское время многие из перечисленных слов в словарях оценивались в качестве архаизмов и устаревших слов. Впрочем, некоторые религиозные слова и выражения продолжали употребляться и в советское время, но в переосмысленных значениях, часто в качестве журналистских клише: *алтарь отечества, апостолы мировой революции* и пр.

Обычно термин *устаревшая* лексика используется как обобщающее понятие по отношению к терминам *историзм* и *архаизм*. К историзмам относят устаревшие слова, вышедшие из употребления в связи с исчезновением тех реалий, которые они называли. Под архаизмами понимаются лексические единицы, описывающие существующие реалии, но вытесненные по внеязыковым или языковым причинам из активного употребления. Таким образом, церковная лексика относилась к разряду архаизмов в советский период, поскольку, по словам С. И. Ожегова, «сохранилась только в узком кругу верующих и в профессиональной речи духовенства» (Ожегов 1953, 80). Толковые словари русского языка обычно сопровождали церковную лексику пометами *устар., церк., церк.-книж., церк.-слав.*

Несмотря на достаточно очевидный процесс возрождения полузабытой религиозной лексики в русском языке, нельзя не отметить, что среди носителей языка уровень знания и владения подобной лексикой может существенно различаться в зависимости от возраста, уровня образования, степени религиозности, регулярности посещения церковных служб и прочих факторов. На наш взгляд, именно возрастной фактор может оказаться определяющим в выявлении различий в пассивном и активном владении религиозной лексикой.

Как известно, к пассивному лексическому запасу нередко относят слова, которые стали менее употребительны и круг использования которых снизился. Отметим, что в лингвистике существует несколько подходов к пониманию пассивного словарного запаса. Одни исследователи считают, что к пассивному запасу относится «часть словарного состава языка, понятная всем владеющим данным языком, но малоупотребительная в живом повседневном общении» (Сороколетов 1979, 199). В таком понимании к пассивному словарю относятся устаревшие, но не выпавшие из словарного состава языка слова, а также неологизмы, которые еще не стали достаточно частотными. В данной же работе используется иное понимание пассивного запаса: «часть словарного состава языка, состоящая из лексических единиц, употребление которых ограничено особенностями означаемых ими явлений (название редких реалий, историзмы, термины, собственные имена) или лексических единиц, известных только части носителей языка (архаизмы, неологизмы), используемых только в отдельных функциональных разновидностях языка» (Арапов 1990, 369). Здесь важно то, что часть слов пассивного запаса может быть совершенно неизвестна некоторым носителям языка, что создает очевидные препятствия для понимания текстов или коммуникативных актов, которые содержат устаревшую лексику пассивного запаса.

2. Опрос по использованию и пониманию церковной лексики

Летом 2004 г. в Москве и Санкт-Петербурге был проведен лексикологический и социолингвистический опрос с целью выяснения вопросов, связанных с употреблением слов из разряда церковной лексики в современном русском языке. Анкетирование было нацелено на то, чтобы уточнить статус слов, которые редко употреблялись в советское время, но, как утверждают некоторые лингвисты, стали более активно употребляться в русском языке в пост-советский период. Анкетирование было также направлено на то, чтобы установить, понятно ли значение отобранных церковных слов, можно ли считать подобные слова модными и престижными, и как относятся информанты к тому, что подобные слова «возвращаются» в русский язык. Центральной задачей анкетирования было установление значимости возрастного фактора в вопросе пассивного и активного владения религиозной лексикой носителями русского языка.

В анкетировании приняли участие 132 человека: студенты Санкт-Петербургского и Московского университетов, члены их семей, сотрудники московского института Океанологии АН, а также сотрудники петербургского института Арктики и Антарктики АН Российской Федерации. Из 132 анкет 117 были заполнены целиком и использованы при анализе данных опроса. Среди 117 участников опроса было 48 % мужчин и 52 % женщин. По возрасту участники анкетирования распределились следующим образом: в возрасте до 20 лет — 13 %; от 20 до 30 лет — 19 %; от 30 до 40 лет — 13 %; от 40 до 50 лет — 11 %; от 50 до 60 лет —14 %; от 60 до 70 лет — 21 %; старше 70 лет — 9 %. Группа респондентов в целом отличалась высоким уровнем образования: неполное среднее образование — 7 %; среднее образование — 22 %; неполное высшее и высшее образование — 46 %; аспиранты — 8 %; кандидаты и доктора наук — 17 %.

Помимо указания своих социо-возрастных данных, участники анкетирования также ответили на вопрос о частоте посещения церкви (без уточнения о какой церкви, православной, католической или протестантской, идет речь). По оценкам анкетируемых, всего 7 % ходили в церковь регулярно, 44 % посещали культовые заведения время от времени; 20 % бывали в церкви «один-два раза в год по церковным праздникам» и 29 % не ходили в церковь вообще. Отметим, что ответы наших анкетируемых оказались близкими к данным, полученным в результате масштабного опроса о посещаемости церквей, проведенного в 2003 г. в более чем 100 населенных пунктах России и охватившего более 1500 людей. Опрос 2003 г. зафиксировал следующую посещаемость: каждую неделю — 7 %, раз в месяц — 13 %, несколько раз в год — 34 %, только Рождество и Пасху — 26 %, не посещаю — 21 % (Romir Monitoring, Год православной России, 2003).

В ходе анкетирования респондентам был представлен список из 22 слов религиозного характера: *акафист, анахорет, благовест, божница, восприемник, елеосвящение, епитимья, искариот, канонизировать, клирос, причащение, расстрига, ризница, саван, святцы, служебник, соборование, сорокоуст, схима, троица, фарисей, хоругвь*. Большинство из перечисленных слов имеет в толковых словарях русского языка помету «церковное» или «церковнославянское». Участники опроса должны были ответить на такие вопросы: *«Встречали ли вы следующие слова в книгах, газетах, журналах, по радио, телевидению или в Интернете?»*; *«Как часто вы слышали данные слова в речи знакомых вам людей?»*; *«Используете ли вы эти слова в собственной речи?»*. Кроме того анкетируемые должны были привести синонимы или краткие определения указанных выше слов. Также, пользуясь шкалой с делениями от +2 (положительное) до –2 (отрицательное), респонденты должны были указать эмоционально-оценочные переживания, которые вызывали у них перечисленные церковные слова. В заключении, анкетируемые отвечали на общие вопросы по церковной лексике с тем, чтобы уточнить их отношение к подобной лексике, их мнение о стилистических функциях церковных слов, их взгляды по вопросам возможной языковой политики в отношении слов, относящихся к религиозной сфере.

3. Результаты опроса

На вопросы, предъявленные в анкете, респонденты ответили следующим образом:

Как правильнее описать Ваше отношение к церковным словам и выражениям в русском языке?

1. Приветствую активное использование слов и выражений, относящихся к церковной лексике — эти слова и выражения обогащают русский язык 21 %
2. Использование церковной лексики в современном русском языке представляется в значительной мере оправданным 47 %
3. Использование церковной лексики не всегда оправданно 23 %
4. Появление церковных слов в современном языке ведет к непонятности в речи, засорению русского языка ненужными словами 9 %

Как Вам кажется, о чем свидетельствует большое количество церковных слов в речи человека? Отметьте все высказывания, с которыми вы согласны.

1. О стремлении придать своей речи возвышенный характер 36 %
2. О желании сделать свою речь более яркой и выразительной 17 %

3. О степени религиозности человека 66 %
4. О желании озадачить собеседника непонятными словами и выражениями 23 %
5. О высокой языковой культуре человека 47 %
6. О стремлении подчеркнуть свою оппозицию по отношению к нерелигиозным людям 21 %

Как Вам кажется, является ли престижным употребление церковных слов в речи при общении среди знакомых вам людей?

1. Да, является 4 %
2. Кажется, да 15 %
3. Кажется, нет 55 %
4. Нет 26 %

Как часто Вы используете религиозные/церковные слова в собственной речи?

1. Часто использую 0 %
2. Использую 13 %
3. Редко использую 75 %
4. Никогда не использую 12 %

Как часто Вы слышите церковные слова в речи знакомых Вам людей?

1. Часто слышу 2 %
2. Слышу 19 %
3. Редко слышу 74 %
4. Никогда не слышу 5 %

Понятно ли Вам значение церковных слов и выражений, которые встречаются в книгах, газетах и журналах?

1. Всегда понятно 7 %
2. Почти всегда понятно 23 %
3. Иногда не понятно 47 %
4. Часто не понятно 23 %

Высказывается мнение о том, что должна проводится специальная языковая политика в отношении слов и выражений, принадлежащих к религиозной сфере. Какое из следующих утверждений Вы поддерживаете?

1. Следует разъяснять значения слов и выражений, относящихся к церковной лексике, и активно популяризировать подобную лексику, вклю-

чая ее в списки слов, изучаемых в школах. Популяризация церковной лексики может также проводится с помощью теле- и радиопередач. Церковная лексика обогащает русский язык 21 %

2. Следует при необходимости разъяснять значение церковных слов и выражений в школьных и иных учебных пособиях 60 %

3. Не следует проводить какой-либо языковой политики, направленной на разъяснение и популяризацию слов, относящихся к религиозной сфере 11 %

4. Следует ограничивать (путем умеренной редакторской правки и т. п.) внедрение в русский язык церковных слов и выражений 6 %

5. Следует существенно ограничить возможности для проникновения религиозной лексики в современный русский язык не только путем редакторской правки, но и решительно запрещая использование религиозных слов в учебных пособиях для школ и других учебных заведениях, проводя разъяснительную работу в публицистике. Церковная лексика засоряет русский язык 2 %

Нетрудно заметить, что в целом использование церковной лексики в современном русском языке представлялось респондентам вполне оправданным. С этим утверждением согласилось более двух третей опрошенных, в то время как менее десяти процентов участников опроса заняли активно отрицательную позицию по отношению к церковной лексике. Активное владение церковной лексикой респонденты объясняли в основном высокой степенью религиозности носителя языке (66 %), но также и высоким уровнем общей языковой культуры (47 %). В то же время предъявленные слова не были оценены большинством опрашиваемых (81 %) в качестве престижных.

Что же касается знакомства с церковной лексикой и активного употребления церковных слов, то опрос продемонстрировал достаточно четкую картину: среди участников опроса 87 % редко используют или никогда не используют подобные слова, 79 % респондентов не встречают религиозные слова и термины в речи знакомых, более того, для 70 % опрашиваемых церковные слова и выражения, встречаемые в книгах, газетах и журналах, иногда или часто оказываются не понятными или не вполне понятными.

Задавая вопрос о возможной языковой политике в отношении религиозных слов и выражений, автор отдавал себе отчет в том, что большинство участников опроса редко задумываются о самой возможности проведения в жизнь каких-либо мер языковой политики, пожалуй лишь за исключением цензуры в отношении слов и выражений, относящихся к русскому мату. Несомненно, предложенные пять вариантов языковой политики в отношении церковной лексики в том виде, как они представлены в анкетном опросе, не могут претендовать на статус детально проработанных и научно обоснованных предложений. При проведении анкетирования более насущной задачей было выявить общее отношение респондентов к поставленной проблеме, которое, по результатам опроса, можно обрисовать как прагматическое. Около 60 % участников опроса высказались за разъяснение, в случае необходимости, религиозных слов и выражений в т. ч. и на страницах школьных пособий и учебников.

В Таблице 4.1. приведены данные относительно средней частоты встречаемости отобранных церковных слов. Достаточно высокий показатель стандартных отклонений для большинства слов указывает на то, что существует значительный разброс в том, как информанты оценивают частотность подобной лексики в периодических изданиях и средствах массовой информации.

Таблица 4.1.

Частота встречаемости церковных слов в книгах, газетах, журналах, по радио или по телевидению по шкале от 1 «часто встречал/а» до 4 «никогда не встречал/а» Слова в таблице представлены в порядке убывающей встречаемости

	Средняя частота встречаемости	Стандартное отклонение
Троица	1,21	0,41
Причащение	1,36	0,60
Канон	1,40	0,61
Саван	1,70	0,85
Фарисей	1,74	0,92
Святцы	1,85	0,85
Благовест	1,93	0,81
Расстрига	2,08	1,01
Ризница	2,08	0,85
Хоругвь	2,09	1,11
Соборование	2,10	0,84
Клирос	2,25	1,01
Епитимья	2,31	0,88
Сорокоуст	2,48	0,95
Божница	2,53	0,97
Восприемник	2,55	1,10
Служебник	2,59	1,03
Схима	2,61	0,99
Искариот	2,76	0,96
Акафист	3,14	0,95
Елеосвящение	3,21	0,88
Анахорет	3,34	0,81

Оценка частотности религиозной лексики в речи знакомых (Таблица 4.2.) лишь немного ниже и в целом почти не отличается от оценки частотности этих слов в периодике и по средней частоте, и по стандартному отклонению. Так, например, наиболее частотными словами и в той, и в другой таблице оказались слова *троица, причащение, канон* и *саван*, а наиболее редкими информанты посчитали слова *акафист, елеосвящение* и *анахорет*. Способность или же неспособность привести синонимы или краткие определения для указанных слов косвенно подтверждает данные обеих таблиц. Так менее десяти процентов анкетируемых сделали попытку дать краткое определение словам *анахорет, акафист* и *елеосвящение*.

Таблица 4.2.

Частота встречаемости церковных слов в речи знакомых людей по шкале от 1 «часто слышал/а» до 4 «никогда не слышала/а».
Слова в таблице представлены в порядке убывающей встречаемости

	Средняя частота встречаемости	Стандартное отклонение
Троица	1,44	0,61
Причащение	1,93	0,96
Саван	2,10	0,91
Канон	2,19	0,79
Святцы	2,19	1,01
Фарисей	2,31	1,10
Соборование	2,55	1,07
Ризница	2,72	1,03
Благовест	2,74	0,94
Хоругвь	2,80	0,94
Расстрига	2,80	0,99
Клирос	2,82	1,05
Епитимья	2,87	1,05
Божница	3,02	0,87
Служебник	3,05	0,98
Сорокоуст	3,06	1,11
Схима	3,08	0,99
Искариот	3,10	0,98
Восприемник	3,31	0,91
Елеосвящение	3,51	0,77
Акафист	3,57	0,77
Анахорет	3,59	0,64

Оценка частоты употребления церковной лексики в собственной речи (Таблица 4.3.) в целом свидетельствует о низкой употребительности данных слов в речи практически всех информантов. Учитывая то, что в Таблице 4.3. показатель стандартных отклонений ниже, чем в предыдущих двух таблицах, можно сделать вывод о сравнительно небольшом разбросе во мнениях участников опроса. За исключением таких лексических единиц, как *троица, причащение, канон, саван, фарисей* и *святцы*, предъявленные в анкете церковные слова, по мнению информантов, либо редко употреблялись, либо вообще никогда не использовались респондентами в

Таблица 4.3.

Частота употребления церковных слов в собственной речи по шкале от 1 «часто использую» до 4 «никогда не использую».
Слова в таблице представлены в порядке убывающей употребительности

	Средняя частота употребления	Стандартное отклонение
Троица	2,08	0,97
Причащение	2,34	0,89
Канон	2,61	0,89
Саван	2,68	0,81
Фарисей	2,87	1,05
Святцы	2,97	0,89
Хоругвь	3,23	0,75
Расстрига	3,25	0,79
Благовест	3,29	0,77
Ризница	3,34	0,78
Клирос	3,36	0,81
Соборование	3,38	0,79
Епитимья	3,40	0,74
Схима	3,44	0,71
Сорокоуст	3,51	0,83
Искариот	3.57	0,71
Божница	3,61	0,70
Восприемник	3,65	0,75
Служебник	3,68	0,66
Акафист	3,76	0,51
Анахорет	3,77	0,56
Елеосвящение	3,85	0,41

собственной речи. Примечательно, что разная степень употребительности церковных слов в современном русском языке хорошо подтверждается и иллюстрируется с помощью данных поисковых систем в Интернете. Так, поиск в системе Google, в декабре 2006 г., дал следующие результаты: было зафиксировано значительно больше страниц в русскоязычном Интернете, содержащих слова *троица* (более 2 800 000 документов) и *фарисей* (около 470 000 отсылок), тогда как для лексических единиц, оказавшихся в конце списка по употребительности, количество соответствующих страниц оказалось существенно меньше, например: *елеосвящение* (всего около 32 000 отсылок), *анахорет* (менее 25 000 отсылок в Интернете).

Таблица 4.4.

Эмоциональная-оценочные ассоциации, вызываемые церковными словами по шкале от 1 «положительное» до 4 «отрицательное».
Слова в таблице представлены в порядке нарастания отрицательной оценки

	Средняя эмоциональная оценка	Стандартное отклонение
Троица	1,51	0,71
Благовест	1,53	0,77
Причащение	1,57	0,80
Святцы	1,63	0,64
Канон	1,78	0,72
Ризница	1,82	0,66
Восприемник	1,85	0,62
Божница	1,86	0,72
Елеосвящение	1,87	0,74
Хоругвь	1,97	0,76
Служебник	2,06	0,56
Клирос	2,08	0,68
Соборование	2,14	0,85
Сорокоуст	2,17	0,73
Схима	2,19	0,71
Акафист	2,25	0,73
Епитимья	2,34	0,72
Анахорет	2,42	0,61
Искариот	2,61	0,70
Саван	2,65	0,91
Расстрига	2,76	0,69
Фарисей	2,91	0,85

Ответы на задание анкеты — отметить по шкале эмоционально-оценочные переживания, вызываемые церковными словами, приведены в Таблице 4.4. Сопоставление с данными по частотности (Таблицы 4.1., 4.2., 4.3.) показывает, что фактор частотности играет важную роль в эмоциональной оценке слов, а именно, более знакомые частотные слова имеют тенденцию вызывать более положительные эмоции.

Церковные слова, ассоциирующиеся с церковными праздниками, такие как *троица* и *благовест*, также вызвали более положительные эмоции у информантов. С другой стороны, вполне объяснимо, что такие слова как *фарисей* «ханжа, лицемер», *расстрига* «служитель культа, лишенный сана решением церковных властей», *искариот* «предатель; Иуда Искариот, один из двенадцати апостолов, предавший Иисуса Христа», вызвали отрицательные эмоции, несмотря на относительно высокую употребительность по сравнению с другими церковными словами. Также представляется логичным, что слово, ассоциирующиеся со смертью, *саван* «одежда для усопшего или покрывало, которым накрывают тело в гробу», также вызвало отрицательную эмоциональную оценку.

Анализ корреляционных связей между социально-возрастными и поведенческими характеристиками респондентов и использованием ими церковной лексики, а также их мнением по оценке церковных слов и выражений должен был подтвердить или опровергнуть гипотезы, которые были сформулированы еще при подготовке к проведению анкетирования:

1. Возраст респондентов должен определенным образом быть связан со знанием и активным владением церковной лексикой, хотя направление этой зависимости не вполне ясно.

С одной стороны, пожилые люди, приближающиеся к концу жизни, склонны чаще задумываться о смысле прожитого и искать ответы на вечные вопросы в Библии и других религиозных источниках. Регулярное чтение религиозной литературы и ее обсуждение может приводить к более уверенному знанию и владению церковной лексикой. С другой стороны, можно предположить, что активная атеистическая пропаганда в советский период могла повлиять на формирование религиозных мировоззрений людей таким образом, что достигнув среднего или пожилого возраста в постсоветский период, человек во многом остался в рамках атеистических представлений своей молодости и, соответственно, мотивы к чтению религиозной литературы или посещению церкви у такого человека могут просто отсутствовать.

Как известно, активный и пассивный словарь носителя языка обычно формируется к 20–25 годам и в дальнейшем меняется незначительно (Романов 2004). Молодые люди, чье социальное формирование проходило уже в пост-советское время, не были подвержены атеистической пропаганде, а наоборот, стали объектом активной работы церкви, как православной, так и других христианских общин, по привлечению новых молодых членов паствы в свое лоно. Следовательно, возможность для знакомства с религиозной лексикой несомненно имелась и имеется у молодых носителей русского языка. Данное анкетирование позволяет лучше понять, в какой степени молодежь сумела воспользоваться этой возможностью.

2. Возраст респондентов также должен быть связан с отношением к церковной лексике, а также и с их мнением по вопросам языковой политики в отношении церковных слова и выражений.

3. Можно предположить, что уровень образования влияет на знание церковной лексики и на отношение к церковным словам и выражениям. Можно ожидать, что *чем выше образовательный уровень у носителей языка, тем ими будет проявлено лучшее знание церковной лексики и будет высказано более положительное отношение к подобной лексике.* Данные наших предшествующих исследований показали, что уровень знания и владения каким-либо слоем лексики (например, англицизмами или жаргонной лексикой), как правило, коррелирует с отношением носителей языка к этим словам (Романов 2000; Романов 2004). Можно ожидать, что и применительно к церковной лексике проявится аналогичная тенденция.

4. В работах по гендерным исследованиям в области духовного развития человека (Зубенко 1980, Саралиева, Балабанов 1996, Тульцева 1990) подчеркивается, что для многих женщин свойственен особый характер религиозности. Религия помогает женщинам лучше, чем мужчинам избавляться от тревог и страхов и помогает реализовать свои высшие духовные потенции. Зачастую в религии многие женщины находят самые главные ценностные ориентации, а высшее существо является для них тем необходимым заочным собеседником, к которому они могут обращаться во внутреннем диалоге. Нередко религиозность женщин питается извне, в основном, через механизмы церкви и церковной общины и влияет на их социально значимое поведение. В связи с этим правомерно предположить, что *среди анкетируемых женского пола можно ожидать более высокого уровня знаний в области религиозной лексики и более положительного отношения к ней, чем среди мужчин, участников опроса.*

4. Корреляционный анализ

Судя по коэффициентам корреляции, приведенным в Таблице 5.1., респонденты считают, что с возрастом они употребляют несколько больше церковных слов в собственной речи. Следует отметить, что корреляция (−0,129) между возрастом и использованием церковной лексики в собст-

венной речи является статистически значимой, но все же сравнительно
слабой. Не было установлено зависимости между возрастом анкетируемых и заявленной частотностью церковных слов в речи знакомых, а также
между возрастом и частотой посещения церкви. Однако была выявлена
статистически значимая зависимость (–0,342) между возрастом респондентов и уровнем понимания церковной лексики: чем старше респонденты, тем чаще они отмечали лучшее понимание церковных слов, встречае-
мых в книгах, газетах и журналах.

Впрочем, корреляционный анализ между возрастом и степенью знакомства с конкретными предъявленными церковными словами (Таблица 5.2.)
в целом подтверждает наши наблюдения, что с возрастом респонденты
склонны считать, что они чаще встречают церковные слова в периодике, в
речи знакомых и друзей и несколько чаще используют их в собственной
речи. В данном случае важны не столько абсолютные коэффициенты корреляции конкретных слов с возрастом, сколько общая направленность корреляции. Из Таблицы 5.2. видно, что коэффициенты корреляции со знаком
минус явно преобладают. Это объясняется тем, что шкала возраста построена по возрастающей (от 1 до 9), а шкалы пассивного и активного владения
церковной лексикой выстроены от 1 (часто слышу, часто использую) до 4
(никогда не слышал/а, никогда не использую), т. е. по убывающей.

Таблица 5.1.

Корреляция между возрастом носителей языка, активным и пассивным
владением церковной лексикой, и посещением церкви

	Возраст	Церковные слова в собств. речи	Церковные слова в речи знакомых	Понимание церковной лексики	Посещение церкви
Возраст	–				
Церковные слова в собств. речи	–0,129*	–			
Церковные слова в речи знакомых	0,055	0,634**	–		
Понимание церковной лексики	–0,342**	0,351**	0,374**	–	
Посещение церкви	0,057	0,482**	0,438**	0,141*	–

** Корреляция статистически значима при $p < 0,01$
* Корреляция статистически значима при $p < 0,05$

Таблица 5.2.

Зависимость между возрастом респондентов, встречаемостью
церковных слов в периодике, и употреблением церковных слов
в речи друзей и знакомых и в собственной речи

	Степень заявленного знакомства со словами	Употребление слов в речи друзей и знакомых	Использование слов в собственной речи
Акафист	−0,224**	−0,065	0,045
Анахорет	−0,172*	−0,276**	0,025
Благовест	−0,137*	−0,247**	−0,103*
Божница	−0,116	−0,201**	−0,076
Восприемник	−0,145*	−0,057	0,036
Елеосвящение	−0,072	−0,198*	−0,073
Епитимья	0,008	−0,097	0,026
Искариот	0,015	−0,214**	−0,189*
Канон	0,277**	−0,320**	−0,207**
Клирос	−0,355**	−0,524**	−0,270**
Причащение	0,115	−0,087	−0,104*
Расстрига	−0,219*	−0,340**	−0,227**
Ризница	−0,250**	−0,219**	0,309**
Саван	−0,027	−0,097	−0,125*
Святцы	−0,057	−0,075	0,095
Служебник	0,190*	0,028	0,131*
Соборование	−0,049	0,090	0,103*
Сорокоуст	0,352**	−0,279**	−0,196*
Схима	−0,387**	−0,299**	−0,188*
Троица	0,209**	0,147*	0,041
Фарисей	−0,376**	−0,299**	−0,391**
Хоругвь	−0,342**	−0,326**	−0,291**

** Корреляция статистически значима при $p < 0,01$
* Корреляция статистически значима при $p < 0,05$

В Таблице 5.3. представлены результаты корреляционного анализа между возрастом респондентов, их отношением к церковной лексики, их представлениями о престижности церковных слов, их отношением к возможной языковой политике в отношении религиозной лексики и частотой посещаемости церкви. Между возрастом и отношением к церковной лексике не было выявлено статистически значимой зависимости. Несколько неожиданным оказалось то, что с возрастом церковная лексика в речи представляется респондентам менее престижной (0,249). Возможно, это связано с тем, что для пожилых анкетируемых, выросших и получивших воспитание в советское атеистическое время, церковная лексика ассоциируется с чем-то устаревшим, архаичным, а значит непрестижным, в то время как более молодые участники опроса оказались свободными от подобного рода ассоциаций.

Более пожилые респонденты также были более склонны считать, что не следует проводить какой-либо специальной языковой политики в отношении церковной лексики, в отличии от более молодых информантов, которые чаще высказывались в пользу необходимости разъяснять значение церковных слов и выражений в учебных пособиях, т. е. в пользу популяризации церковной лексики, что проявилось в статистически значимой зависимости (0,270). Не удивительно, что между отношением к церковной лексики, оценкой ее престижности и представлениями о мерах языковой политики были выявлены статистически значимые зависимости. Наиболее сильная корреляция была установлена между фактором посещаемости церкви и отношением к церковной лексике (0,524), а также представлениями о

Таблица 5.3.

Корреляция между возрастом носителей языка, отношением
к церковной лексике, и вопросам языковой политики

	Возраст	Отношение к церковной лексике	Престиж церковных слов в речи	Яз. политика в отношении церк. слов	Посещение церкви
Возраст	–				
Отношение к церковной лексике	0,095	–			
Престиж церковных слов в речи	0,249**	0,156*	–		
Яз. политика в отношении церк. слов	0,270**	0,328**	0,223**	–	
Посещение церкви	0,057	0,524**	0,183*	0,536*	–

**   Корреляция статистически значима при $p < 0,01$
*   Корреляция статистически значима при $p < 0,05$

Таблица 5.4.

Корреляция между уровнем образования носителей языка, активным и пассивным владением церковной лексикой, и посещением церкви

	Образование	Церковные слова в собств. речи	Церковные слова в речи знакомых	Понимание церковной лексики	Посещение церкви
Образование	–				
Церковные слова в собств. речи	–0,162*	–			
Церковные слова в речи знакомых	–0,190*	0,634**	–		
Понимание церковной лексики	–0,339**	0,351**	0,374**	–	
Посещение церкви	0,026	0,482**	0,438**	0,141*	–

** Корреляция статистически значима при $p < 0,01$
* Корреляция статистически значима при $p < 0,05$

возможной языковой политике в отношении церковной лексики (0,536). Другими словами, судя по данным опроса, возраст носителя языка играет меньшую роль в формировании положительного отношения к церковной лексике по сравнению с фактором посещаемости церкви.

Фактор образования в нашем анкетирование был очевидным образом связан с фактором возраста (0,503), т. е. чем старше респондент, тем вероятнее, что он обладает более высоким уровнем образования, что в целом характерно для социолингвистических исследований в странах с высоким уровнем образования. Хотя уровень образования респондентов не оказался никаким образом связанным с уровнем посещаемости церкви (Таблица 5.4.), более образованные респонденты указали на несколько более частое употребление религиозных слов (–0,162), на более частое использование церковной лексики в речи друзей и знакомых (–0,190), а также на существенно лучшее понимание церковной лексики, встречающейся в книгах и журналах (–0,339). Отрицательные показатели коэффициентов корреляции в Таблице 5.4. объясняются разнонаправленностью шкал: показатель уровня образования выстроен по возрастающей шкале, а показатели, связанные с пассивным и активным употреблением религиозной лексики, были построены по убывающей шкале.

Таблица 5.5.

Корреляция между уровнем образования носителей языка, отношением к церковной лексике, и вопросам языковой политики

	Обра-зование	Отношение к церковной лексике	Престиж церковных слов в речи	Яз. политика в отношении церк. слов	Посещение церкви
Образова-ние	–				
Отношение к церков-ной лексике	–0,072	–			
Престиж церковных слов в речи	0,056	0,156*	–		
Яз. полити-ка в отно-шении церк. слов	–0,070	0,328**	0,223**	–	
Посещение церкви	0,026	0,524**	0,183*	0,536*	–

**   Корреляция статистически значима при $p < 0,01$
*   Корреляция статистически значима при $p < 0,05$

Примечательно, что фактор образования не оказался связанным с высказанным отношением респондентов к церковной лексике, к ее престижу, к вопросам языковой политики в отношении церковных слов, а также с посещаемостью церкви (Таблица 5.5.). Люди как с высоким, так и с относительно низким уровнем образования заняли более или менее одинаковую позицию по этим вопросам.

Анализ корреляционных связей между полом респондентов, владением церковной лексикой и посещаемостью церкви принес любопытные результаты. С одной стороны выяснилось, что женщины, по их собственным оценкам, склонны значительно чаще, чем мужчины, посещать церковь (Таблица 5.6.), причем в данном вопросе отмечена сильная статистически значимая зависимость (–0,415). С другой стороны, мужчины были более склонны считать, что они лучше понимают церковные слова и выражения (0,307), которые встречаются ими в книгах, журналах и газетах. Возможно объяснить эти несколько парадоксальные зависимости большей самоуверенностью респондентов мужского пола в оценке владения религиозной лексикой, ибо, судя по приведенным синонимам к предъявленным церковным словам, мужчины не проявили лучшего знания церковной терминологии, по сравнению с анкетируемыми женского пола.

Следует отметить, что более высокая посещаемость церкви женщинами подтверждается как повседневным опытом, так и специальными исследованиями (Варзанова 1997; Саралиева и др. 1996) по гендерной религиозности. В исследовании Т. И. Варзановой в частности указывается, что среди россиян в возрастной группе от 24 до 31 года всего 26 % мужчин оценили себя в качестве верующих, тогда как более половины (52 %) женщин посчитали себя верующими. Соответственно, в этой же возрастной группе 41 % мужчин отметили, что посещали церковь в течение года, тогда как на аналогичный вопрос положительно ответили 56 % респондентов женского пола. В этой же работе Т. И. Варзановой отмечается, что молитвенное общение с Богом присуще девушкам в гораздо большей степени, чем юношам. Другими словами, статистические наблюдения во многом поддерживают заключение о том, что гендерный фактор в церковном поведении имеет определяющее значение по сравнению с возрастным.

В вопросе зависимости пола анкетируемых и их отношения к церковной лексике в целом, к ее престижности/непрестижности, а также к вопросам возможной языковой политики, связанной с популяризацией или

Таблица 5.6.

Корреляция между полом носителей языка, активным и пассивным владением церковной лексикой, и посещением церкви

	Пол	Церковные слова в собств. речи	Церковные слова в речи знакомых	Понимание церковной лексики	Посещение церкви
Пол	–				
Церковные слова в собств. речи	–0,003	–			
Церковные слова в речи знакомых	–0,032	0,634**	–		
Понимание церковной лексики	0,307**	0,351**	0,374**	–	
Посещение церкви	–0,415**	0,482**	0,438**	0,141*	–

** Корреляция статистически значима при $p < 0,01$
* Корреляция статистически значима при $p < 0,05$

наоборот с подавлением церковной лексики, каких-либо значимых корреляций установлено не было (Таблица 5.7.). Впрочем тенденция к большей религиозности среди женщин косвенно проявилась и в ответах на вопросы этой части анкеты. В целом женщины-респонденты по сравнению с участниками анкетирования мужского пола высказывали несколько более позитивное отношение к церковным словам, посчитали церковную лексику несколько более престижной, и более благосклонно отнеслись к возможной языковой политике, направленной на популяризацию церковных слов. Однако отмеченные зависимости оказались достаточно слабыми.

Были зафиксированы и определенные поло-возрастные различия в оценке респондентами факторов, связанных с большим количеством религиозных слов в речи носителя языка (Таблица 5.8.). Так по сравнению с молодыми респондентами более пожилые участники анкетирования были более склонны считать, что большое количество церковных слов в речи свидетельствует о «стремление придать своей речи возвышенный характер» (−0,185), о «высокой языковой культуре» носителя языка (−0,394) и о его «высокой степени религиозности» (−0,298). В свою очередь респонденты женского пола чаще мужчин полагали, что большое количество религиозных слов в речи связано с «желанием сделать свою речь более яркой и выразительной» (0,217), со «степенью религиозности человека» (0,285) и с его «высокой языковой культурой» (0,151).

Таблица 5.7.

Корреляция между полом носителей языка, отношением к церковной лексике, и вопросам языковой политики

	Пол	Отношение к церковной лексике	Престиж церковных слов в речи	Яз. политика в отношении церк. слов	Посещение церкви
Пол	−				
Отношение к церковной лексике	−0,078	−			
Престиж церковных слов в речи	−0,029	0,156*	−		
Яз. политика в отношении церк. слов	−0,099	0,328**	0,223**	−	
Посещение церкви	−0,415**	0,524**	0,183*	0,536*	−

** Корреляция статистически значима при $p < 0,01$
* Корреляция статистически значима при $p < 0,05$

Таблица 5.8.

Зависимость между возрастом и полом респондентов и их оценкой
факторов, связанных со значительным употреблением
церковных слов в речи носителя языка

	Возраст	Пол
Стремление придать своей речи возвышенный характер	−0,185*	0,028
Желание сделать свою речь более яркой и выразительной	−0,011	0,217**
Степень религиозности человека	−0,394**	0,285**
Желание озадачить собеседника непонятными словами и выражениями	−0,011	0,038
Высокая языковая культура человека	−0,298**	0,151*
Стремление подчеркнуть свою оппозицию по отношению к нерелигиозным людям	0,027	−0,011

** Корреляция статистически значима при $p < 0,01$
 * Корреляция статистически значима при $p < 0,05$

5. Дискуссия

Опрос показал, что уровень знания и использования специализированной церковной лексики среди носителей русского языка остается низким. Утверждения некоторых исследователей (Сулежкова 1995; Dunn 1999) о постепенном возвращении церковной, религиозной лексики из разряда устаревшей в разряд употребительной в современном русском языке не нашли эмпирического подтверждения. Значительно возросшая посещаемость церкви в пост-советский период, которую зафиксировали социологические исследования, пока не привела к изменениям в пассивном и активном владении церковной лексикой. Возможно, здесь сказываются такие факторы, как традиционно обрядовый характер богослужения с низкой коммуникативной интерактивностью между паствой и священниками в православной церкви, отсутствие курсов по систематическому изучению Библии и других религиозных текстов среди прихожан (что свойственно, например, для протестантских общин), т. к., по-видимому, мотивации к самостоятельному изучению новых церковных слов среди православных россиян оказывается недостаточно.

Возрастные характеристики коммуникантов при использовании лексических средств обычно сказываются на соблюдении/несоблюдении лексической нормы, а также на объеме активного и пассивного лексического запаса носителей языка. Молодые коммуниканты в большей степени склонны к инновациям, к использованию лексики, стоящей на границе или находящейся за границей нормы, например, сленга и просторечия. Лексика в речи людей среднего возраста обычно ближе всего соответствует норме. Пожилые люди в массе наиболее консервативны в своей речи и более склонны использовать устаревшие слова. Парадокс функционирования церковной лексики в современном русском языке заключается в том, что она является устаревшей и малопрестижной практически в равной степени для всех поколений носителей языка, кроме молодежи, поскольку нынешние поколения пожилых и людей среднего возраста выросли в условиях активного изгнания церковных слов из повседневного употребления. Молодое же поколение россиян вырастает в совершенно иной идеологической среде, с непохожими аксиологическими нормами, и в целом подвергается гораздо большему религиозному воздействию, чем их родители, бабушки и дедушки.

При анализе результатов опроса фактор возраста в коммуникативном поведении в отношении церковной лексики проявился следующим образом. Более пожилые носители языка по собственным оценкам несколько чаще молодых употребляют специализированную церковную лексику, встречают ее в периодике, и в речи своих родственников и знакомых. Однако более пожилые люди не склонны оценивать церковные слова в качестве более престижных и относятся к ним с меньшим пиететом, чем молодежь. В свою очередь, молодые носители языка низко оценивают собственные знания церковных слов и выражений и высказываются в пользу более активного изучения религиозных слов и разъяснения их значений. Данные опроса приводят к мысли о том, что сравнительно незначительные различия в употреблении церковных слов и в отношении к ним среди пожилых, молодых и людей среднего возраста не должны создавать дополнительных препятствий в коммуникационном процессе при общении людей разных поколений.

Как уже отмечалось, данные нашего опроса совпали с результатами других исследований в оценке посещаемости церкви мужчинами и женщинами: россиянки в два раза чаще жителей России мужского пола посещают церковь. В то же время гипотеза о лучшем знании церковных слов и владении религиозной лексикой женщинами не подтвердилась. Оказалось, что более частая посещаемость церкви не отразилась на знании церковной лексики: участницы опроса всех возрастных групп не оценили выше респондентов-мужчин свой уровень пассивного и активного владения церковной лексикой. Хотя сами участницы опроса связывали знание церковной лексики с уровнем религиозности человека, наши данные подталкивают к выводу, что связь эта далеко не безусловна. Казалось бы, в соответствии с материалистическими взглядами, бытие должно определять сознание и сказываться на речи. Тем не менее, российские женщины, значительно чаще посещающие церковь, не продемонстрировали лучшего владения церковной лексикой, чем мужчины. Одновременно женщины-респонденты чаще мужчин полагали, что знание церковной лексики также связано с высокой языковой культурой носителя языка и стремлением сделать свою речь более яркой и выразительной, т. е. с желательными чертами в речи любого носителя языка.

Предположение о том, что уровень образования респондентов окажется связанным со знанием и владением религиозной лексикой, подтвердилось частично. Люди с высоким уровнем образования отмечали свои более уверенные знания церковной лексики, а также то, что несколько чаще встречали подобные слова в речи друзей и знакомых. С другой стороны, уровень образования никак не сказался на отношении к церковной лексике или на мнении о возможных мерах языковой политики по сдерживанию или, наоборот, большему распространению церковных слов в русском языке.

Таким образом, некоторые расхождения в уровне владения церковной лексикой между людьми разного возраста, пола и образования, зафиксированные по результатам опроса, не представляются серьезным фактором, затрудняющим или сдерживающим коммуникацию. Такой вывод можно сделать прежде всего из-за общего низкого уровня владения и понимания церковной лексики, а также из-за того, что несмотря на возросшую посещаемость церкви, особенно среди женщин, российские мужчины и женщины всех возрастов достаточно редко говорят на религиозные темы.

Глава V

Межпоколенческая коммуникация в лицах: примеры, проблемы и решения

1. Исторические изменения в характере межпоколенческой коммуникации

Анализ исторических изменений в характере межпоколенческой коммуникации интересен прежде всего заманчивой возможностью нащупать тенденции в развитии общения между поколениями, которые отражают определенные сдвиги в культурных нормах и ценностях в обществе. В последние десятилетия социологи, социолингвисты и этнолингвисты составили значительный корпус данных, основанных на записях коммуникации между представителями разных поколений. Однако зафиксированная и введенная в научный оборот коммуникация отражает характер общение лишь последних двух-трех поколений. Поскольку в прошлые века практически никто не записывал живую речь с социолингвистическими или какими-либо иными научными целями, одной из немногих возможностей изучения межпоколенческого общения в XIX в. и предшествующих веках оказываются литературные тексты. Конечно, такие тексты не фиксируют метасообщения, которые так важны в человеческой коммуникации: тон голоса, интонации, ассоциации, вызываемые услышанным. Тем не менее, особенно полезными для исторической реконструкции коммуникации прошлых веков представляются тексты пьес, ибо драматурги воссоздавали или, по крайней мере, старались воссоздать диалоги между персонажами разного возраста (а также и монологи) в том виде или почти в том виде, в котором эти разговоры действительно можно было услышать в реальной языковой обстановке.

Что именно, какие темы обсуждали представители разных поколений в XIX в.? Важно отметить, что тематика разговора часто имеет непосредственное отношение к качеству межпоколенческого общения и отражению коммуникативных интересов людей. Одни темы могут восприниматься как более предпочтительные для пожилых (например, разговоры о семейной истории, обсуждение состояния здоровья), а другие — в качестве более увлекательных для молодых участников общения (например, обсуждение представителей противоположного пола, вечеринок и балов, матримониальных планов и т. д.). Расшифровка связи между тематикой разговора и степенью удовлетворения участников общения может улучшить понимание того, как успешно выстраивались внутрисемейные и внесемейные коммуникативные связи пять-шесть поколений назад или же, наоборот, как формировались условия для внутрисемейных конфликтов.

2. Межпоколенческое общение в пьесах А. Н. Островского

Как известно, в пьесах А. Н. Островского (1823–1886) основные коллизии обычно развертываются между членами купеческих семей и их окружением. В драмах и комедиях события нередко возведены в ранг явлений общего порядка, герои типизированы, центральным персонажам приданы яркие, индивидуальные характеры, в событиях пьес принимают участие многочисленные второстепенные персонажи, создающие широкий социальный фон. «Действие в его пьесах, как правило, происходит в одной семье, среди родственников или в узком кругу людей, связанных с семьей, к которой принадлежат герои. Вместе с тем уже с начала 50-х гг. в произведениях драматурга конфликты определяются не только внутрисемейными отношениями, но и состоянием общества, города, народа» (Лотман 1983, 66).

Другими словами, тексты пьес А. Н. Островского представляют богатый иллюстративный материал как для внутрисемейного, так и внесемейного общения. «Сам Островский наряду с традиционными обозначениями жанров своих пьес как „комедия" и „драма" (определением „трагедия" он, в отличие от своего современника Писемского, не пользовался) давал указания на своеобразие их жанровой природы: „картины из московской жизни" или „картины московской жизни", „сцены из деревенской жизни", „сцены из жизни захолустья". Эти подзаголовки означали, что предметом изображения является не история одного героя, а эпизод жизни целой социальной среды, которая определена исторически и территориально» (Лотман 1983, 68).

Как правило, в пьесах А. Н. Островского имеются четкие указания на возраст персонажей, и нередко в его пьесах действуют сразу три поколения взрослых героев (практически отсутствуют среди персонажей несовершеннолетние дети), что особенно ценно для анализа характера межпоколенческого общения во второй половине XX в. «Один из ярчайших бытовистов русской литературы, Островский постоянно вращается в сфере изображаемой им действительности, не выходя за ее пределы даже в своих опытах на исторические или фольклорные темы. Этот бытовизм пронизывает всю структуру его произведений, начиная от характеристик действующих лиц и вводных, пейзажных и жанристских ремарок, предваряющих начало того или иного действия, и кончая более существенными компонентами» (Цейтлин 1934, 362).

Некоторые современники драматурга, например Ап. Григорьев, видели в Островском не только продолжателя традиций «натуральной школы», но и выразителя теории «непосредственного творчества» (Островский 1966), где важным представлялось правдивое отражение быта, речи, и, говоря современным языком, коммуникативного поведения его современников. В первые годы творчества некоторые современники А. Н. Островского, особенно его коллеги в редакции «Московитянина», пытались представить драматурга апологетом идей славянофильства, патриархальной старины и религиозности. Позже, когда А. Н. Островский становится постоянным сотрудником «Современника», славянофильские мотивы забыты, и уступают место либерально-демократическим настроениям. Несмотря на идеологические колебания основы художественного стиля драматурга, его приверженность реалистической драматургии не менялись, что прекрасно отражено в известных со школьной скамьи статьях Н. А. Добролюбова. «Шире дорогу — Любим Торцов идет!... Я правду вижу!.. Шире дорогу! Правда по сцене идет. Любим Торцов — правда! Это конец сценическим пейзанам, конец Кукольнику: воплощенная правда вступила на сцену», — так приветствовал старый учитель из воспоминаний И. Ф. Горбунова впервые вышедшую на подмостки пьесу Островского «Бедность не порок» (Островский 1966).

На формирование А. Н. Островского как драматурга, в деталях знающего русский купеческий и мещанский быт, и в частности характер коммуникативного поведения современников, повлияла его хорошо известная служба в канцеляриях Московского совестного и коммерческого судов в 40-е гг. XIX в. Все гражданские споры между родителями и детьми разбирались в совестном суде. «Читая жалобы сторон, выслушивая «совестные» показания обвиняемых и обвинителей, молодой чиновник как нельзя более входил в самобытный сокровенный мир простых людей, прислушивался к их речи, всматривался в их нравственные воззрения, запоминал резкие оригинальные черты отдельных личностей» (Иванов 1898).

Не меньшее влияние на А. Н. Островского оказало участие в годичной правительственной командировке литераторов для изучения местностей России в бытовом и промышленном отношении, организованной по инициативе великого князя Константина Николаевича вскоре после восхождения на престол императора Александра II. Драматург, сам вызвавшийся участвовать в необычной командировке, отправился в верховья Волги для изучения особенностей местного быта и составления отчета для правительства. А. Н. Островский делал записи о нравах местной молодежи, подмечал особенности местных говоров, собирал материалы для словаря языка приволжского населения. Путевые впечатления были творчески перенесены в пьесы драматурга. В Торжке, например, все местное начальство явилось к нему в мундирах с представлением, как к приехавшему инкогнито ревизору. А в Борисоглебске его сопровождал пристав, предупреждавший все его желания и устраивавший так, что в самой густой толпе у храма Островский проходил свободно, «как по аллее» (Лакшин 1982). «По пути из Осташкова во Ржев Островский заехал на один постоялый двор и попросил ночлега. Хозяин встретил гостя неприветливо, поразил его своим разбойничьим видом и отказал в ночлеге. После оказалось, — он торговал своими пятью дочерьми. Островский твердо запомнил встречу и воспользовался ею для комедии „На бойком месте"» (Иванов 1898).

В данной работе диалоги в пьесах А. Н. Островского не рассматриваются с точки зрения их художественной ценности. Проводится многоуровневый анализ диалогов с описанием параметров, представляющих интерес для коммуникативных и социолингвистических исследований:

1. Возрастные характеристики, наличие или отсутствие родственных отношений (внутрисемейное и внесемейное общение).

2. Тематическая направленность диалогов, например, женитьба или замужество, проблемы семьи, денежные проблемы и т. д.

3. Характер взаимодействия в диалогах, в т. ч. манера задавание вопросов и получение ответов; характер воздействия на собеседника и обратная связь в диалогах; манера размышлений в диалогах и пояснение собственной позиции; самораскрытия (в т. ч. и болезненные самораскрытия) и сохранение какой-либо информации в секрете; воспоминания в диалогах, конфликт и противоборство в диалогах; манера ведения переговоров в диалогах, а также характер слушания в диалогах.

4. Маркированные лингвистические элементы в диалогах, такие как заимствованные слова, просторечие, тавтология и пр., которые влияют на характер диалога.

Наиболее важным выводом из наблюдений над общением персонажей разного возраста в пьесах А. Н. Островского является то, что несмотря на прошедшие полтора века, сравнение современной коммуникации между представителями разных поколений и общения, отраженного в пьесах великого драматурга, обнаруживает много общих черт, и выявляет некоторые различия лишь в тематике общения и в отражении реалий XIX и нынешнего XXI в., что особенно справедливо для внутрисемейного общения. Таким образом, диалоги из пьес А. Н. Островского оказываются удачным материалом для иллюстрации особенностей внутрисемейного общения, характера взаимодействия между членами семьи разного возраста. В дальнейших разделах книги диалоги из пьес А. Н. Островского и были использованы в качестве примеров внутрисемейного общения: разговоров между матерями и дочерьми, отцами и сыновьями, взрослыми детьми и пожилыми родителями, внуками и дедушками, внучками и бабушками, тещами и зятьями, свекровями и невестками.

3. Общение между родителями и дочерьми

Разговаривая с членами семьи, коммуниканты обычно пытаются соблюсти равновесие между близостью и дистанцией. Коммуниканты хотят быть достаточно близки, чтобы чувствовать себя в безопасности, но эта близость не должна быть подавляющей и чрезмерной. Другими словами, коммуниканты стремятся достичь равновесия между иерархией и равенством внутри семьи. Мы привыкли считать людей, стремящихся к контролю и власти над другими, неприятными, а отношения, строящиеся на равенстве и близости, близкими к идеальным. Однако и иерархические отношения в коммуникации могут быть вполне комфортными, если происходит взаимная коммуникативная подстройка участников общения.

В исследованиях по внутрисемейному общению в последнее время появилось довольно много интересных работ по коммуникационным взаимоотношениям между взрослыми дочерьми и их матерями, особенно на американском и английском материале. Одна из работ (Walters 1992) основывалась на анализе отношений и диалогов дочерей и матерей в современных американских телевизионных и художественных фильмах, где эти контакты, как правило, описывались как непрекращающийся конфликт между дочерью и матерью, а матери обычно представлялись или в образе жертвы конфликта, или, чаще, в образе недоброжелательно настроенного агрессивного человека. Walters в своем анализе подчеркивает, что такой утвердившийся образ матери в американской культуре может рассматриваться дочерьми как логическое оправдание борьбы за свою независимость от старшего поколения.

Другие исследователи (Jordan 1993; Van Mens-Verhulst et al. 1993), при рассмотрении общения между матерью и дочерью, не видели никакой необходимости отрыва от матери (в качестве условия психологического и социального развития дочери), а наоборот, подчеркивали желательность тесного контакта с матерью в течение всей взрослой жизни, ибо именно такой контакт является ключом к лучшему пониманию самой себя. В работе Jordan (1993) отмечалось, что для сыновей отдаление от матери является важной вехой в развитии мужественности, мускулинных качеств (чтобы не стать или не оставаться «маменькиным сыночком»), в то время как для дочерей женственные качества во многом предопределяются близостью с матерью, а никак не разрывом отношений. Кроме того было установлено, что дочери обычно высказывают более явное желание чем сыновья получать поддержку в общении от своих матерей (Trees 2000). По мнению исследователей (Fischer 1991; Jones & Nissenson 1997), связь матери и дочери зачастую оказывается важнее других семейных и внесемейных отношений, поскольку включает в себя долгие годы изучения друг друга, наработанные навыки интерпретации поведения друг друга, высокий уровень эмоциональной близости и взаимозависимости, а также общие воспоминания и опыт.

В недавней работе (Miller-Day 2004) был проведен анализ общения между поколением дочерей и матерей на материале, собранном в результате длительного проживания в семьях, интервьюирования членов семьи и записи общения между матерями и дочерьми в нескольких американских семьях среднего достатка. Исследователь выделил два типа коммуникации между дочерьми и матерями: связанный (connected) и осложненный (enmeshed). В семьях со связанным типом коммуникации взрослые дочери и их матери были эмоционально близки, активно поддерживали общение, но в то же время не придерживались строгой семейной позиционной иерархии (мать — дочь). В сценариях своих диалогов и дочери, и матери в равной степени высказывали просьбы и требования, достаточно открыто выражали удовлетворение или недовольство друг другом. При связанном типе коммуникации характер общения был в целом открытый и прямой; обе стороны проявляли терпимость в спорах или каких-либо переговорах друг с другом.

В семьях с осложненным характером коммуникации сценарии общения были продиктованы позиционной иерархией (мать — дочь) и характеризовались отсутствием гибкости и терпимости. В таких семьях изменения в жизни дочери часто оценивались матерями как угрожающие (Miller-Day 2004). Нередко общение строилось по схеме, в которой дочь была вынуждена коммуникационно соответствовать ожиданиям матери и подстраиваться под требования матери для поддержания общения, что с точки зрения теории коммуникативного приспособления является примером конвергенции. Вместо терпимости в спорах и переговорах с обеих сторон (как при связанном типе общения) дочери обычно были готовы отказаться от высказывания своих представлений о жизни и демонстрировать уважение к мнениям, представлениям и ценностям их матерей, с тем чтобы сохранить хорошие отношения с матерью и не допустить обострения отношений или разрыва. В тех случаях, когда дочери нужно было высказать какое-либо пожелание в адрес матери, это обычно делалось в сдержанной или завуалированной манере в виде косвенных вопросов или осторожных намеков. Обычно матери в ответ на требования, пожелания или просьбы дочерей отвечали весьма определенным образом, с тем чтобы усилить своей позиционный материнский статус в отношениях с дочерью В интервью с исследователем дочери указывали, что выучивали подобную схему общения в подростковом возрасте и затем, несмотря на проходящие годы, эта схема общения с матерями практически не менялась.

Диалоги между дочерьми и родителями в пьесах А. Н. Островского служат хорошей иллюстрацией к разным видам коммуникативной связи между представителями двух поколений. По своей тематике подобные диалоги у Островского, с позиции сегодняшнего времени, несколько однообразны — матери, отцы и дочери в его пьесах чаще всего обсуждают поиск женихов, их достоинства (умственные, нравственные и финансовые), возможное замужество дочери, проблемы с приданым, а также дальнейшие сценарии замужней жизни. Начнем с примера, где проявляется связанный характер коммуникации между матерью и дочерью: дочь выражает несогласие с матерью относительно замужества, а мать отстаивает свою позицию:

> **Анна Петровна.** Хоть бы ты замуж, что ль, Маша, шла поскорей. Я бы уж, кажется, не знала, как и бога-то благодарить! А то, как это без мужчины в доме!.. Это никак нельзя.
> **Марья Андреевна.** У вас ведь, маменька, уж один разговор.
> **Анна Петровна.** Что ж такое не говорить-то! От слова-то тебя убудет, что ли? На-ка поди, уж и говорить-то нельзя. Что такое, в самом деле!
> **Марья Андреевна.** Разве я виновата, маменька, что мне никто не нравится?
> **Анна Петровна.** Как это не нравится, я не знаю; это так, каприз просто, Маша.

> (*«Бедная невеста», разговор между матерью и дочерью*)

Нетрудно заметить, что Анна Петровна и Марья Андреевна эмоционально близки, активно поддерживают общение, но в то же время не придерживаются строго семейной позиционной иерархии (мать — дочь). В диалоге хорошо прослеживается тактика выражения несогласия друг с другом, где используется по крайней мере несколько характерных приемов спора: апелляция к логике: «А то, как это без мужчины в доме!.. Это никак нельзя»; постановка под вопрос аргумента собеседника: «Что ж такое не говорить-то! От слова-то тебя убудет, что ли?»; защитная реакция: «Разве я виновата, маменька, что мне никто не нравится?». В некоторых диалогах из пьес А. Н. Островского эмоциональная близость между дочерью и родителями обрисована в утрированном виде, и представляется трудно реализуемой в коммуникативных сценариях современного реального внутрисемейного общения:

Анна Павловна. Папенька, что вы делаете?

Оброшенов. Ты наша спасительница! Ты! Нет, еще не все! Что же я обрадовался! Еще не все. Нет, я стану перед тобой на колени.

Анна Павловна. Ах, папенька! Что вы это! Зачем?

Оброшенов. Просить тебя, просить великое дело для нас сделать. И вы становитесь! Вот она! Она одна может.

Анна Павловна. Я ничего не понимаю.

Оброшенов. Пст, я стану. Это стоит, чтоб стать на колени. Злодей твой не станет того просить, что отец просить будет.

Анна Павловна. Вы меня пугаете.

Оброшенов. Будь тверже, Аннушка, будь тверже! Хрюков просит руки твоей и двадцать тысяч на приданое дает! Падайте! Аннушка! Падаем, падаем к ногам твоим! (*Хочет стать на колени.*)

Анна Павловна (*удерживает его*). И вы думаете, что я откажусь? Вы боитесь, папенька? Нет. Вы больны, вы стары; вам нужен покой. А вы для нас работаете, убиваете последние силы... Я буду иметь возможность ходить за вами, покоить вас, баловать, как малого ребенка... и вы подумали, что я откажусь от этого! (*Обнимает Верочку.*) И ее, мою куклу, я могу рядить, во что мне захочется, могу ее тешить, доставлять ей удовольствия... И я откажусь! Папенька, что вы! Я умереть для вас готова, только бы вы были счастливы!

Оброшенов. Да, да, да! Я так и знал. Вот она дочь-то какая! Вот с такими дочерьми хорошо жить на свете! Ну, спасибо тебе! Спасибо! (*Целует ее.*) Вот я здоров и весел. Я и плясать буду на твоей свадьбе.

(«Шутники», диалог между пожилым отцом,
отставным чиновником, и его взрослой дочерью)

Взаимосвязь между возрастом и характером коммуникации во внутрисемейном общении хорошо прослеживается на примере диалогов мать — дочь. Больший жизненный опыт, воспоминания о ситуациях, когда удалось постоять за себе или, наоборот, не удалось отстоять свои права или свою позицию, предопределяют лидерскую роль матери в ведении общения с дочерью:

Круглова. Однако дело-то до большого дошло. Вот он какими кушами бросает; тут уж не шуткой пахнет.

Агния. Думать долго некогда, надо решать сейчас.

Круглова. Легко сказать: решать! Ведь это на всю жизнь. А ну, мы этот случай пропустим, а вперед тебе счастья не выйдет; ведь мне тогда терзаться-то, мне от людей покоры-то слышать. Говорят, не в деньгах счастье. Ох, да правда ли? Что-то и без денег-то мало счастливых видно. А и то подумаешь: как мне тебя на муку-то отдать? Другая бы, может, еще и поусумнилась: «может, дескать, ей за ним и хорошо будет, — может, он с молодой женой и переменится». А у меня уж такого сумнения нет, уж я наперед буду знать, что на верную тебя муку отдаю. Как же нам быть-то, Агничка?

Агния. Почем я знаю! Что я на свете видела!

Круглова. Да ведь твое дело-то. Что тебе сердчишко-то говорит?

Агния. Что наше сердчишко-то! На что оно годится? На шалости. А тут дело вековое, тут либо счастье, либо горе на всю жизнь. У меня, как перед бедой перед какой, я не знаю, куда сердце-то и спряталось, где его и искать-то теперь. Нет, маменька! Видно, тут, кроме сердчишка-то, ум нужен; а мне где его взять!

Круглова. Ох, и у меня-то его немного.

Агния. А вот что, маменька! Я никогда к вам не ластилась, никогда своей любви к вам не выказывала; так я вам ее теперь на деле докажу. Как вы сделаете, так и хорошо.

Круглова. Что ты, дочка! Так уж ничего мне и не скажешь?

Агния. Что мне говорить-то? Только путать вас! Вы больше жили, больше знаете.

Круглова. А бранить мать после не будешь?

Агния. Слова не услышите.

Круглова. Ах ты, золотая моя! Ну, так вот что я тебе скажу: как идти мне сюда, я у себя в спальне помолилась, на всякий случай; вот, помолившись-то, и подумаю.

Агния. Подумайте, подумайте; а я ожидать буду себе...

Круглова. Что тебе долго ждать-то, мучиться?..

Агния. Погодите, погодите, я зажмурю глаза. (*Зажмуривает глаза.*)

Круглова. Хоть весь свет суди меня, а я вот что думаю: мало будет убить меня, если я отдам тебя за него.

Агния. Ох, отлегло от сердца.

(«*Не все коту масленица», разговор матери и дочери*)

В диалоге матери и дочери, Кругловой и Агнии, в пьесе «Не все коту масленица», где обсуждаются матримониальные планы, наблюдается связанный характер коммуникации, при котором, хотя позиционная иерархия и имеет место («а вот что, маменька! Я никогда к вам не ластилась, никогда своей любви к вам не выказывала; так я вам ее теперь на деле докажу. Как вы сделаете, так и хорошо»), однако обе стороны проявляют понимание, терпимость и готовность к компромиссам. Доверительность и психологическая близость, типичные для связной коммуникации, также проявляются в использовании большого количества уменьшительно-ласкательных форм: *маменька, Агничка, сердчишко*.

Коммуникативные конфликты и споры между дочерьми и матерями происходят как при связанном, так и при осложненном типе коммуникации. Основные приемы коммуникативного поведения в споре обычно сводятся к следующим: выражение каких-либо просьб или требований, в частности, просьбы или призывы изменить поведение, выражение отказа в ответ на нежелательную или неприемлемую просьбу или требование, высказывание собственного мнения, высказывание несогласия с чем-либо, выражение негативных чувств и ощущений, а также ответ на критику с чьейлибо стороны:

> **Лидия**. Что же он пишет?
>
> **Надежда Антоновна** (*нюхая спирт*). Он пишет, что денег у него нет, что ему самому нужно тысяч тридцать, а то продадут имение; а имение это последнее.
>
> **Лидия**. Очень жаль! Но согласитесь, maman, что ведь я могла этого и не знать, что вы могли пожалеть меня и не рассказывать мне о вашем разорении.
>
> **Надежда Антоновна**. Но все равно ведь после ты узнала бы.
>
> **Лидия**. Да зачем же мне и после узнавать? (*Почти со слезами.*) Ведь вы найдете средства выйти из этого положения, ведь непременно найдете, так оставаться нельзя. Ведь не покинем же мы Москву, не уедем в деревню; а в Москве мы не можем жить, как нищие! Так или иначе, вы должны устроить, чтоб в нашей жизни ничего не изменилось. Я этой зимой должна выйти замуж, составить хорошую партию. Ведь вы мать, ужели вы этого не знаете? Ужели вы не придумаете, если уж не придумали, как прожить одну зиму, не уронив своего достоинства? Вам думать, вам! Зачем же вы мне-то рассказываете о том, чего я знать не должна? Вы лишаете меня спокойствия, вы лишаете меня беззаботности, которая составляет лучшее украшение девушки. Думали бы вы, maman, одни и плакали бы одни, если нужно будет плакать. Разве вам легче будет, если я буду плакать вместе с вами? Ну скажите, maman, разве легче?

(«Бешеные деньги», упреки 24-летней дочери
в адрес пожилой матери)

Как уже отмечалось, в семьях со связанным типом коммуникации взрослые дочери и их матери эмоционально близки, и активно поддерживают общение, не придерживаясь семейной позиционной иерархии (мать — дочь). Казалось бы, XIX в. предъявлял более жесткие требования к соблюдению семейной иерархии в общение, однако пьесы А. Н. Островского служат убедительной иллюстрацией, что это происходило далеко не всегда:

Агния. Погода-то! Даже удивительно! А мы сидим. Хоть бы погулять куда, что ли!

Круглова. А вот, погоди, дай срок, сосну полчасика, пожалуй, погуляем.

Агния. Кавалеров-то у нас один, другой — обчелся, гулять-то не с кем.

Круглова. А кто виноват? Не мне же ловить для тебя кавалеров! Сети по улицам-то не расставить ли?

Агния. Разве вот Ипполит зайдет.

Круглова. И то, гляди, зайдет; день сегодня праздничный, что ему дома-то делать! Вот тебе и кавалер; не я искала, сама обрящила. Вольница ты у меня. Ты его как это подцепила?

Агния. Очень просто. Шла я как-то из городу, он меня догнал и проводил до дому. Я его поблагодарила.

Круглова. И позвала?

Агния. С какой стати!

Круглова. Как же он у нас объявился?

Агния. Позвала я его, да после. Стал он мимо окон ходить раз по десяти в день; ну, что хорошего, лучше уж в дом пустить. Только слава.

Круглова. Само собой.

Агния. Все говорить?

Круглова. Да говори уж заодно.

Агния (*равнодушно и грызя орехи*). Потом он мне письмо написал с разными чувствами, только нескладно очень...

Круглова. Ну? А ты ему ответила?

Агния. Ответила, только на словах. Зачем вы, говорю, письма пишете, коли не умеете? Коли что вам нужно мне сказать, так говорите лучше прямо, чем бумагу-то марать.

Круглова. Только и всего?

Агния. Только и всего. А то что же еще?

Круглова. Много очень воли ты забрала.

Агния. Заприте.

Круглова. Болтай еще.

(*«Не все коту масленица»*,
беседа 20-летней дочери и 40-летней матери)

Не слишком-то настойчивые понукания Кругловой в разговоре с дочерью («Много очень воли ты забрала» … «Болтай еще») не воспринимаются всерьез, а, скорее, лишь как дань принятым нормам. Убедительность при ведении спора зависит от ряда характеристик. Например, люди с высокой социальной тревожностью менее убедительны (Leary et al. 1995; Gudleski et al. 2000), т. к. обычно стремятся произвести сильное впечатление, но одновременно сомневаются в своих возможностях достичь желаемого результата. Не менее важна степень недовольства ситуацией, по поводу которой возникает спор. Как отмечается в специальном исследовании (Lundgren et al. 2000), убедительность в споре зависит от важности обсуждаемого вопроса и силы негативных эмоций, который возбуждает этот вопрос:

> **Марья Андреевна.** Что это вы, маменька, делаете? Посылаете Платона Маркыча по присутственным местам женихов искать! Это уж бог знает что такое!.. И ни слова об этом не скажете; это уж обидно даже. Ах, маменька, что вы со мной делаете!
>
> **Анна Петровна.** Никакой тут обиды нет! Ты, Маша, этого не знаешь, это уж мое дело. Я ведь тебя не принуждаю; за кого хочешь, за того и пойдешь. А это уж мой долг тебе жениха найти.

(«Бедная невеста», разговор между матерью и дочерью)

Марья Петровна недовольна поведением матери, высказывает свое несогласие и выражает явное неодобрение. В ответ на критику мать апеллирует к логике дочери: «я ведь тебя не принуждаю; за кого хочешь, за того и пойдешь», и в то же время определяет границы позволенной дискуссии: «а это уж мой долг тебе жениха найти». В продолжении диалога Анна Петровна приводит дополнительные аргументы, подкрепляющие ее позицию, которая сводится к осознанию необходимости и неизбежности замужества для дочери, нежелательности и социальной неприемлемости холостяцкого статуса, отсутствия реальных альтернатив. В этом диалоге характер общения сохраняет черты связанной коммуникации:

> **Марья Андреевна.** Маменька! Он мне очень не нравится. Я все для вас готова, все, что вам угодно, только не принуждайте меня замуж идти; я не хочу замуж. Я не пойду ни за кого.
>
> **Анна Петровна.** …Ведь ты не понимаешь, что говоришь! Ну, можно ли этакую вещь сказать: не пойду замуж! Это все только фантазии. Очень интересно быть старой девкой! А мне-то что ж, в богадельню, что ль, идти! Во-первых, ты, коли любишь мать, должна выйти замуж, а во-вторых, потому что так нужно. Что такое незамужняя женщина? Ничего! Что она значит? Уж и вдовье-то дело плохо, а девичье-то уж и совсем нехорошо! Женщина должна жить с мужем, хозяйничать, воспитывать детей, а ты что ж будешь делать-то старой девкой? Чулок вязать! Подумала ли ты об этом?

Марья Андреевна. Нет, маменька, я об этом не думала.

Анна Петровна. Ну, поди сюда, сядь подле меня! Поговорим с тобой хорошенько. Я сердиться не буду.

(«Бедная невеста», разговор матери и дочери о замужестве)

Одним из важных факторов в динамике коммуникационных взаимоотношений между дочерьми и матерями является раскрытие личной информации, самораскрытия или, наоборот, сохранение какой-либо информации в секрете. Поддержание баланса между раскрытием информации и сохранением секретов друг от друга является общепринятой формой регуляции общения. Секреты обычно сохраняются в тех случаях, когда риск связанный с раскрытием секрета слишком велик, а потенциальная уязвимость становится слишком высока (Derlega et al., 1993). Таким образом, можно представить себе континуум раскрытия информации в общении, в котором секреты можно описать как информацию, которая может быть раскрыта при обычных условиях, но которая скрывается, если оказывается, что раскрытие ведет к слишком угрожающим или позорным последствиям. При описании процесса коммуникации матери и дочери некоторые исследователи предпочитают говорить не о секретах, а о «редакторской» или «цензурной» обработке информации со стороны матери или дочери (Kraus 1989). Сохранение дочерью какого-либо секрета от матери, как правило, вызывает бурное негодование у матери, и может приводить к осложненному общению, с ярко выраженной позиционной иерархией:

Татьяна Никоновна. А ты думала перехитрить всех? Нет, уж нынче никого не обманешь. Скажи ты мне, сударыня, с чего это ты выдумала шашни-то заводить?

Оленька. Какие шашни?

Татьяна Никоновна. Да такие же. Ты у меня смотри, я ведь гляжу-гляжу да примусь по-своему.

Оленька. Что же вы со мной сделаете?

Татьяна Никоновна. Убью до смерти.

Оленька. Уж будто и убьете?

Татьяна Никоновна. Убью, своими руками убью. Лучше ты не живи на свете, чем страмить меня на старости лет.

Оленька. Не убьете, пожалеете.

Татьяна Никоновна. Нет, уж пощады не жди. Да я и не знаю, что с тобой сделаю, так, кажется, пополам и разорву.

Оленька. Вот страсти какие!

Татьяна Никоновна. Ты меня не серди, я с тобой не шутя говорю.

(«Старый друг лучше новых двух»,
диалог между матерью и дочерью)

В ответ на угрозы Татьяты Никоновны в связи с якобы имеющимся тайным любовником у Оленьки, дочь задает серию уточняющих вопросов и подает две саркастические реплики («Не убьете, пожалеете», «Вот страсти какие!»), которые совершенно не способствуют разрешению конфликтной ситуации. Примечательно, что подобное коммуникативное поведение строптивых дочерей мало в чем изменилось и в наши дни.

Данные исследований о самораскрытии и сохранении информации в секрете при общении взрослой дочери с матерью весьма противоречивы. Так, одними исследователями отмечается, что дочери в американском обществе весьма откровенны с матерями при обсуждении вопросов, связанных с сексом (Rafaelli et al. 2003), в то время как другие исследователи указывают на то, что дочери часто сохраняют в секрете информацию о своих подругах, о беременностях (Miller-Rassulo 1992), о состоянии здоровья (Fingerman 2001), а также о рискованном поведении, заключающемся в случайных сексуальных связях, а также употреблении алкоголя и наркотических веществ. (Miller-Day 2004). Впрочем подобные расхождения в оценках самораскрытий весьма характерны для описательных коммуникативных исследований, поскольку объектом работ обычно становится общение в лишь нескольких отобранных семьях и экстраполяция результатов на коммуникацию во всем обществе является не вполне правомерной.

Уже говорилось о том, что при оценке качества общения часто обращают особое внимание на показатель удовлетворения, получаемого участниками коммуникации от общения. Самораскрытия в коммуникации далеко не всегда ведут к росту удовлетворения от общения. По данным недавней работы (Koerner et al. 2002), в беседах с дочерьми откровения матерей на такие темы, как финансовые проблемы семьи, негативное отношение к бывшему мужу, личные проблемы не приводили к большей психологической близости между матерью и дочерью, а часто оканчивались для дочери ощущением психологического дискомфорта. Раскрытие информации приводило к росту стресса и волнений относительно матери. В этом контексте можно вспомнить о российской практике сохранения в тайне реального врачебного диагноза для психологического состояния смертельно больного пациента. В контексте же внутрисемейного общения сохранение информации в секрете может выполнять как минимум несколько полезных функций (Vangelisti 1994; Miller-Day 2004): функцию поддержания status quo в семейных взаимоотношениях; защитную функцию — сохранение информации в секрете, с тем чтобы не расстроить, не ранить близкого человека; функцию самозащиты — с тем, чтобы информация не могла быть использована против самого же источника информации.

В уже указанной работе Miller-Day (2004) отмечалось, что в условиях связанного общения матери и дочери меньше информации держали в секрете, а также не опасались открыто говорить о своих новостях, чувствах, от-

ношениях. Напротив, при осложненном характере коммуникационных отношений, матери нередко требовали откровенности от дочерей, но натал-
кивались на стену секретов. Нередко дочери в ретроспективных интервью
отмечали, что для многих из них своеобразной мантрой стало выражение:
«Только не говори матери!». Видимо подобное функционально мотиви-
рованное сохранение секретов для многих взрослых дочерей становится
весьма устойчивой привычкой, закрепляемой в повседневном общении с
матерью.

Как и любой вид коммуникации, общение матери и дочери проходит
через периоды относительной стабильности и периоды быстрых изменений. Как правило, изменения внешних обстоятельств являются катализа-
торами для изменения характера общения. Удачный пример приводит Miller-
Day (2004) в своем исследовании. После непродолжительного брака и по-
следовавшего развода дочь возвращается в дом к матери: «When you got
married, in my heart I felt that I had lost you. Now I feel I have you back»
(«Когда ты вышла замуж, сердцем я чувствовала, что я тебя потеряла. Ну а
теперь я чувствую, что ты снова со мной»). В ретроспективном собеседовании дочь отреагировала на комментарий матери следующим образом:
«То что мать сказала, это меня просто шокирует. Конечно она меня не теряла. Я и жила то с бывшим мужем всего через улицу. Просто кто-то другой завладел моим вниманием, а ей меня делить с ним не хотелось. Конечно, она никогда не теряла меня, но нам просто надо было найти способ, как
разделить общение со мной» (Miller-Day 2004, 85). В другой ситуации,
уже не развод, а серьезное заболевание дочери явилось катализатором уси-
ления близости в общении с матерью: «Когда дочь заболела, ее муж полностью проявил себя, то есть почти совсем не заботился. Так что я ее во-
дила на процедуры, мы ездили и в центральный госпиталь для дополнительных консультаций. И вот все это время мы с дочерью как будто отбро-
сили боксерские перчатки и общались совсем по-другому, чем раньше»
(Miller-Day 2004, 112).

Серьезные изменения во внутрисемейном общении могут вызываться
целым рядом обстоятельств, которые описаны в проведенных исследованиях: переезд в другой город матери или дочери и вынужденное проживание в географическом отрыве друг от друга (Golish, 2000), замужество дочери (Miller-Rassulo, 1992), беременность и рождение ребенка (Miller-Day
2004). Для молодой матери рождение ее собственного ребенка позволяет
посмотреть на свою мать другими глазами, что усиливает связь и глубину
общения между двумя женщинами.

Существенные изменения в коммуникации между близкими членами
семьи часто связаны с выполнением или невыполнением ими ожидаемых
семейных функций. Матери и дочери в общении рассчитывают на дочер-
нюю и материнскую эмоциональную поддержку (выражение любви и ува-

жения, подбадривание, сочувствие, предложение и принятие советов), а также и на инструментальную поддержку, включающую финансовую помощь, помощь по дому, выполнение поручений. С точки зрения матерей, одним из существенных изменений, важных для характера общения, является социальное и поведенческое повзросление дочери, когда она становится менее зависимой, избавляется от подростковой нетерпимости и агрессивности и становится не просто дочерью, а и близкой подругой. В этих условиях общение с повзрослевшими дочерьми, по мнению матерей, перестает быть однобоким и односторонним. По оценке же одной из проинтервьюированных дочерей, эта смена происходит, когда дочери уже за 20: «Как будто выключатель какой-то сработал в наших взаимоотношениях. Теперь она ко мне как к взрослой относится. Уже чувствует, что я не маленький ребенок. Теперь она по-настоящему уважает мои решения» (Fisher et al. 2007, 14).

Другим временным этапом, при котором происходит поворот во взаимоотношениях и общении матери и дочери становится тот период, когда взрослая дочь начинает ухаживать за стареющей, или часто болеющей матерью (Fingerman 2001), процесс который иногда называют изменением ролей (role-reversal). Коммуникации между престарелыми родителями и взрослыми детьми посвящен специальный раздел книги.

4. Общение между сыновьями и родителями

Среди многочисленных ролей, которые играют мужчины в обществе, единственной поистине универсальной ролью является роль сына. Некоторые мужчины никогда не становятся братьями, мужьями, отцами и дедами, но абсолютно все мужчины относятся к категории сыновей. Естественно, что роль сына получает наполнение только лишь в условиях существования семьи, и прежде всего проявляется в взаимоотношениях и общении с родителями. Роль сына, особенно первенца, имеет важное значение в семейной жизни во многих странах. В Индии и в Китае, как известно, желание иметь сына (и меньшее желание воспитывать дочь и обеспечивать ее приданое) приводит к массовым абортам по половому признаку и существенному изменению пропорции между новорожденными мальчиками и девочками.

В то же время роль сына не является очевидной составляющей мужского самосознания, во всяком случае в западном мире. В американском исследовании в 90-е гг. прошлого века (Salmon & Daly 1996) молодых мужчин и женщин попросили написать десять утверждений о себе в ответ на незамысловатый вопрос: «Кто вы?». Авторы исследования отметили, что 44 % женщин, принявших участие в исследовании, охарактеризовали себя в качестве дочери, в то время как лишь 12 % мужчин написали в одном из десяти утверждений, что являются сыновьями. Причем на вопрос, с кем из членов семьи вы ощущаете наибольшую духовную близость, лишь семь процентов мужчин указали своих отцов, отдавая в этой категории предпочтение своим сестрам. Молодые же женщины в этой графе отметили, что наибольшую духовную близость испытывают по отношению к матерям и ценят прежде всего общение с ними. Одним из возможных объяснений этого феномена является то, что (американские) мужчины не включают роль сына в свою идентичность, и что эта роль проявляется лишь во взаимоотношениях с родителями и приобретает конкретику в сочетаниях «отец и сын», «мать и сын».

Коммуникация между взрослыми родителями и сыновьями охватывает самые разнообразные аспекты жизни и может характеризоваться отношениями партнерства и доверительности, или же конфликта и антагонизма, которые могут быть закреплены в общении и поддерживаться длительной историей семейных взаимоотношений, или же могут достаточно быстро меняется в зависимости от изменяющейся ситуации:

> **Зыбкина.** Да уж я раздумала платить-то. Совсем было ты меня с толку сбил; какую глупость сделать хотела! Как это разорить себя...
>
> **Платон.** Маменька, что вы, что вы!
>
> **Зыбкина.** Хорошо еще, что нашлись умные люди, отсоветовали. Руки по локоть отрубить, кто трудовые-то отдает.
>
> **Платон.** Маменька, маменька, да ведь меня в яму, в яму.
>
> **Зыбкина.** Да, мой друг. Уж поплачу над тобой, да, нечего делать, благословлю тебя, да и отпущу. С благословением моим тебя отпущу, ты не беспокойся!
>
> **Платон.** Маменька, да ведь с триумфом меня повезут, провожать в десяти экипажах будут, извозчиков наймут, процессию устроят, издеваться станут, только ведь им того и нужно.
>
> **Зыбкина.** Что ж делать-то! Уж потерпи, пострадай!
>
> **Платон.** Маменька, да ведь навещать будут, калачи возить — всё с насмешкой.
>
> **Зыбкина.** Мяконький калачик с чаем разве дурно?
>
> **Платон.** Ну, а после чаю-то, что мне там делать целый день? Батюшки мои! В преферанс я играть не умею. Чулки вязать только и остается.
>
> **Зыбкина.** И то дело, друг мой, все-таки не сложа руки сидеть.
>
> **Платон** (*с жаром*). Так готовьте мне ниток и иголок, больше готовьте, больше!
>
> **Зыбкина.** Приготовлю, мой друг, много приготовлю.
>
> **Платон** (*садится, опуская голову*). От вас-то я, маменька, не ожидал, — признаться сказать, никак не ожидал.
>
> **Зыбкина.** Зато деньги будут целее, милый друг мой.

Платон. Всю жизнь я, маменька, сражаюсь с невежеством, только дома утешение и вижу, и вдруг, какой удар, в родной матери я то же самое нахожу.

Зыбкина. Что то же самое? Невежество-то? Брани мать-то, брани!

Платон. Как я, маменька, смею вас бранить! Я не такой сын. А только ведь оно самое и есть.

Зыбкина. Обижай, обижай! Вот посидишь в яме-то, так авось поумнее будешь.

(«Правда — хорошо, а счастье лучше»,
разговор матери средних лет с сыном)

В поисковой системе Google введенное на русском языке словосочетание «отец и сын» выдало более двух миллионов отсылок, а словосочетание «мать и сын» принесло около одного миллиона восемьсот тысяч отсылок. В художественной и популярной литературе существует огромное количество книг на тему о взаимоотношениях между отцами и сыновьями. Так современные американские авторы часто акцентируют внимание читателей на инструментальном аспекте взаимоотношений между отцами и сыновьями: совместные путешествия (McKeen & McKeen 2003), парная игра в гольф (Dodson 2003), рыбалка вдвоем с отцом (Plummer 2000), совместные подводные погружения (Chowdhury 2000), строительство дома семейной бригадой (Marchese 2002) и даже участие отцов и сыновей в военных действиях (Takiff 2003); хотя нередко затрагивают и другие темы во взаимоотношениях отцов и сыновей: примерение с отцом (Ilardo 1993), обмен религиозными взглядами между сыном и отцом (Clark 2002), взаимоотношения между отцами и сыновьями с различной сексуальной ориентацией (Gottlieb 2003; Shenitz & Holleran 2002) и пр.

Значительное количество исследований поддерживает тезис о том, что социальные, психологические и поведенческие характеристики как сына-подростка, так и взрослого сына во многом определяются взаимоотношением и общением с отцом (Day et al. 2004; Peters et al. 2000). Качество этих взаимоотношений сказывается на когнитивном развитии (Juby & Farrington 2001), на успехах сына в образовании (Singer et al. 2000), на степени мужественности (Beutty 1995), на склонности к физической и вербальной агрессивности в отношениях с женщинами (Dick 2004). И все это несмотря на то, что матери проводят в среднем в три раза больше времени со своими сыновьями чем отцы и, как правило, несут ответственность за планирование, организацию и проведения всевозможных занятий с детьми (Pleck et al. 2004).

Матери чаще отцов противятся отдалению сына и некоторые исследования показывают, что именно в общении с матерью у сыновей чаще возникают противоречия, чем при общении с отцом (Laursen 1995). Сыновья чаще, чем дочери, прибегают к тактике замыкания и неподдержания разговора с матерью (Whalen et al. 1996), а также в разговоре имеют склонность прерывать свою мать чаще, чем прерывают или перебивают в разговоре сестер (Beaumont et al. 2001). Также замечено, что сыновья реже чем дочери говорят с матерью о своих эмоциях (Dunn et al 1987), но также и реже получают какие-либо указания или команды от матери во время повседневных разговоров (Leaper et al. 1998).

Обвинения в адрес матери достаточно распространенный мотив, который хорошо отражен в пьесах А. Н. Островского, например в драме «Не сошлись характерами». Проследим, как Прежнева, мать Поля, не подает никаких советов или указаний сыну, а лишь робко оправдывается за расточительство в прошлой жизни:

> **Поль.** И чего же мне недостает? Ведь это срам, позор! Мне недостает состояния. Да и кому нужно знать, что у меня нет состояния? Я все-таки должен жить так, как они, и вести себя так, как они. Что ж, в мещане, что ли, мне приписаться? Сапоги шить? Нет состояния!.., это смешно даже.
> **Прежнева.** Было, Поль, было.
> **Поль.** Я знаю, что было, да теперь где? Я знаю больше... я знаю, что вы его промотали.
> **Прежнева.** Ах, Поль, не вини меня; ты знаешь, что все мы, женщины, так доверчивы, так слабы! Когда был еще здоров твой отец, нас все считали очень богатыми людьми, у нас было отличное имение в Симбирской губернии. Он как-то умел управлять всем этим. Потом, когда его разбил паралич, я жила совсем не роскошно, а только прилично.

> («*Не сошлись характерами*», *диалог матери и сына*)

Во втором действии пьесы Поль развивает свою мысль о вине матери за свое плачевное материальное состояние и предается воспоминаниям о своем детстве и юношеских годах, когда он оказывался свидетелем безответственного поведения матери:

> **Прежнева.** Нынче у женщин совсем нет сердца, совсем нет.
> **Поль.** Позвольте мне, maman, поблагодарить теперь вас за две вещи: во-первых, за то, что вы промотали мое состояние, а во-вторых, за то, что воспитали меня так, что я никуда не гожусь. Я умею только проживать. А где деньги, где? (*Горячо.*) Где деньги? Ну, давайте мне их! Вам весело было, когда я восьми лет, в бархатной курточке, танцевал лучше всех детей в Москве и уж умел волочиться за маленькими девочками! Вам весело было, когда я шестнадцати лет отлично скакал на лошади! Вы любовались, когда мы с моим

увернером, вашим любимцем, скакали по нашим наследственным полям. Вам весело было! При таком воспитании нужно иметь деньги, чтобы играть значительную роль в нашем обществе. Зачем же вы все промотали? Куда делись наши имения, наши крестьяне? Я блистал бы в обществе наперекор всем этим ученым и современно образованным людям с новыми идеями. Мне это было бы легко: они большой симпатией не пользуются. А теперь что? Теперь вы, может быть, будете иметь удовольствие видеть меня выгнанным из службы, празношатающимся, картежным игроком, а может быть, и хуже. Что ж мне делать? Нельзя же мне от живой жены жениться в другой раз. (*Опускает голову на руки.*)

(*«Не сошлись характерами», разговор между матерью и сыном*)

Поль делает ставку на приданое богатой жены из купеческой среды. Однако, Серафима Карповна, за счет капиталов которой Поль надеялся поправить пошатнувшееся финансовое состояние, оказывается более расчетливой и дальновидной, и делится своими сомнения относительно авантюрных финансовых проектов своего мужа с отцом:

Карп Карпыч. Ну, он молодой, а ты все-таки вдова, а не девушка, все как будто перед мужем совестно; ну, он подластится да и выманит деньги-то.

Серафима Карповна (*принимая чашку от Матрены*). Неужели мужчины могут любить только из денег? (*Вздох и глаза к небу.*)

Карп Карпыч. А ты думала как? Порядок известный.

Серафима Карповна (*выходя из задумчивости*). Да я ему и не дам денег.

Карп Карпыч. Ну, и ладно. Ты поступай так, как я тебе приказывал.

Серафима Карповна. Конечно, папенька! Что я, дура, что ли?

(*«Не сошлись характерами»,*
диалог между взрослой дочерью и пожилым отцом)

Серафима Карповна. Может быть, ему не понравится, что я расчетлива, так ведь иначе мне как же? Я стараюсь только, чтоб не прожить капиталу, а проживать одни проценты. Что ж я буду тогда без капиталу, я ничего не буду значить.

Карп Карпыч. Обнакновенно.

Серафима Карповна. А проценты я сейчас могу расчесть на бумажке, нас в пансионе этому учили. А вот без бумажки я и не могу. (*Задумывается.*)

(*«Не сошлись характерами», диалог дочери и пожилого отца*)

Конечно, условия жизни в семьях, даже в одной стране и в один исторический период, существенно различаются, что снижает убедительность обобщений относительно характера коммуникации между сыновьями и матерями. Так в американских семьях, в которых матери работают вне дома, и в семьях с матерями-домохозяйками, сыновья по-разному оценивают роль родителей в ведении домашнего хозяйства и воспитания детей. В семьях, где мать работает, 86 % сыновей согласились со мнением, что оба родителя в равной степени ответственны за домашнее хозяйство и воспитание детей, тогда как в семьях матерей-домохозяек лишь 66 % сыновей согласилось с этим же утверждением (Riggio et al. 2004). Другое недавнее исследование (Jones et al. 2003) показало, что позитивное и частое общение между матерью и сыном, отношения доверия между ними существенно помогают сыновьям справляться с повышенной тревожностью в пубертатный и пост-пубертатный период.

В пьесах А. Н. Островского довольно часто встречается образ взрослого, но инфантильного, с повышенной тревожностью сына, которого мать подталкивает к определенным действиям, часто к женитьбе:

> **Хорькова** (*садясь на скамейку*). Как это тебе, Миша, не стыдно! Зачем ты ушел? Только что я стала выражать Марье Андревне, как ты их любишь и как ты об них относишься, ты сейчас и бежать... Я необразованная женщина, да никогда не конфужусь, а ты всего конфузишься.
>
> **Хорьков**. Ах, маменька! Не говорите, сделайте милость, обо мне с Марьей Андревной! Я сам поговорю. Вы и так про меня всегда бог знает что рассказываете.
>
> **Хорькова**. Да, дождешься тебя! Странно это, Миша, ты человек образованный...
>
> **Хорьков**. Да, маменька, я образован, у меня сердце доброе; кроме этого, я знаю, что со мной она будет счастлива, что только я один могу оценить ее, что она погибнет в этом кругу жертвой расчета или невежества... но я боюсь, что она мне откажет.
>
> **Хорькова**. Ах, боже мой! Свет-то не клином сошелся — найдем другую.
>
> **Хорьков**. Где я найду другую? Хорошо, что случай свел меня с Марьей Андревной, я ее узнал, полюбил... Да поверьте же вы мне, что я так люблю Марью Андревну, что никого не могу видеть, кроме нее... Я и не думал, что так могу полюбить. Я измучился в последнее время... Вы видите, я плачу... Я не могу жить без нее.
>
> **Хорькова**. А коли любишь, так откройся — это всегда так делают.

(«*Бедная невеста*», *разговор между матерью и сыном*)

Дополнительные данные о характере коммуникации между сыновьями и родителями были получены в результате опроса более 500 мужчин в возрасте от 12 до 87 лет (Morman & Floyd 2006), при среднем возрасте в 40 лет, которых просили в свободной форме изложить свои взгляды на эффективное и приносящее удовлетворение общение, в котором участвуют сыновья и родители. Статистический анализ показал, что с точки зрения мужчин для удовлетворительного общения важно, чтобы сыновья выказывали уважение к родителям (47 %). Как отметил один из участников опроса: «Хороший сын всегда выражает уважение к отцу и матери, уважает их жизненный опыт, и хороший и плохой, показывает понимание того, что родители многим пожертвовали для блага ребенка». По мнению другого участника опроса, «сыновье уважение родителей не означает, что сын отказывается от своих взглядов и представлений» (Morgan & Floyd 2006, 51). На втором месте по важности участники опроса поставили независимость и ответственность сыновей (25 %), которые они проявляют в общении с родителями и в своем поведении в целом. Далее были указаны такие качества, как обращение к родителям (в основном к отцам) за советами (22 %), послушание (21 %) и проявление любви (21 %). Большинство участников опроса подчеркивали желательность взаимообразного характера перечисленных свойств для качественного и приносящего удовлетворение общения.

Конечно, сыновье уважение не следует путать с приниженностью и беспрекословным послушанием, а также с проявлениями авторитарного характера родителей при общении со взрослыми детьми, что прекрасно продемонстрировал А. Н. Островский в своих пьесах:

Кабанова. Если ты хочешь мать послушать, так ты, как приедешь туда,
сделай так, как я тебе приказывала.

Кабанов. Да как же я могу, маменька, вас ослушаться!

Кабанова. Не очень-то нынче старших уважают.

Варвара (*про себя*). Не уважишь тебя, как же!

Кабанов. Я, кажется, маменька, из вашей воли ни на шаг.

Кабанова. Поверила бы я тебе, мой друг, кабы своими глазами не видала да своими ушами не слыхала, каково теперь стало почтение родителям от детей-то! Хоть бы то-то помнили, сколько матери болезней от детей переносят.

Кабанов. Я, маменька...

Кабанова. Если родительница что когда и обидное, по вашей гордости, скажет, так, я думаю, можно бы перенести! А, как ты думаешь?

Кабанов. Да когда же я, маменька, не переносил от вас?

Кабанова. Мать стара, глупа; ну, а вы, молодые люди, умные, не должны с нас, дураков, и взыскивать.

Кабанов (*вздыхая, в сторону*). Ах ты, господи. (*Матери.*) Да смеем ли мы, маменька, подумать!

(«*Гроза*», *диалог взрослого сына с пожилой матерью*)

Коммуникативное поведение критически настроенного родителя можно описать как «автоматически оценивающее, ироничное, порицающее, наказывающее, обвиняющее, ищущее виновного, приказное, авторитарное, запрещающее, догматичное, претендующее на правоту, указывающее как правильно, проводящее границы» (Гойхман, Надеина 2006, 218). Типичными интонациями для подобного доминантного коммуникативного поведения оказываются следующие: «громко или тихо, твердо, высокомерно, насмехаясь, иронически, цинично, саркастически, остро, ясно, с нажимом» (Там же). Постоянные поучения приносят удовлетворение поучающему, который, в силу разницы в статусе, в возрасте и семейной позиции, часто не задумывается об эффективности такого общения или же о степени удовлетворения, которое от подобного общения получает собеседник:

Кабанова. Что ты сиротой-то прикидываешься? Что ты нюни-то распустил? Ну какой ты муж? Посмотри ты на себя! Станет ли тебя жена бояться после этого?

Кабанов. Да зачем же ей бояться? С меня и того довольно, что она меня любит.

Кабанова. Как зачем бояться! Как зачем бояться! Да ты рехнулся, что ли? Тебя не станет бояться, меня и подавно. Какой же это порядок-то в доме будет? Ведь ты, чай, с ней в законе живешь. Али, по-вашему, закон ничего не значит? Да уж коли ты такие дурацкие мысли в голове держишь, ты бы при ней-то, по крайней мере, не болтал да при сестре, при девке; ей тоже замуж идти: этак она твоей болтовни наслушается, так после муж-то нам спасибо скажет за науку. Видишь ты, какой еще ум-то у тебя, а ты еще хочешь своей волей жить.

Кабанов. Да я, маменька, и не хочу своей волей жить. Где уж мне своей волей жить!

Кабанова. Так, по-твоему, нужно все лаской с женой? Уж и не прикрикнуть на нее и не пригрозить?

(«*Гроза*», *диалог взрослого сына с пожилой матерью*)

Приспосабливающееся коммуникативное поведения сына характеризуется следующими чертами: «ощущение стыда, чувство вины, осторожное, боязливое, сдержанное, опасливое, думающее о последствиях, требующее одобрения, впадающее в отчаяние, беспомощное; обиженное, покорное, скромное, неуверенное, подавленное, предъявляющее повышенные требования к себе, жалующееся» (Гойхман, Надеина 2006, 219). С точки зрения интонации коммуниканты в подобной роли обычно говорят тихо, нереши-тельно, прерывающимся голосом, плаксиво, подавленно, сокрушенно, по-добострастно, нудно или жалуясь что особенно характерно для ригидных и интровертных собеседников.

5. Общение между взрослыми детьми и пожилыми родителями

Общение между детьми и пожилыми родителями является актуаль-ной, а иногда и болезненной темой. Известно, что в США около 90 % по-жилых людей имеют взрослого ребенка или взрослых детей и около 80 % из них поддерживают регулярные контакты со взрослыми детьми (Cicirelli 1981; Nussbaum et al. 1995). Во многих случаях это общение проходит не с глазу на глаз, а по телефону, и, в последнее время, по электронной почте. Это объясняется тем, лишь около 15 % людей в возрасте 65 лет и старше живут в одном доме или в одной квартире со своими взрослыми детьми (Ward et al. 1992). В американском обществе существует миф о якобы без-различном отношении взрослых детей к своим пожилым родителям и о попытках как можно скорее избавится от каких-либо обязанностей по от-ношению к пожилым родителям, сдав их в дом для престарелых. Приве-денная статистика опровергает этот миф. Из 80 % пожилых людей, кото-рые поддерживают связи и общение со своими уже взрослыми детьми, большинство делает это в течение многих лет жизни жизни. Этому дли-тельному коммуникативному контакту между родителем и взрослым ре-бенком сопутствуют и такие явления, как проявление любви друг к другу, взаимная забота, навыки по избеганию выражения враждебного настроя, достижение определенного консенсуса в вопросе о жизненных ценностях, представлениях и мнениях, — все это складывается в картину, отражаю-щую высокую степень коммуникативного приспособления друг к другу.

Высказывается мнение о том, что и взрослые дети и их пожилые ро-дителя, часто используют определенную форму приспособительной само-цензуры (Williams et al. 2001, 153), с тем чтобы поддерживать солидар-ность и избегать конфликтов. Каждая сторона знает, каких тем лучше не касаться в разговоре, и какая форма коммуникации может вызвать раздра-жение или негодование со стороны родного человека. Перед приходом в гости взрослая дочь звонит приглашенным и заранее предупреждает: «Толь-ко не говорите с папой о ситуации с льготными лекарствами — у него тут же давление повышается, и может удар хватить». У А. Н. Островского есть прекрасная иллюстрация к этому явлению: в драме «Гроза» хорошо извест-ный самодур Дикой постоянно предупреждает своих собеседников о том, чтобы те не заводили с ним разговоры на тему денежного долга, т. к. это тут же вызывает его справедливый и бурный гнев.

Родители, и в пожилом возрасте, нередко сохраняют по отношению к детям подход, который сформировался у них много лет назад, в период социального взросления и становления детей. Нередко, это авторитарный стиль общения, при котором безапелляционный тон и единоличные решения родителей, навязываемые детям, становятся наиболее характерными его чертами:

> **Мухояров** (*Барабошеву*). Давно я вас приглашаю: пожалуйте в контору; потому — хозяйский глаз... без него невозможно...
>
> **Барабошев.** Не в расположении. (*Матери.*) Маменька, я расстроен. (*Мухоярову.*) Мне теперь нужен покой... Понимай! Одно слово, и довольно. (*Матери.*) Маменька, я сегодня расстроен.
>
> **Мавра Тарасовна.** Уж слышала, миленький, что дальше-то будет?
>
> **Барабошев.** Все так и будет, в этом направлении. Я не в себе.
>
> **Мавра Тарасовна.** Ну мне до этих твоих меланхолиев нужды мало; потому ведь не божеское какое попущение, а за свои деньги, в погребке или в трактире, расстройство-то себе покупаете.
>
> **Барабошев.** Верно... Но при всем том и обида.
>
> **Мавра Тарасовна.** Так вот ты слушай, Амос Панфилыч, что тебе мать говорит!
>
> **Барабошев.** Могу.
>
> **Мавра Тарасовна.** Нельзя же, миленький, уж весь-то разум пропивать; надо что-нибудь, хоть немножко, и для дому поберечь.
>
> **Барабошев.** Я так себя чувствую, что разуму у меня для дому достаточно.
>
> **Мавра Тарасовна.** Нет, миленький, мало. У тебя и в помышления нет, что дочь — невеста, что я к тебе третий год об женихах пристаю.
>
> **Барабошев.** Аккурат напротив того, как вы рассуждаете, потому как я постоянно содержу это на уме.
>
> **Мавра Тарасовна.** Да что их на уме-то содержать, ты нам-то их давай.
>
> **Барабошев.** Через этих-то самых женихов я себе расстройство и получил. Вы непременно желаете для своей внучки негоцианта?
>
> **Мавра Тарасовна.** Какого негоцианта! Так, купца попроще.

> (*«Правда хорошо, а счастье лучше»,*
> *разговор сына средних лет с пожилой матерью*)

Существуют вполне объективные обстоятельства, оказывающие давление на чувство солидарности, которое испытывают взрослые дети и их пожилые родители по отношению друг к другу. Особенно это давление очевидно в тех случаях, когда пожилые родители нуждаются в постоянной опеке и высокой частоте общения. И взрослые дети, и их пожилые родители, с одной стороны, стремятся к солидарности, а с другой, хотят иметь известную автономию (Bengston et al. 1991). Постоянное общение с немощным и больным родителем не позволяет поддерживать автономию и может вызывать раздражение и озлобление («*На свою жизнь времени совсем не хватает, а тут с тобой возись!*»), а недостаточное общение и недостаточный уход вызывает у некоторых взрослых детей чувство вины и стыда. Нередко подчеркивается, что неформальное общение и помощь пожилым родителям в кругу семьи превышает формальную помощь, оказываемую социальными работниками, волонтерами, домами для престарелых (Cicerelli 1991). Однако возникает дилемма и для взрослых детей, и для их пожилых родителей. Если ты постоянно общаешься и заботишься о матери или отце, то рискуешь потерять собственную независимость. Если же на первом месте стоит беспокойство о собственной независимости, то может возникать чувство стыда или сожаления от того, что не уделяешь должного внимания немощным родителям. Так впрочем и пожилые родители вынуждены искать тонкую границу между желанием видеть и общаться со взрослыми детьми и получать от них необходимую помощь, а с другой стороны не перегружать детей своим обществом и общением.

Существует зависимость между географической близостью проживания и интенсивностью общения между детьми и их родителями и возрастом. Для американского общества характерно покидание родительского дома детьми сразу после окончания школы, при поступлении в университет, что способствует межпоколенческой независимости. В дальнейшем с возрастом взрослые дети, у которых уже появляются собственные дети, стараются перебраться поближе к бабушкам и дедушкам, чтобы обеспечить межпоколенческие контакты между внуками и своими родителями. Когда же родители становятся немощными типичен еще один переезд, еще ближе к родителям, с тем чтобы обеспечивать уход и поддерживать постоянное общение (Lin et al. 1995).

В российских городских условиях переезд детей от родителей, покидание родительского дома, происходит позже (если вообще происходит), далеко не сразу после окончания школы, и обычно откладывается до получения законченного образования, денежной работы и накопления достаточных средств для аренды или покупки жилья. Мобильность населения в целом гораздо ниже и переезды из города в город, даже в пост-советское время, являются скорее исключением, чем правилом. Частота родственных контактов находится в зависимости от территориальной удаленности родственников от пожилых людей: чем меньше расстояние, тем чаще происходит общение с родственниками (Иванова 2002). Все это обеспечивает более широкие возможности для поддержания постоянного общения с родителями в процессе взросления, во взрослом возрасте и в период родительской старости. Частота контактов в сельской местности в России также напрямую зависит от географической близости проживания родственников. Отсутствие телефонизации и компьютеризации, высокие тарифы на мобильную связь, там где она имеется, делают телефонное или электронное общение с иногородними родственниками для большинства сельских жителей России несбыточной мечтой или недоступной роскошью.

Помимо возрастного фактора в вопросе поддержания общения с престарелыми родителями, а также престарелыми родителями супруга или супруги играет важную роль и фактор пола. Часто помимо общения с пожилыми родственниками им оказывается помощь в уборке, готовке, одевании и умывании. Эти повседневные дела обычно выполняются женщинами и помощь такого характера престарелым людям также оказывается женщинами. В исследовании, посвященном именно соотношению факторов пола, характера родственных отношений, и их связи с частотой общения и оказания помощи престарелым родственникам (Ingersoll-Dayton et al. 1996), было опрошено около 1500 взрослых людей, оказывавших помощь престарелым родителям или пожилым родителям супруга. Выяснилось, что женщины в целом намного чаще оказывают помощь престарелым родственникам, особенно собственным родителям, и в меньшей степени престарелой свекрови и свекру. Эта помощь также ассоциируется с более высоким уровнем стресса для взрослых дочерей, чем для взрослых сыновей. Опрос также показал, что в процессе общения с пожилыми родственниками уровень стресса у невесток в целом существенно выше, чем у зятьев. Для российских условий характерна значительная диспропорция в составе пожилых людей по половому признаку. Например, около 66 % пожилых сельских жителей составляют женщины (Иванова 2002). Поэтому общение и оказание взаимной помощи и поддержки в таких условиях происходит гораздо чаще среди женщин.

Как и в других странах мира, в России в межпоколенческом общении большую роль играет система межпоколенческой родственной поддержки. Например, в сельской местности в начале нового столетия 23 % детей и внуков оказывали помощь деньгами своим старшим родственникам, около 40 % детей и внуков помогали одеждой, и около 50 % из них оказывали помощь продуктами питания (Иванова 2002, 9). Не менее интенсивной была и помощь в обратном направлении: от старшего поколения детям и внукам. Более половины пожилых людей в сельской местности оказывали денежную помощь и помощь продуктами питания своим детям и внукам. На отсутствие материальной поддержки от родственников указало около 20 % опрошенных, причем была выявлена прямая зависимость между объемом помощи и возрастом родственника. Примечательно, что значительная часть респондентов в сельской местности в ожидании финансовой и материальной помощи рассчитывала на детей и внуков (46 %), на себя (35 %), и лишь 16 % надеялось на государство. В тех случаях, где пожилые люди рассчитывают только на себя, они, как правило одиноки, или же их связи с детьми ослаблены или полностью отсутствуют.

В российских городах объем внутрисемейных трасфертов также традиционно велик и по данным некоторых исследований сопоставим с объемом социальной государственной поддержки (Овчарова, Прокофьева 2000). Причем помощь в покупке лекарств и продуктов, в организации лечения, в ремонте жилья пожилые получают от сыновей и дочерей примерно в равных объемах, тогда как в стирке, уборке и приготовление еды помощь в основном поступает со стороны дочерей. Если не учитывать помощь деньгами, то очевидно, что объем инструментальной поддержки во многом коррелирует с интенсивностью коммуникации между пожилыми родителями и взрослыми детьми, ибо общение как раз и происходит во время оказания инструментальной помощи.

Ухудшение здоровья пожилых родителей, ослабление зрения и слуха, затухание когнитивных способностей, влияет на характер общения со взрослыми детьми. Обычное общение, с равной степенью коммуникативного приспособления с обеих сторон, становится затруднительным, и в общении со стороны детей могут появляться снисходительные, покровительственные, а иногда и командные интонации (Cicerelli 1993). Часто взрослые дети вынуждены принимать решения без прежних учета мнений пожилых родителей и согласований с престарелыми родителями.

6. Общение через поколение: бабушки и дедушки — внуки и внучки

В России несомненно велико количество бабушек и дедушек, но, к сожалению, по этому вопросу мы располагаем лишь косвенной статистикой. Как уже отмечалось, к 2007 г. в России насчитывалось около 38 млн пенсионеров, из них приблизительно 19 млн были старше 65 лет, и около 12 млн чел. перешагнули 70-летний рубеж. Значительная часть этих людей являются бабушками и дедушками. В США в свою очередь к 2000 г. насчитывалось около 35 млн чел. в возрасте старше 65 лет (Hetzel & Smith 2001). По подсчетам исследователей (Uhlenberg & Kirby 1998) 70 % родившихся младенцев имеет полный набор бабушек и дедушек, а к десятилетнему возрасту у 40 % детей остаются живы все бабушки и дедушки. Подсчитано, что к 30 годам у 75 % людей остается в живых как минимум одна бабушка или один дедушка.

Большое количество исследований по внутрисемейному общению концентрировалось на изучении общения между смежными поколениями: отцы — сыновья, матери — дочери, взрослые дети — пожилые родители.

Общение между поколением бабушек и дедушек и поколением внуков и внучек получало незаслуженно меньшее внимание исследователей. Как известно, люди могут становится и становятся бабушками и дедушками к 50, а иногда и к 40 годам, и их взаимоотношения и общение с внуками могут продолжаться 30, а то и 40 лет. Роли бабушек и дедушек в семьях многообразны. Старшие родственники являются хранителями семейных традиций, источником семейных историй (и в этом разделе книги вы найдете немало тому подтверждений), теми людьми, кто поддерживает моральные основы семейной жизни, и теми, к кому обращаются члены семьи за эмоциональной поддержкой. Помимо этого бабушки и дедушки оказывают внукам и внучкам финансовую поддержку (Block 2002). В российских условиях бабушки и дедушки также оказывают значительную материальную помощь своим внукам и внучкам (Иванова 2002, Барсукова 2004).

Общение с бабушками и дедушками является важным для обоих поколений, поскольку, с одной стороны, несомненно влияет на психологическое состояние старшего поколения (Kennedy 1992), а с другой стороны, — на коммуникативную мотивацию молодых членов семьи и формирования ими определенных стереотипов межпоколенческого общения (Harwood 2001). Среди факторов, сказывающихся на качестве коммуникации между поколением внуков и внучек и поколением бабушек и дедушек, выделяют демографические (Roberto & Stroes 1992), например, пол и семейную родословную; психо-когнитивные, такие как, ощущение родственной близости (Pecchioni & Croghan 2002); а также частоту и форму общения (Lin et al. 2002).

Бабушки и дедушки различаются по характеру построения отношений с внуками и внучками, да и в целом по стилю своего коммуникативного поведения. В ранних работах по общению дедушек и внуков исследователи (Neugarten & Weinstein 1964, Cherlin & Furstenberg 1986) выделили несколько характерных стилей поведения пожилых людей. Так Negarten & Weinstein обрисовали пять таких стилей: формальный, при котором проводилось строгое разграничение между ролью родителя и дедушки/бабушки; искателя удовольствий, при котором бабушки и дедушки в основном ориентировались на отдых, на приятное времяпрепровождения и оберегание себя от дополнительных забот, связанных с внуками и общением с ними; суррогатного родителя, когда бабушка фактически становилась матерью для ребенка (а настоящая мать отсутствовала, или по тем или иным причинам не принимала участие в воспитании и общении ребенка); кладезя мудрости, при котором обычно дедушка выступает хранителем семейных ценностей и традиций и дает советы всем родственникам; отдаленной фигуры, при котором бабушки и дедушки редко появляются на горизонте семейного общения. В другой, более поздней работе (Cherlin & Furstenberg 1986) были также выделены пять стилей в коммуникативном поведении бабушек и дедушек, названные авторами следующим образом: отсутствующий, пассивный, поддерживающий, авторитарный и влиятельный. С одной стороны, попытки классификации стилей общения представляются интересными, именно поэтому они и были здесь приведены. Однако, кажется очевидным, что общение внуков и внучек с бабушками и дедушками это подвижный и изменяющийся процесс, зависящий от динамики возраста, коммуникативных потребностей, от близости проживания, сдвигов в нормах коммуникативного поведения в обществе и т. д., и поэтому классификации того рода оказываются весьма искусственными.

Учитывая то, что общение между пожилыми и молодыми родственниками сегодня оценивается в качестве распространенной, но все еще малоизученной формы коммуникации (Williams & Giles, 1996), важно оценить, как складывалось общение между поколением внуков и внучек и поколением бабушек и дедушек в предшествующие века? Теоретическое значение подобного анализа заключается в возможности построения и уточнения моделей успешного межпоколенческого внутрисемейного, а также и внесемейного общения. Исчезают ли какие-то старые и появляются ли новые приемы коммуникации и типы коммуникантов? Представляется, например, что вовсе не собирается уходить в прошлое тип властного сварливого старика и навязчивой авторитарной старухи, которые были типизированы А. Н. Островским и так часто встречаются в его пьесах. Ворчание стариков происходит и в наши дни, и его можно наблюдать не только в общении через поколение, а и в общении со смежными поколениями (пожилая мать — взрослая дочь) и с людьми одного возраста, когда осознание групповой солидарности позволяет не сомневаться в том, что собеседник поддерживает тебя:

> **Мамаев.** Да, мы куда-то идем, куда-то ведут нас; но ни мы не знаем куда, ни те, которые ведут нас. И чем все это кончится?
>
> **Крутицкий.** Я, знаете ли, смотрю на все это как на легкомысленную пробу и особенно дурного ничего не вижу. Наш век, век, по преимуществу, легкомысленный. Все молодо, неопытно, дай то попробую, другое попробую, то переделаю, другое переменю. Переменять легко. Вот возьму да поставлю всю мебель вверх ногами, вот и перемена. Но где же, я вас спрашиваю, вековая мудрость, вековая опытность, которая поставила мебель именно на ноги? Вот стоит стол на четырех ножках, и хорошо стоит, крепко?
>
> **Мамаев.** Крепко.
>
> **Крутицкий.** Солидно?
>
> **Мамаев.** Солидно.
>
> **Крутицкий.** Дай попробую поставить его вверх ногами. Ну, и поставили...

(«На всякого мудреца довольно простоты»,
диалог между пожилыми чиновниками)

Не только близость по возрасту, но и более высокий социальный статус критикующего собеседника несомненно способствует обеспечению одобрения критики со стороны зависимого слушателя и бессознательному коммуникативному приспособлению. Поддержание традиций, основ и норм семьи и общества, как бы по-разному они не понимались, является характерной темой в нарративах пожилых людей:

> **Кабанова** (*одна*). Молодость-то что значит! Смешно смотреть-то даже на них! Кабы не свои, насмеялась бы досыта: ничего-то не знают, никакого порядка. Проститься-то путем не умеют. Хорошо еще, у кого в доме старшие есть, ими дом-то и держится, пока живы. А ведь тоже, глупые, на свою волю хотят; а выйдут на волю-то, так и путаются на покор да смех добрым людям. Конечно, кто и пожалеет, а больше все смеются. Да не смеяться-то нельзя: гостей позовут, посадить не умеют, да еще, гляди, позабудут кого из родных. Смех, да и только! Так-то вот старина-то и выводится. В другой дом и взойти-то не хочется. А и взойдешь-то, так плюнешь, да вон скорее. Что будет, как старики перемрут, как будет свет стоять, уж и не знаю. Ну, да уж хоть то хорошо, что не увижу ничего.

(«Гроза», монолог Кабановой, пожилой женщины)

Обратим внимание на коммуникативную адаптацию собеседников, которая хорошо заметна в апокалиптически окрашенных беседах Феклуши и Кабановой. Примечательно, что если в разговорах с сыном Кабанова проявляет качества доминантного собеседника, то в диалогах с Феклушей она становится мобильным собеседником, с готовностью поддерживающим коммуникацию на отвлеченную тему:

> **Феклуша.** Тяжелые времена, матушка Марфа Игнатьевна, тяжелые. Уж и время-то стало в умаление приходить.
> **Кабанова.** Как так, милая, в умаление?
> **Феклуша.** Конечно, не мы, где нам заметить в суете-то! А вот умные люди замечают, что у нас и время-то короче становится. Бывало, лето и зима-то тянутся-тянутся, не дождешься, когда кончатся; а нынче и не увидишь, как пролетят. Дни-то и часы все те же как будто остались, а время-то, за наши грехи, все короче и короче делается. Вот что умные-то люди говорят.
> **Кабанова.** И хуже этого, милая, будет.
> **Феклуша.** Нам-то бы только не дожить до этого,
> **Кабанова.** Может, и доживем.

(«Гроза», диалог двух пожилых женщин)

Препятствием для эффективной коммуникации с пожилыми людьми является эйджизм. Эйджизм в отношениях к пожилым, дискриминация по возрастному признаку, вызывает озабоченность, поскольку имеет негативные последствия для пожилых людей. Эйджистское отношение в частности связано с изменением характера общения (использования снисходительных форм в общении, чрезмерное коммуникационное приспособление, сюсюканье, или, напротив, намеренное отсутствие какой-либо адаптации в общении и грубость), которое имеет нежелательные последствия для психического и физического здоровья пожилых людей. Хотя в целом в отношениях к пожилым людям существуют негативные предубеждения и стереотипы (Kite & Johnson 1988), отношение к конкретным пожилым людям, бабушками и дедушкам, прабабушкам и прадедушкам, пожилым коллегам по работе, пожилым соседям по дому часто оказывается положительным (Williams & Nussbaum 2000; Harwood et al. 2005).

Негативное отношение по возрастному признаку уменьшается при увеличение контактов между пожилыми и молодыми людьми (Pettigrew et al. 2000). Важным оказывается и продолжительность коммуникативных контактов и их качество. Под качеством коммуникативных контактов понимается совокупность характеристик коммуникации, таких как статус участников, активная роль в общении, возможность самораскрытий при разговоре, а также и социально-психологическая атмосфера, в которой проходят коммуникативные контакты. Определенную роль играет и половой фактор в общение через поколение: бабушки чаще поддерживают более тесное общение с внуками и в большей степени готовы посвящать себя общению с ними, чем дедушки (Somary & Stricker 1998). Также оказывается важным и возраст бабушек и дедушек — в целом, более молодые бабушки и дедушки поддерживают более частые коммуникативные контакты со своими внуками, чем более престарелые люди (Williams & Nussbaum 2001).

В недавнем исследовании на Тайване (Lin & Harwood 2003) была выявлена интересная зависимость между полом коммуникантов и уровнем удовлетворения при общении между внуками и внучками и бабушками и дедушками. Было установлено, что тайваньские внучки отмечают меньший уровень удовлетворения, которые они получают от разговоров с своими бабушками и дедушками, а также испытывают меньшую эмоциональную близость по отношению к своим старшим родственникам. Авторы выдвигают гипотезу о том, что традиционная китайская мысль о предпочтительности сына, а не дочки, оказывает влияние на дочек и на внучек в их отношениях к родственникам. Предпочтение, которое отдается сыну, проявляется во многих китайских ритуалах: например, в традиционном обряде торжественного принятия гостей, в похоронной церемонии, в поклонении духам предков женщины или вообще не участвуют, или могут играть лишь второстепенную роль. Дискриминационные практики в отношении китайских девочек сказываются, вероятно, на том, что у них в целом труднее складываются отношения с бабушками и дедушками. Как известно, в российских условиях социализация девочек проходит совсем по-иному, что способствует большей эмоциональной близости со старшими родственниками.

В уже упоминавшемся исследовании Nussbaum & Bettini (1994) записали разговоры между внуками и внучками и их бабушками и дедушками, где последних попросили рассказать что-либо, что, по их мнению, «раскрывает смысл жизни». Внуки и внучки, участвовавшие в этом исследовании, являлись студентами университета. В домашних условиях коммуникативные пары четырех типов, бабушка — внучка, бабушка — внук, дедушка — внучка, дедушка — внук, записали на диктофон свои разговоры. Исследование было направлено на выявление устойчивых и повторяющихся черт в таких разговорах. Во-первых, оказалось что бабушки в среднем говорили в два раза больше дедушек в разговорах со внуками, вне зависимости от пола внуков. Дедушки чаще отказывались от записи разговоров. Авторы работы подчеркнули, что почти в каждом рассказе бабушки и дедушки упоминали о своем возрасте.

Упоминание возраста в нарративах, как уже говорилось, обычно делается для подчеркивания своего жизненного опыта, житейской мудрости. Дедушки говорили в основном о здоровье и о своих юношеских воспоминаниях, часто также говорили о службе в армии и о военном опыте. Бабушки предпочитали говорить о семье и о семейной истории: о том как они встретили своего будущего мужа, о рождении детей, о своих родителях и родственниках. Бабушки также часто сравнивали жизнь своего поколения с жизнью сегодняшней. Примечательно, что в разговорах с бабушками и дедушками внуки и внучки выступали, как правило, в роли слушателей, и редко могли рассказать какие-либо значимые истории своим старшим родственникам. Возможно, они чувствовали, что по сравнению со старшим поколением у них просто не хватает жизненного опыта и впечатлений для интересного рассказа, или же опасались, что бабушки и дедушки не смогут должным образом оценить их опыт в современной жизни, или же просто видели естественной свою роль только слушателя в общении с собственными бабушками и дедушками.

Эмоциональная поддержка, которую оказывают бабушки в общении с внучками, хорошо иллюстрируется на примере диалога Лизы и Анны Устиновны из пьесы А. Н. Островского «Пучина».

Анна Устиновна. Что это, Лиза, ты так груба?

Лиза. А со мною кто ласков, кроме вас?

Анна Устиновна. А чем же он-то не ласков? Вот посмотри, он нам денег дал.

Лиза. На его деньги нам весь век не прожить, лучше бы он мне работу дал.

Анна Устиновна. У тебя и то работа из рук не выходит, а тебе все мало, хоть бы ты себе отдых дала. **Лиза.** Отдых? Нет, отдыхать некогда, да и нельзя.

Анна Устиновна. Отчего же нельзя?

Лиза. А вот отчего: если работать сплошь, день за день, так работа легче кажется; а если дать себе отдых, так потом трудно приниматься. После отдыха работа противна становится.

Анна Устиновна. Что ты, что ты! Господь с тобой!

Лиза. Да, противна. Она и всегда не сладка, да уж как свыкнешься с ней, так все-таки легче. Вы думаете, что мне самой погулять не хочется? Вы думаете, что мне не завидно, когда другие гуляют?

Анна Устиновна. Как, чай, не завидно.

Лиза. Нет, нет. Я вас знаю. Вы думаете, что я с радостью работаю, что мне это весело; вы думаете, что я святая. Ах, бабушка!

Анна Устиновна. Святая, святая и есть.

Лиза. Сказать ли вам, что у меня на душе?

Анна Устиновна. Да что ж у тебя, кроме ангельских помыслов?

Лиза. Нет, лучше не говорить. Сказать, так вы испугаетесь.

Анна Устиновна. Ангел-хранитель над тобой!

Лиза. Ах, бабушка, я боюсь, я боюсь...

Анна Устиновна. Чего же ты, душенька, боишься?

Лиза. Я боюсь, что надоест мне работа, опостылеет, тогда я ее брошу...

Анна Устиновна. Поди ко мне, поди, дитя мое! Господи, сохрани ее и помилуй!

Лиза (*вставая*). Бабушка, давайте молиться вместе! Трудно мне, трудно! (*Подходит к Анне Устиновне.*)

(*«Пучина», диалог бабушки и внучки*)

В диалоге внука Афони и деда Архипа происходит перераспределение традиционных коммуникативных ролей, закрепленных за людьми определенного возраста. Вместо жалоб на здоровье и болезненных самораскрытий со стороны деда, напротив, зрители выслушивают жалобы и пессимистические высказывания («Я, дедушка, не жилец на белом свете», «Живой человек о живом и думает, а у меня ни к чему охоты нет») со стороны внука. Дед выступает в роли мудрого советчика («Это к росту бывает», «Так в тебя бог вложил», «Ну и благодари бога, что он так умудрил тебя») и оказывает эмоциональную поддержку внуку.

Афоня. Дедушка, отдохнем здесь немножко! Недужится мне. Садись вот на скамеечку!

Архип. Сядем, Афоня, сядем. Плохи мы с тобой; меня старость, а тебя хворость одолела.

Афоня. Я не хвораю, а я такой зародился. Я, дедушка, не жилец на белом свете.

Архип. Не слушай ты бабьего разговору! Никто не знает, какой ему предел положён.

Афоня. Что мне бабы! Я сам знаю, что я не жилец. Меня на еду не тянет. Другой, поработавши, сколько съест! Много, много съест, и все ему хочется. Вон брат Лёв, когда устанет, ему только подавай. А по мне хоть и вовсе не есть; ничего душа не принимает. Корочку погложу, и сыт.

Архип. Это к росту бывает.

Афоня. Нет, не к росту. Куда мне еще расти, с чего! Я и так велик по годам. А это значит: мне не жить. Ты, дедушка, возьми то: живой человек о живом и думает, а у меня ни к чему охоты нет. Другой одёжу любит хорошую, а мне все одно, какой ни попадись зипунишко, было бы только тепло. Вот ребята теперь, так у всякого своя охота есть: кто рыбу ловит, кто что; в разные игры играют, песни поют, а меня ничто не манит. В те поры, когда людям весело, мне тошней бывает, меня тоска пуще за сердце сосет.

Архип. Так в тебя бог вложил. От младости ты не возлюбил мира сего суетного. У других малодушество-то с летами проходит, когда беды да напасти, Афоня, изомнут да в муку изотрут человека; а ты вот, не живя, еще ни горя, ни радости не видавши, как старик рассуждаешь. Ну и благодари бога, что он так умудрил тебя. Мир тебя не прельщает, соблазну ты не знаешь и греха, значит, на тебе меньше. Вот тебе какое счастье! А ты вот меня послушай! Я, Афоня, соблазн знал, да и не всегда от него отворачивался, а чаще того случалось, что своей охотой шел на соблазн. Тебе вот все равно, ты говоришь; для тебя никакой утехи на свете нет, а мне божий мир хорош и красен был: все тебя манило, все тебя прельщало. Несытое око да вольная воля велят тебе всю сладость мирскую изведать. А в миру-то, Афоня, добро со злом рядом живет, об руку ходит. Ну и нагрешишь грехов-то больше песка морского. Хорошо вот бог привел до покаяния дожить, не во грехах застал. Каешься, сокрушаешься, на милосердие надеешься, а тебе не в чем будет каяться: ты у нас, Афоня, божий человек...

(«Грех да беда на кого не живет»,
диалог между дедом и внуком)

Общение через поколение происходит неудачно, когда одна из сторон уклоняется от традиционной линии коммуникационного поведения. Например, со стороны бабушек и дедушек мы ожидаем мудрых или псевдомудрых высказываний. В пьесе «Пучина» обращение внучки к бабушке за советом приводит к неудовлетворительному общению, поскольку пожилой человек не может или не хочет дать совет.

Лиза. Кто ж меня, бабушка, на ум наведет? У кого же мне себе ученья искать, как мне на белом свете жить; что на свете хорошо, а что дурно? Молода ведь я, какие у меня силы, какой у меня разум!

Анна Устиновна. Ох, не знаю я! Ты у нас хозяйка, ты у нас большая. Думай сама об себе, как тебе лучше. Что я тебе посоветую! И там беда, и здесь беда.

Кисельников. Я все собрал, я пошел. (*Надевает картуз.*)

Анна Устиновна. Погоди, Кирюша! Стара я стала, кости мои покоя хотят; теплую бы мне комнату да уход бы за мной! Да на тебя-то бы поглядела, на нарядную да на богатую. Ох, да не слушай ты меня, старую дуру, не слушай.

Лиза. Кто же мне теперь поможет! Стою я над пропастью, удержаться мне не за что. Ох, спасите меня, люди добрые! Бабушка, да поговорите со мной что-нибудь!

(*«Пучина», разговор между бабушкой, сыном и внучкой*)

Споры о том, кто решает что можно, а что нельзя, происходят между бабушкой и внучкой в ситуации, когда бабушка фактически выступает в роли суррогатной матери:

Мавра Тарасовна. Нет уж, миленькая моя, что я захочу, так и будет, — никто, кроме меня, не властен в доме приказывать.

Поликсена. Ну и приказывайте, кто ж вам мешает!

Мавра Тарасовна. И приказываю, миленькая, и все делается по-моему, как я хочу.

Поликсена. Ну, вот прикажите, чтоб солнце не светило, чтоб ночь была.

Мавра Тарасовна а. К чему ты эти глупости! Нешто я могу, коли божья воля?..

Поликсена. И многого вы, бабушка, не можете; так только уж очень вы об себе высоко думаете.

Мавра Тарасовна. Что бы я ни думала, а уж знаю я, миленькая, наверно, что ты-то вся в моей власти: что только задумаю, то над тобой и сделаю.

Поликсена. Вы полагаете?

Мавра Тарасовна. Да что мне полагать? Я без положения знаю. Полагайте уж вы, как хотите, а мое дело вам приказы давать, вот что.

Поликсена. Стало быть, вы воображаете, что мое сердце вас послушает: кого прикажете, того и будет любить?

Мавра Тарасовна. Да что такое за любовь? Никакой любви нет, пустое слово выдумали. Где много воли дают, там и любовь проявляется, и вся эта любовь — баловство одно. Покоряйся воле родительской — вот это твое должное; а любовь не есть какая необходимая, и без нее, миленькая, прожить можно. Я жила, не знала этой любви, и тебе незачем.

Поликсена. Знали, да забыли.

Мавра Тарасовна. Вот как не знала, что я старуха старая, а мне и теперь твои слова слушать стыдно.

Поликсена. Прежде так рассуждали, а теперь уж совсем другие понятия.

Мавра Тарасовна. Ничего не другие, и теперь все одно; потому женская природа все та же осталась; какая была, такая и есть, никакой в ней перемены нет, ну и порядок все тот же: прежде вам воли не давали, стерегли да берегли, — и теперь умные родители стерегут да берегут.

Поликсена (*смеясь*). Ну, и берегите, да только хорошенько!.. (*Отходит к стороне.*)

(*«Правда хорошо, а счастье лучше», беседа бабушки и внучки*)

Поддержанию активного общения между через поколение способствует ситуация, когда внуки оказывают ту или иную помощь пожилым родственникам. С подобной помощью ассоциируются долгосрочные положительные воспоминания, более тесная связь между поколениями внутри семьи (Dellman-Jnekins et al. 2000). Однако такой фактор, как развод между родителями (Drew & Smith 2002) вносит значительные осложнения в процесс коммуникации между внуками и бабушками и дедушками, ибо, как правило, развод родителей резко сокращается количество коммуникативных контактов контактов между внуками и старшим родственниками, что особенно для бабушек и дедушек со стороны отца. В свою очередь данные исследований свидетельствуют, что развод между бабушкой и дедушкой также имеет резко негативные последствия (King 2003) для поддержания коммуникации со внуками.

Фактор возраста является ключевым в общении через поколение. Внуки в детском возрасте чаще контактируют с бабушками и дедушками. Впрочем, у некоторых более взрослых внуков также имеются тесные коммуникативные контакты с бабушками и дедушками, особенно если они поддерживают это общение вне зависимости от родительского одобрения или неодобрения. В свою очередь возраст бабушки и дедушки несомненно влияет на общение с внуками: очень молодые бабушки и дедушки, часто психологически оказываются не готовы к своей новой роли, которая их «старит», и могут всячески от нее отбрыкиваться. Многие из них продолжают работать или имеют какие-либо другие обязательства, которые препятствуют регулярному общению с внуками. С другой стороны, престарелые бабушки и дедушки, в возрасте за 80 лет и старше, часто страдают от разнообразных болезней, ограничены в подвижности, что сокращает для них возможности общаться с внуками (Barer 2001).

Наиболее оптимальный период для общения с внуками приходится на те годы, когда бабушки и дедушки выходят на пенсию, но сохраняют бодрость, энергию и подвижность (Harwood & Lin, 2003). Иногда рождение внуков подталкивает бабушек к более раннему выходу на пенсию. Кстати, именно это и произошло в нашей семье. Как мы с братом родились, бабушке было всего 47 лет, и она решила оставить работу в школе и значительное время в своей жизни посвятила воспитанию внуков: занятие в спортивных секциях, сопровождение в бассейн, в музыкальную школу, чтение книг вслух и их обсуждение — все это поддерживалось и обеспечивалось во многом усилиями бабушки. Примечательно, что при рождении правнука, когда бабушке было 72 года, она с неменьшим энтузиазмом и энергией принялась за воспитание правнука. Репертуар бабушкиных воспоминаний даже расширился.

В случае тесных коммуникативных контактов и внуки и дедушки обычно испытывают удовлетворение от таких контактов, обсуждают с внуками широкий круг вопросов, чаще общаются лицом к лицу, а не заочно, по телефону или по электронной почте. Кроме того в таком общении у внуков чаще складываются более положительные представления о своих бабушках и дедушках (Pecchiono & Croghan 2002). Частота и продолжительность контактов через поколение связывают с определенным коммуникативным поведением (Lin & Harwood 2003) и того и другого поколения: это может быть стремление к желательному приспособлению в общении (конвергенция), или тенденция к недостаточному приспособлению или чрезмерному приспособлению (дивергенция). Конвергенция, проявляющаяся в аккомодационном коммуникационном поведении, часто ассоциируется с ощущением большей солидарности с людьми из иной возрастной группы.

Возрастной барьер в общении между бабушками и дедушками проявляется в определенном выборе лексики у тех и у других. Для нынешнего поколения дедушек и бабушек представляется типичным использование советизмов, сленга 50–60 гг., лингвокультурных реалий, например анекдотов о Чапаеве, крылатых слов и выражений из речи лидеров Хрущева и Брежнева, того времени. Для поколения внуков и внучек характерен постсоветский сленг,

В недавнем исследовании (Tam et al. 2006) была сделана попытка проследить как самораскрытия в разговорах между внуками и внучками и бабушками и дедушками влияли на качество общения между двумя поколениями. Среди вопросов анкеты, построенной по семибальной шкале, были такие, как: «Как часто вы выражаете свои чувства в разговоре с бабушкой или дедушкой?», «Насколько личной является информация, которой вы делитесь со своими бабушкой и дедушкой?». Для определения степени близости к своим пожилым родственникам молодые люди также отвечали на вопрос: «Как трудно для вас посмотреть на вещи с позиции бабушки или дедушки?», «Способны ли представить себя на месте бабушки или дедушки?». Как уже отмечалось, самораскрытия являются важным механизмом в завязывании и поддержании контактов и дружеских отношений между людьми. Информация личного характера более высоко ценится в общении, чем информация неличного качества. Обычно самораскрытия провоцируют взаимные самораскрытия и увеличивают степень доверие между собеседниками, а также сокращают межгрупповое предубеждение (Ensari & Miller 2002). В исследование (Tam et al 2006) было доказано, что самораскрытие со стороны внука или внучки в разговоре с бабушкой или дедушкой уменьшало их уровень тревожности и сближало с пожилыми родственниками, что в значительной мере способствовало уменьшению предубеждений у молодежи относительно пожилых людей.

Некоторые факторы пока что плохо учтены в исследовании общения между внуками и внучками и их бабушками и дедушками. Никто не оспаривает то, что внутрисемейное общение через поколение играет важную роль. Не раз отмечалось (например, Williams & Nussbaum 2001), что когда молодых людей студенческого возраста просят задуматься и ответить на вопросы об их общении с пожилыми людьми, то молодежь прежде всего начинает описывать их общение со своими бабушками и дедушками или другими близкими им пожилыми людьми. Однако почти не исследованным остается вопрос о влиянии болезней бабушек и дедушек на затруднения общения с внуками. Как семьи ведут себя в тех ситуациях, когда общение через поколение проходит неудовлетворительно? Что происходит в общении, если бабушки и дедушки не соответствуют или не хотят соответствовать стереотипам коммуникационного поведения пожилого человека? Какие рекомендации можно дать для приносящего удовлетворения общения между дедами и внуками? Как разговорить дедушек? Как происходят изменения в коммуникативном поведении при переходе из статуса родителя в положение бабушки и дедушки?

Тут же следует добавить, что далеко не все пожилые люди испытывают дефицит общения или же стремятся к более интенсивному внутрисемейному и внесемейному общению. ФОМ (Фонд «Общественного мнения») проводил в 2005 г. опрос «Под одной крышей с детьми и внуками: плюсы и минусы» (См. Приложение 2) и задал анкетируемым вопрос: *Как вы думаете, в пожилом возрасте потребность в общении у людей увеличивается, уменьшается или не меняется?* В возрастной группе от 18 до 35 лет 57 % респондентов ответили, что потребность в общении с возрастом увеличивается, 16 % — не меняется, 10 % — уменьшается; в группе от 36–54 лет 56 % ответили, что увеличивается, 20 % — не меняется, 11 % — уменьшается; а в группе от 55 лет и старше лишь 40 % респондентов посчитали, что потребность в общении растет, 33 % — не меняется, 21 % — уменьшается. Данные этого опроса косвенно указывают на то, что среди пожилых участников опроса более половины не испытывали дефицита коммуникации.

Дефицит общения среди пожилых в меньшей степени испытывается теми, кто живет под одной крышей с детьми и внуками. Участники опроса ФОМ увидели и положительные и отрицательные черты в совместном семейном проживании. К положительным сторонам относили такие факторы, как предоставление заботы, поддержки и ухода пожилым; создание ощущения востребованности и избавление от чувства одиночества; возможность взаимопомощи пожилых и молодых; возможность поделится опытом и ценным советом; получение радости от совместного проживания с внуками и детьми; чувство спокойствия, когда в семье все вместе. Обговаривались и конкретные обстоятельства благополучного совместного проживания: «в частном доме, где есть простор, а не в тесноте, как мы прожили всю жизнь», «если дети уважают, то лучше с детьми», «если хорошие дети».

К отрицательным же сторонам совместного проживания вместе с детьми и внуками респонденты относили такие факторы, как: «у молодых активный стиль жизни, а пожилым нужен покой», «у разных поколений разные взгляды на жизнь, несовпадающие интересы и привычки», «совместное проживание ведет к ссорам, конфликтам, взаимонепониманию», «при совместном проживании пожилые и молодые диктуют друг другу свои правила», «совместное проживание создает лишние волнения, ненужные проблемы», «молодежь не уважает пожилых людей, не прислушивается к их мнению», «не хватает места для совместного проживания», «не должно быть двух хозяек у одной плиты» (См. Приложение 2).

7. Общение с родственниками мужа и жены

По данным федеральной службы государственной статистики РФ о состоянии населения более 81 % граждан РФ в возрасте от 25 лет и старше были женаты или выходили замуж по крайней один раз в своей жизни. Большинство из них на момент своего первого брака имели старших родственников со стороны мужа и жены. Аналогичная картина вырисовывается и в других странах. Так, по данным опроса населения в США, 72 % американцев в возрасте от 15 лет и старше как минимум один раз в своей жизни состояли в браке (Kreider et al. 2003). По подсчетам исследователей, среднестатистическая американская пара, вступающая в брак, может рассчитывать на продолжительные (более десяти лет) коммуникационные отношения с родителями мужа и жены (Cerewicz 2006).

Согласно стереотипическим представлениям коммуникативные отношения со старшими родственниками со стороны мужа и жены часто пропитаны негативизмом. Новые родственники, обретенные в результате бра-

ка, часто оказываются вынужденным и далеко не всегда желательным при-
обретением. В этом случае одной из распространенных линий коммуникативного поведения является стратегия увеличения дистанции между коммуникантами (Hess 2000), сокращения количества контактов, а также полное прерывание контактов с родственниками мужа и жены. Как показывают межкультурные исследования, в отношениях с тещами и свекровями
стремление дистанцироваться высказывается невестками и зятьями не только в европейской культуре, но и в таких странах как Кувейт, Египет и Судан
(Adler et al. 1989).

Коммуникативные отношения с родственниками мужа и жены обычно
носят вынужденный трехсторонний характер: К1 (теща, тесть) — К2 (зять) —
К3 (дочь) или К1 (свекровь, свекр) — К2 (невестка) — К3 (сын). Вынуж-
денность отношений между коммуникантами, тещей и зятем, свекровью и
невесткой, обусловлена их взаимной зависимостью от К3, который одновременно является супругом для К2 и взрослым ребенком для К1. Во многих семьях участники коммуникации предпочли бы вести общение лишь в
двустороннем варианте: К1 — К2 или К2 — К3. В то же время издержки,
которые могут возникнуть при разрушении трехсторонних отношений
(опасность развода, перспектива разрыва отношений со взрослыми детьми
и внуками, финансовые последствия и пр.), слишком велики. Осознание
опасности разрыва коммуникативных отношений является важным моти-
вационным фактором, подпитывающим трехсторонние контакты.

Коммуникативные затруднения при общении между тещей, тестем и
зятем, а также между свекровью, свекром и невесткой хорошо известны и
вполне объяснимы. На бытовом уровне эти затруднения часто объясняют
ревностью, которую испытывают теща и тесть по отношению к зятю, когда оказывается, что прежде безраздельное внимание своей дочери они
теперь должны делить с новым родственником. Те же основания для рев-
ности имеют свекр и свекровь к своей невестке, которая после замужества
неизбежно изменяет и уменьшает роль и влияние матери и отца в жизни
их сына. Взаимная ревность отражается на качестве коммуникативных контактов и часто заканчивается конфликтами. С точки зрения межгрупповой
теории, высокая конфликтность при коммуникации между родственниками мужа и жены объясняется прежде всего тем, что коммуниканты имеют
тенденцию отдавать предпочтение «своим». Новый человек в семье, зять
или невестка, хотя и приобретает родственный статус в результате же-
нитьбы или замужества, но, тем не менее, не становится «своим» на следующий же день после свадьбы. Вхождение в число «близких» может рас-
тягиваться на долгие годы, создавая ситуацию неясно очерченных семейных
границ. Недаром многие тещи и тести, свекры и свекрови из благих побу-
ждений пытаются форсировать этот процесс сближения и призывают но-
воиспеченных родственников называть себя «мама» и «папа». Как уже ука-

зывалось, люди испытывают ощущение неуверенности и даже угрозы при неясно очерченных групповых или семейных границах.

С позиций теории коммуникационного приспособления, сложности при коммуникации с родственниками мужа и жены объясняются необходимостью модифицировать свою речь исходя из социальных, ситуативных и интерактивных факторов. Речь идет о лексической, произносительной, интонационной, а также и невербальной адаптации коммуникантов. Помню, например, что моя теща нередко повторяла, особенно в первые годы после свадьбы: «*Люблю, когда мне смотрят в глаза при разговоре, а ты, зятек, не всегда смотришь, не всегда*». Напомним, что в соответствии с теорией коммуникационного приспособления, похожесть в коммуникативном поведении делает участника коммуникации более привлекательным для собеседника. Учитывая, что коммуникационное приспособление между матерью и дочерью развивалось и совершенствовалось в течение десятилетий, сложно ожидать такого же эффективного коммуникационного приспособления при общении между зятем и тещей, у которых на взаимную адаптацию было намного меньше времени, даже если обе стороны предпринимали усилия в этом направлении. Кроме того, стремление к конвергенции, к коммуникативной подстройке друг к другу может и вовсе отсутствовать, если, например, родственники мужа, оказываются не в состоянии психологически примириться с неудачным, с их точки зрения, выбором сына, с неравным браком, с потенциальной угрозой финансовому благосостоянию или жилищным условиям семьи и т. д.

Коммуникация между родственниками мужа и жены особенно осложняется, если они принадлежат к разным социальным слоям в обществе. Коммуниканты бывают молчаливыми или разговорчивыми, непосредственными или уклончивыми, громогласными и тихими. У людей различный темп речи, они по-разному делают паузы в речи, не одинаково относятся к тому, когда их прерывают, по-разному задают вопросы и шутят. Различия в стиле коммуникации особенно очевидны среди родственников по браку, которые происходят из разных социальных слоев.

О затруднениях в коммуникации между родственниками мужа и жены свидетельствуют публикации не только научного, но и научно-популярного характера. В практическом пособии для молодоженов (Калюжнова 2007) приводится своеобразная классификация типов свекрови, которая может серьезно влиять на развитие коммуникации в молодой семьи. Читатели встречают следующие типы свекрови: коварная свекровь, свекровь-тиран, свекровь-алкоголичка, «очаровательная» свекровь, свекровь-прилипала, свекровь-домомучительница, свекровь-собственница, гламурная свекровь, инфантильная старушка и пр.

В пособие даются шутливые советы для свекрови (Там же, 308), как с помощью эффективной коммуникации разрушить отношения с невесткой и сыном:

Почаще капризничайте и говорите на повышенных тонах. И проследите, чтобы голос был командным, а приказы — категоричными. Бейте своих, чтобы чужие боялись!

Делайте снохе побольше замечаний, особенно в присутствии сына и внуков. Это обязательно заставит их относиться к ней «с уважением»!

Если вам что-то не нравится из того, что делает невестка, хватайтесь за сердце и симулируйте сердечный приступ или эпилептический припадок. В последнем случая не переусердствуйте: пена изо рта, прикусывание языка и непроизвольное мочеиспускание неэстетичны! Внушайте им страх за свое здоровье: пусть знают, кто вас довел до жизни такой! И говорите о том, что это ОНА (невестка) будет виновата в вашей смерти!

Напоминайте сыну в присутствии невестки о ее полноте (худобе), о ее вкусе (т. е. отсутствии такового) и, если она при этом обзовет вас старой ведьмой, скажите сыну, что вы его предупреждали!

Коммуникативные конфликты между родственниками мужа и жены в опосредованном и утрированном виде представлены в многочисленных анекдотах.

Анекдоты о родственниках мужа и жены широко распространены в культуре европейских стран. В русском контексте с большим отрывом лидируют анекдоты о теще, в которых теща выступает в незавидной роли члена семьи, подвергающегося критике, притеснению, физическим побоям, моральному унижению обычно со стороны зятя, который мстит матери жены за какие-то свои понесенные ранее унижения и оскорбления. Приведем несколько современных русских анекдотов о теще, наиболее типичных по своей тематике.

В анекдотах, нередко построенных на различиях в интерпретивной компетенции коммуникантов и с использованием приема обманутого ожидания, часто используется мотив отравление тещи:

Встречаются два мужика. Один спрашивает:
— Ты откуда, куда?
— Да вот, теще грибы несу.
— А вдруг они ядовитые?
— Что значит вдруг?!!!

Алло! Это аптека? Сейчас к вам придет моя теща с собакой, дайте ей яду.
— Хорошо, а вы уверены, что собака одна найдет дорогу домой?

Не менее распространенным мотивом является физическое насилие или угроза насилия в отношении тещи:

> *Зять с тещей вскапывают огород. Теща работает в каске. У зятя спрашивают:*
> *— Почему у тебя теща в каске?*
> *— А что я, каждый раз, когда захочу отряхнуть лопату, к забору должен бегать?*

Нередко в анекдотах проявляется намерение просто сделать какую-нибудь пакость теще:

> *Приходит мужик в кассу брать билет на поезд и говорит:*
> *— Дайте мне, пожалуйста, плацкартный билет до Хабаровска, верхнее боковое место у туалета.*
> *И видя обалдевшее лицо кассирши, поясняет:*
> *— Да тещу домой отправляю.*

На русскоязычных сайтах, посвященных анекдотам, зафиксированы нарративы с прозрачными намеками о распущенном сексуальном поведение тещи:

> *Встречаются двое. Один жалуется:*
> *— Ну совсем теща достала!*
> *Второй:*
> *— А ты бы ей какую-нибудь пакость учинил.*
> *— Да уже! Дал на ее телефон объявление в газете: «Оказываю секс услуги. Дешево!»*
> *— Ну и как?!*
> *— Оказывает, блин!*

Встречаются также анекдоты, критически оценивающие умственные способности тещи:

> *— У меня есть просьба к работникам телевидения.*
> *— Какая?*
> *— Чтобы во время новостей не пускали бегущую строку! Моя теща думает, что это караоке, и поет.*

Значительно меньше в Интернете зафиксировано анекдотов о свекрови, вероятно потому, что авторами анекдотов реже оказываются женщины, хотя коммуникативных контактов, в т. ч. и конфликтного характера, между золовками и свекровями несомненно случается не меньше, чем между зятем и тещей. На русскоязычных женских форумах в Интернете существуют разделы, посвященные анекдотам о свекровях. Там же встречались жалобы на то, что анекдотов о свекрови незаслуженно меньше, и что иногда приходится прибегать к творческой переделке анекдотов о теще, заменяя главный персонаж на свекровь.

В анекдотах о свекрови часто фигурирует мотив скверных отношений между невесткой и свекровью:

Одну даму на улице укусила собака. Сконфуженная хозяйка объясняет:
— Обычно мой боксер очень мил, но у вас, наверное, такие же духи, как у моей свекрови...

Нередко анекдоты подчеркивают ограниченность кругозора свекрови, ее неумение ориентироваться в современных реалиях:

Свекровь обращается к невестке:
— Что это ты грязищу развела? В кастрюле такая чернота, еле отмыла?
— Это? Да так... Тефлоновое покрытие...

Частым мотивом таких анекдотов является неоправданная критика и негативизм в адрес невесток/золовок со стороны свекрови, когда единственным приемлемым решением становится раздельное проживание двух женщин:

— Мама, как же я на ней женюсь? Ведь она такая атеистка и не верит в существование ада.
— Не волнуйся, сынок, смело женись, а уж в ад я сумею заставить ее поверить.

Мы в этом году по одной путевке всей семьей отдыхали!
— Не может быть!
— Просто мы купили путевку и отправили по ней в санаторий свекровь.

Что делать, если на вашу свекровь напал тигр?
— Сам напал, пусть сам и защищается.

Свекровь отчитывает невестку:
— Полы не умеешь мести, обеды плохо готовишь, сына моего пилишь, что ты за женщина? Вот я в твои годы...
— Вы в мои годы, мама, — отвечает женщина, — уже третьего мужа похоронили.

И теща и свекровь обычно стоят на стороне своего взрослого ребенка и отстаивают его интересы, юридические, экономические или бытовые. Как показывают современные исследования, конфликты с зятем и невесткой негативно влияют на качество семейных отношений и нередко являются определяющими факторами в жизни несчастливой семьи (Bryant et al. 2001). Подобное противостояние несомненно имело место и в предшествующие века и проявлялось в коммуникативных конфликтах. Идеологический конфликт между тещей и зятем хорошо отражен в классической пьесе А. Н. Островского «Доходное место»:

> **Кукушкина.** Разве такие люди, как вы, могут оценить благородное воспитание! Моя вина, я поторопилась! Выдь она за человека с нежными чувствами и с образованием, тот не знал бы, как благодарить меня за мое воспитание. И она была бы счастлива, потому что порядочные люди не заставляют жен работать, для этого у них есть прислуга, а жена только для...
>
> **Жадов** (*быстро*). Для чего?
>
> **Кукушкина.** Как для чего? Кто ж этого не знает? Ну, известно... для того, чтобы одевать как нельзя лучше, любоваться на нее, вывозить в люди, доставлять все наслаждения, исполнять каждую ее прихоть, как закон... боготворить.
>
> **Жадов.** Стыдитесь! Вы пожилая женщина, дожили до старости, вырастили дочерей и воспитывали их, а не знаете, для чего человеку дана жена. Не стыдно ли вам! Жена не игрушка, а помощница мужу. Вы дурная мать!
>
> **Кукушкина.** Да, я знаю, что вы очень рады себе из жены кухарку сделать. Бесчувственный вы человек!
>
> **Жадов.** Полноте вздор болтать!
>
> **Полина.** Маменька, оставьте его.
>
> **Кукушкина.** Нет, не оставлю. С чего ты выдумала, чтобы я его оставила?
>
> **Жадов.** Перестаньте. Я вас слушать не стану и жене не позволю. У вас, на старости лет, все вздор в голове.
>
> **Кукушкина.** Каков разговор, каков разговор, а?
>
> (*«Доходное место», диалог между зятем и тещей*)

В пьесах А. Н. Островского часто встречаются упреки в адрес зятя со стороны тестя, обычно по поводу недостаточного денежного обеспечения семьи. Подобные разговоры нередко принимают форму поучения со стороны старшего родственника по вопросу «правильного» понимания семейных приоритетов, в соответствии с которыми материальное благополучие семьи требует жертв со стороны зятя и оказывается важнее соблюдения моральных принципов на работе.

> **Боровцов.** За то же, что ты для семейства ничего не стараешься. Ты в каком суде служишь? Кто у вас просители?
>
> **Кисельников.** Купцы.

Боровцов. То-то «купцы»! Ну, стало быть, их грабить надо. Потому, не попадайся, не заводи делов. А завел дела, так платись. Я тебе говорю, — я сам купец. Я попадусь, и с меня тяни. «Мол, тятенька, родство родством, а дело делом; надо же, мол, и нам жить чем-нибудь». Боишься, что ль, что ругать стану? Так ты этого не бойся. Кому надо в суд идти, тот деньги готовит; ты не возьмешь, так другой с него возьмет. Опять же и физиономию надо иметь совсем другую. Ты вот глядишь, словно мокрая курица, а ты гляди строже. Вот как гляди. Так всякий тебя опасаться будет. Потому кто в суд пришел, он хоть и не виноват, а ему все кажется, что его засудить могут; а взглянул ты на него строго, у него и душа в пятки; ну и пошел всем совать по карманам — перво-наперво, чтоб на него только ласково глядели, не пужали его; а потом, как до дела разговор дойдет, так опять за мошну, в другой раз.

Глафира. Охота вам, тятенька, с ним слова терять.

Боровцова. Молчи, Глаша. Может, он, Бог даст, и в разум придет. Откроется в нем такое понятие, что отец его добру учит. Слушай, Кирюша, это тебе на пользу.

Боровцов. Да и жить-то надо не так. Ты сразу поставь себя барином, тогда тебе и честь другая, и доход другой. Заломил ты много с купца, он упирается — ты его к себе позови да угости хорошенько; выйдет жена твоя в шелку да в бархате, так он сейчас и догадается, что тебе мало взять нельзя. И не жаль ему дать-то будет, потому он видит, что на дело. Всякий поймет, что ты барин обстоятельный, солидный, что тебе на прожитие много нужно.

Кисельников. Я, тятенька, не так был воспитан; оно, знаете ли, как-то совестно. Думаешь: «Что хорошего!» Грабителем будут звать.

Боровцов. Грабителем! А тебе что за дело! Пущай зовут! Ты живи для семьи, — вот здесь ты будешь хорош и честен, а с другими прочими воюй, как на войне. Что удалось схватить, и тащи домой, наполняй да укрывай свою хижину. По крайности, ты душой покоен; у тебя семья сыта, ты бедному можешь помочь от своих доходов; он за тебя Бога умолит. А теперь ты что? Мотаешься ты на белом свете без толку, да женино приданое закладываешь. То тебе совестно, а это не совестно? Там ты чужие бы деньги проживал, а теперь женины да детские. Какая же это совесть такая, я уж не понимаю.

*(«Пучина», беседа между пожилым тестем,
тещей и их 27-летним зятем и его женой)*

Однако возможны и другие варианты развития коммуникации между родственниками мужа и жены. Исследования показывают, что уровень близости и взаимопонимания при общении с родственниками мужа и жены, а также отсутствие конфликтов коррелируют с ощущением семейного счастья (Timmer et al. 2000). Так в пьесе А. Н. Островского «Шутники» между потенциальными зятем и тестем складываются отношения партнерства, взаимопонимания и взаимопомощи:

> **Оброшенов.** Ну, ну!
>
> **Гольцов.** Вот он и прислал мне денег в Совет внести за имение: триста рублей. Тут у меня матушка умерла, на похороны было взять негде: за квартиру нужно было за четыре месяца отдавать... я больше половины денег-то и истратил.
>
> **Оброшенов.** Да ведь уж это, никак, с полгода?
>
> **Гольцов.** Больше полугоду-с. Я думал, что из жалованья я пополню; а тут начали за чин вычитать. Думал, награду дадут к празднику, не дали... Теперь последний срок приходит. Ну, как имение-то в опись назначат или вдруг сам приедет. Пожалуется председателю, ведь из суда выгонят. Да стыд-то какой! Боже мой!
>
> **Оброшенов.** Что ж ты мне прежде не сказал?
>
> **Гольцов.** Совестно было.
>
> **Оброшенов.** Что ж ты это, Саша, наделал! Как теперь быть-то? Где денег-то взять? Вот беда-то! Ну уж не ожидал я от тебя, не ожидал!
>
> **Гольцов.** Как хотите, так меня и судите, Павел Прохорыч!
>
> **Оброшенов.** Да я тебя не виню, не виню. Полно ты! Какая тут вина, коли крайность. Только вот что, Саша, обидно, что между нас, бедных людей, не найдешь ты ни одного человека, у которого бы какой-нибудь беды не было. Ах ты, грех какой! Ума не приложу.
>
> **Гольцов.** Да что вам беспокоиться, Павел Прохорыч! У вас своей заботы много. Ищите себе другого жениха, а меня оставьте. Выпутаюсь — хорошо, не выпутаюсь — туда мне и дорога.
>
> **Оброшенов.** Нет, Саша, как можно, чтоб я тебя оставил! Нет, я попытаюсь, побегаю. Что мне значит побегать! Богатых людей много знакомых; знаешь, этак, дурачком, дурачком, паясом; может, и достану тебе денег. Ты очень-то не горюй!

> *(«Шутники», разговор между женихом*
> *и пожилым отцом невесты)*

«Я хорошо отношусь к своей свекрови прежде всего потому, что мы делим любовь одного человека — ее сына и моего мужа». Для поддержания эффективной коммуникации внутри семьи подобные утверждения полезны и желательны как со стороны невестки, так и со стороны свекра и свекрови. В коммуникативных исследованиях выявлено (Golish 2000), что одобрительное отношение к супругу своего взрослого ребенка часто является поворотным моментом в коммуникативных отношениях между родителями и их взрослыми детьми. С точки зрения взрослого сына или дочери, положительное отношение к их супругу со стороны родителей способствует укреплению их собственной коммуникативной близости с родителями. Уровень самораскрытий в коммуникации влияет на коммуникативное восприятие новых членов семьи после брака сына или дочери. Обмен информацией, раскрытие определенных семейных секретов в разговоре с новым членом семьи способствовало сближению с родственниками мужа и жены (Petronio 2002). Результаты исследований среди молодоженов с использованием фокус-групп и опросов показали, что раскрытие частной семейной информации в разговорах положительно коррелировало с уровнем удовлетворения молодоженов от общения с новыми родственниками и с ощущением близости по отношению к новым родственникам (Serewicz 2006). Близость и взаимная симпатия между родственниками мужа и жены в состоянии выдерживать серьезные испытания на прочность. Наши собственные наблюдения в современных российских условиях показывают, что нередко и после развода в семье, бывшие невестки и свекрови, тещи и зятья продолжают поддерживать эффективные коммуникативные отношения и оказывать взаимную помощь.

В целом коммуникация между родственниками мужа и жены пока изучается менее активно, чем внутрисемейная коммуникация между другими членами семьи. В настоящее время интерес исследователей в основном фокусируется на коммуникации во время поворотных, критических моментов в жизни семьи, таких как свадьба, рождение ребенка, серьезные болезни членов семьи, развод и т. д. Пока что публикуется существенно меньше работ по изучению повседневной коммуникации между родственниками мужа и жены, которая необязательно связана с критическими событиями в жизни семьи, но тем не менее занимает значительную часть времени во внутрисемейном общении. Интерес к исследованию этой области коммуникации подпитывается необходимостью выработки рекомендаций по повышению эффективности общения и снижению уровня конфликтности при коммуникации между супругами и их новыми родственниками, принадлежащими к иному поколению. Фактор возраста, возрастной дистанции между коммуникантами заслуживает более пристального внимания исследователей в дальнейшем изучении коммуникации между родственниками мужа и жены.

8. Болезненные самораскрытия

Самораскрытия в процессе общения имеют тенденцию возрастать с годами. Болезненные же самораскрытия вообще являются одной из типичных черт при общении пожилых людей (Coupland et al. 1991). Как уже говорилось, к болезненным самораскрытиям относят информацию о плохом состоянии здоровья, о малой подвижности или вообще невозможности передвигаться, о болезнях и смертях близких людей. Также сюда можно отнести рассказы и воспоминания о собственном приниженном положении в обществе, о потере статуса, о совершении аморальных, осуждаемых обществом поступков и т. д. Болезненные самораскрытия конечно же не являются феноменом, который развился лишь в последние десятилетия, а характерны и для общения в прошлые века. А. Н. Островский подсознательно ощущал наличие этой тенденции в коммуникации и творчески отразил ее в своих пьесах, где персонажи разного, но особенно пожилого возраста, нередко выступают с болезненными самораскрытиями:

> **Оброшенов.** Ну, что ж делать-то! И рад бы в рай, да грехи не пускают. Ты, Как еще горд-то, Аннушка! Ужас как горд! Как женился я на вашей матери да взял вот этот домишко в приданое, так думал, что богаче да лучше меня и людей нет. Фертом ходил! Ну, а там пошли дети, ты вот родилась, доходов стало недоставать, надобно было постороннюю работишку искать; тут мне форс-то и сбили. Сразу, Аннушка, сбили. Первое дело я сделал нашему соседу, и дело-то небольшое: опеку ему неподходящую дали, надо было ее с рук сбыть! Обделал я ему это дело, позвал он меня да еще секретаря с чиновниками из суда в трактир обедом угощать. И какой чудак, право ведь чудак! Сидит, ничего не говорит, весь обед молчал; только посидит-посидит да всей пятерней меня по волосам и по лицу и проведет. Ах ты, батюшки мои! Что ты будешь с ним делать? Я было в амбицию. Только тут один чиновник, постарше, мне и говорит: ты обидеться не вздумай! Ни копейки не получишь: он не любит, когда обижаются. Нечего делать, стерпел: ну и принес жене три золотых; а не стерпи я, так больше пяти рублей ассигнациями бы не дал. Много я после с него денег перебрал. Вот так-то меня сразу и озадачили. Ну, а потом, как пошел я по делам ходить, спознался с богатыми купцами, там уж всякая амбиция пропала. Тому так потрафляй, другому этак. Тот тебе рыло сажей мажет, другой плясать заставляет, третий в пуху всего вываляет. Сначала самому не сладко было, а там и привык, и сам стал паясничать и людей стыдиться перестал. Изломался, исковеркался, исказил себя всего, и рожа-то какая-то обезьянья сделалась.

> («*Шутники», монолог 60-летнего чиновника в отставке*)

Самораскрытия являются одной из наиболее исследованных тем в области межличностной коммуникации (Baxter et al. 2000). В современной науке о коммуникации подчеркивается, что пожилые люди нередко получают удовлетворение от описания каких-либо болезненных происшествий и переживаний в своем прошлом (William et al. 2001). В пожилом возрасте повествования о каких-либо потерях и утратах становятся одним из самых популярных жанров в репертуаре рассказчиков (Suganuma 1997). Пожилые чаще всего рассказывают о событиях, которые происходили в период, когда рассказчикам было в среднем от 10 до 30 лет (Thorne 2000). Во-первых, пожилые люди лучше всего помнят это время, а во вторых, эти события обычно отличаются высокой эмоциональной заряженностью: запоминающиеся происшествия в школе (конфликты с учителями и одноклассниками, шалости на уроке и пр.), первое свидание, первая работа, поиск жениха или невесты, появление первого ребенка и т. д. С возрастом, однако, воспоминания болезненного характера могут начинать преобладать. Для Оброшенова из пьесы «Шутники» таким болезненным самораскрытием является воспоминание о его первых взятках на работе, которые и привели к его постепенной деградации, когда «уж всякая амбиция пропала...».

Самораскрытия часто несут с собой терапевтический эффект, поскольку устраняют вредные последствия сдерживания в себе неприятных переживаний и организуют мысли и воспоминания более конструктивным образом (Tardy 2000). Именно поэтому самораскрытия часто используются психоаналитиками как эффективный прием работы с пациентами. Самораскрытия, которые не могут быть реализованы в беседе с другим человеком, часто принимают иную форму — дневника, живого журнала в Интернете, беседы с Богом дома или в церкви и др. Чем более неприятное событие случается в жизни, там больше возрастает потребность рассказать о нем и облегчить душу. Обычно самораскрытия носят взаимообразный характер, однако при наличии существенной разницы в возрасте между собеседниками или существенной разницы в статусе между говорящими взаимообразность самораскрытий не поддерживается и они могут принимать форму монолога, хотя собеседник физически присутствует при разговоре:

> **Оброшенов.** Стоил-то стоил. Его б отсюда не в дверь, а в окно надо было проводить! Да то-то вот, Аннушка, душа-то у меня коротка. Давеча погорячился, поступил с ним, как следует благородному человеку, а теперь вот и струсил. Бедность-то нас изуродовала. Тебя оскорбляют, ругаются над детьми твоими, а ты гнись да гнись да кланяйся. Покипит сердце-то, покипит, да и перестанет. Вот что я сделал дурного? Вступился за дочь, выгнал невежу вон. Что ж бы я был за отец, если б этого не сделал? Кто ж допустит такое нахальство в своем доме? Стало быть, я хорошо сделал, что прогнал его; а у меня вот от страху ноги трясутся. Вот так и жду, что он пришлет за мной. А ведь надо будет идти; упрямиться-то нельзя; надо будет кланяться, чтоб пообождал немного. А сколько брани-то я от него услышу! Как в глаза позорить-то станет! А мне и языком пошевелить нельзя. Нагни голову да слушай! Уж он теперь дома, — далёко ль ему, только через улицу перейти. Пришлет! Чувствует мое сердце, что пришлет!

(«Шутники», монолог 60-летнего чиновника в отставке)

В следующем примере самораскрытие осуществляется более пожилым собеседником, который делится болезненными воспоминаниями, связанными в воспитанием сына. Как известно, самораскрытия обычно носят позитивный характер при установление отношений, при знакомстве, тогда как негативные болезненные самораскрытия обычно происходят в разговоре с уже хорошо знакомыми людьми. Поскольку негативные самораскрытия менее приемлемы в разговоре, то в случаях, когда они все же происходят, они воспринимаются как более глубокие, искренние и обнажающие чувства человека (Omarzu 2000). Однако, как уже отмечалось, у некоторых пожилых людей подобные самораскрытия могут входить в их привычный коммуникативный репертуар и повторяться с завидной регулярностью:

> **Уланбекова**. Не жалеешь ты матери; ну с твоим ли здоровьем, мой друг, на охоту ходить! Захвораешь еще, сохрани господи, тогда ты меня просто убьешь! Ах, боже мой, сколько я страдала с этим ребенком! (Задумывается.)
>
> **Гавриловна**. Барин, угодно чаю?
>
> **Леонид**. Нет, не хочу.
>
> **Уланбекова** (Василисе Перегриновне). Когда я родила его, я была очень долго больна; потом он все хворал, так и рос все хворый. Сколько я над ним слез пролила! Бывало, гляжу на него, а у самой так слезы и катятся: нет, не придется мне его видеть в гвардейском мундире. Но тяжелей всего мне было, когда отец, по болезни, должен был его определить в штатскую школу. Чего мне стоило, моя милая, отказаться от мысли, что он будет военный! Я полгода больна была. Ты представь только себе, моя милая, когда он кончит курс, ему дадут такой же чин, какой дают приказным из поповичей! На что это похоже? В военной службе, особенно в кавалерии, все чины благородны; даже юнкер, уж сейчас видно, что на дворян. А что такое губернский секретарь или титулярный советник? Всякий может быть титулярным советником. и купец, и семинарист, и мещанин, пожалуй. Только стоит поучиться да послужить. Другой и из мещан способен к ученью-то, так он еще, пожалуй, чином-то обгонит. Как это заведено! Как это заведено! Ну уж! (Махнув рукой, отворачивается.) Не люблю я ничего осуждать, что от высшего начальства установлено, и другим не позволяю, а уж этого не похвалю. Всегда буду вслух говорить, что это несправедливо, несправедливо.
>
> **Леонид**. Отчего это у Нади глаза заплаканы?
>
> **Василиса Перегриновна**. Не бита давно. Уланбекова. Это, мой друг, до тебя не касается. Надя, поди отсюда, тебе нечего здесь делать.

(«Воспитанница», разговор пожилой помещицы
с приживалкой и сыном)

Конечно, в некоторых случаях трудно определить, относится ли по характеру самораскрытие к разряду болезненных и негативных, или позитивных и приносящих удовлетворение. Очевидно, что некоторые из самораскрытий могут сочетать признаки и тех и других. Например, Анфиса Карповна из пьесы «Старый друг лучше новых двух» в одном самораскрытие сочетает и явно негативную информацию об отсутствии академических способностей у сына и слабом здоровье мужа, и позитивную информацию об успехах сына на службе и в бизнесе. В данном случае самораскрытие Анфисы Карповны в беседе с купцом следует рассматривать в контексте общения людей с разным статусом. Статус немногословного купца выше и поэтому самораскрытие принимает однонаправленный характер, от индивидуума с более низким статусом по направлению к собеседнику с более высоким статусом.

> **Купец**. В самом разе-с.
>
> **Анфиса Карповна**. Ну, а я стара стала; ведь не знаешь, когда бог по душу пошлет, так хочется его устроить при жизни. Познакомилась я недавно с одной барыней, у ней дочка только что из пансиона вышла; поразговорились мы с ней, я ей сына отрекомендовала; так у нас дело и пошло. Я ей как-то и намекнула, что вот бы, мол, хорошо породниться! «Я, говорит, не прочь! Как дочери понравится!» Ну, уж это, значит, почти кончено дело. Долго ли девушке понравиться? Она еще и людей-то не видала. А с состоянием, и деньги есть, и имение.
>
> **Купец**. Самое настоящее дело-с.
>
> **Анфиса Карповна**. Я вам скажу, Вавила Осипыч, я никак не думала, что он такой дельный будет. Ученье ему не давалось — понятия ни к чему не было, так что через великую силу мы его грамоте выучили, — больших хлопот нам это стоило. Ну, а уж в гимназии и совсем ничего не мог понять; так из второго класса и взяли. К этому же времени отец-то его совсем ослаб. Столько я горя перенесла тогда, просто выразить вам не могу! Определила я его в суд, тут у него вдруг понятие и открылось. Что дальше, то все лучше; да вот теперь всю семью и кормит. Да еще что говорит! Я, говорит, маменька, службой не дорожу; я и без службы, только частными делами состояние себе составлю. Вот какое понятие ему вдруг открылось!
>
> **Купец**. И теперича их работа самая дорогая и самая тяжелая, потому что все надо мозгами шевелить. Без мозгов, я так полагаю, ничего не сделаешь.

(«Старый друг лучше новых двух»,
диалог между пожилой женщиной и купцом средних лет)

Гибкость в самораскрытиях обычно определяется как умение участника общения варьировать глубину и широту самораскрытия в зависимости от ситуации (Hargie et al. 2004). Гибкие собеседники способны изменять уровень самораскрытий эффективным образом, тогда как более ригидные собеседники раскрываются одним и тем же путем практически в любой коммуникативной ситуации. Последнее довольно характерно для людей, страдающих болтливостью. У таких индивидуумов имеется тенденция говорить постоянно, не замолкая, практически вне зависимости от коммуникативного поведения собеседника и широкого контекста (Long et al., 2000). А. Н. Островский безусловно встречал в своей жизни подобных людей и мастерски отразил их коммуникативные качества в некоторых персонажах своих пьес, таких, например, как Анфиса Карповна:

> **Анфиса Карповна.** Какое наказание с этим народом! Сколько уж у нас людей перебывало, все такие же. Сначала недели две поживет ничего, а потом и начнет грубить либо пить. Конечно, всякий дом хозяевами держится. А у нас какие хозяева-то! Только сердце болит, на них глядя. С сыном вот никак не соображу: молодой еще человек, а как себя неприлично держит. Знакомства-то, что ли, у него нет, заняться-то ему не у кого? Или уж в отца, что ли, уродился? тоже, знать, пути не будет! Хоть бы мне уж женить-то его поскорее! Отец от безобразной жизни уж совсем рассудок потерял. Ну, вот люди-то, глядя на них, и меня не уважают. Всю жизнь я с мужем-то маялась, авось хоть сын порадует чем-нибудь! Хоть бы месяц пожить как следует; кажется, для меня это дороже бы всего на свете. А и мне еще люди завидуют, что сын много денег достает. Бог с ними, и с деньгами, только б жил-то поскромнее. Есть же такие счастливые, что живут да только радуются на детей-то, а я вот...

> (*«Старый друг лучше новых двух»,
> рассуждение пожилой женщины*)

Болезненные самораскрытия нередко сочетаются и с другими коммуникативными приемами, которые хорошо представлены в пьесах А. Н. Островского. Почти при любом общении собеседники задают друг другу вопросы. Помимо основной функции вопроса — получение информации, задавание вопросов может иметь большое количество других иногда и не менее важных функций: поддержание контроля за беседой, проявление интереса к какой-либо теме, проявление интереса к собеседнику, выявление каких-либо особых коммуникативных затруднений у собеседника, уточнение мнения или чувства собеседника по отношению к обсуждаемому предмету, установление степени компетентности собеседника, поддержание критической оценки какого-либо события или явления, поддержание внимания собеседника или группы собеседников (Hargie et al. 2004). В целом, самораскрытия в сочетании с вопросами к собеседнику создают более интерактивную коммуникативную ситуацию:

> **Миловидов.** Ты потише, как бы муж не услыхал. Ну, да не то что полюбил, а так она мне своим веселым характером понравилась. Да и притом же у меня такое правило, Аннушка, никому пропуску не давать. Бей сороку и ворону... Все ж таки это далеко не то, как я тебя любил.
>
> **Аннушка.** Ну да хорошо, хорошо, это твое дело. Никто тебе указывать не может, кого ты хочешь, того и любишь. Мне теперь только одно нужно знать от тебя, одно, а там хоть и умирать. Неужто же Евгения меня лучше, что ты меня променял на нее? Вот этото обида мне тяжелей всего; вот это меня до погибели и довело. Чем таки, скажи ты мне, чем таки она меня лучше? А по-твоему выходит, что лучше. (*Плачет.*) Я тебя любила так, что себя не помнила, весь свет забыла, привязалась к тебе как собака, ни душой, ни телом перед тобой не была виновата, а ты меня покидать стал, полюбил бабу, чужую жену. Все было бы это ничего, а вот что мне уж очень обидно, чего я пережить не могла... знать, уж она очень мила тебе, что ты для нее стал меня в глаза обманывать да потом вместе с ней смеяться надо мной. Вот что ты мне скажи теперь, не утай ты от меня: чем она тебе так мила стала, и с чего я тебе так опротивела? (*Плачет.*) Мало тебе того, что ты меня безо всякой вины обидел; ни с того ни с сего от себя прочь оттолкнул, ты еще из меня, для моей злодейки, потеху сделал, чтоб ей не скучно было. Ох, Господи Боже мой! Господи Боже мой! умереть бы поскорей!

> (*«На бойком месте», диалог между помещиком*
> *средних лет и девушкой 22 лет*)

Аннушка из пьесы «На бойком месте» сочетает самораскрытие с целой серией открытых и закрытых вопросов. Заметим, что Аннушка начинает с вопроса закрытого характера: «Неужто же Евгения меня лучше, что ты меня променял на нее?». Закрытые вопросы предполагают односложные ответы и предоставляют собеседнику, задающему вопрос, более высокую степень контроля над ходом дальнейшего общения. Затем. Не дожидаясь ответа, Аннушка задает открытый вопрос: «Чем-таки, скажи ты мне, чем таки она меня лучше?», за которым чуть позже идет еще один открытый вопрос, уточняющего характера: «Вот что ты мне скажи теперь, не утай ты от меня: чем она тебе так мила стала, и с чего я тебе так опротивела?»

В структурированных беседах, обычно задаются вопросы в определенной последовательности: от закрытых к открытым, или наоборот от открытых к более закрытым, по типу пирамиды, или же по типу перевернутой пирамиды. Например: «Ты мне изменил?», «Сколько раз ты мне изменил?» — закрытые вопросы; «Почему же ты мне изменил?» — открытый вопрос. Примечательно, что в собеседованиях при приеме на работу исследователи признают, что открытые вопросы более эффективны (Dillon 1997; Egan 2002), чем закрытые, так в большей степени подталкивают интервьюируемого к самораскрытию, обычно приносят более точную информацию, а также способствуют лучшему контакту между собеседниками. В любом случае, важно сохранять определенную последовательность вопросов, ибо бессистемное сочетание открытых и закрытых вопросов обычно сбивает собеседника с толку. В пьесе же А. Н. Островского вопросы Аннушки остаются без ответа, и скорее всего задуманы как риторические. Как известно, опытные ораторы, лекторы и политики часто используют риторические вопросы, особенно при выступлении перед большой аудиторией. В пьесе аудиторией являются зрители, и риторичность вопросов Аннушки представляется весьма органической и оправданной.

Как уже отмечалось, в процессе естественного общения самораскрытия между собеседниками обычно носят взаимообразный характер. Взаимообразное раскрытие фактов и чувств рассматривается как стремление поддерживать более глубокие взаимоотношения с собеседником (Rosenfeld 2000), а также как стремление приблизиться к более точной самооценке в отношении своих мыслей и ощущений. В то же время многие люди испытывают страх перед слишком широким раскрытием своих мыслей и чувств, т. к. осознают риск быть отвергнутым, непонятым, вызвать неловкость или нанести оскорбление слушающему, или самому стать объектом насмешки.

В некоторых культурах самораскрытия не поощряются, и частота самораскрытий, например, среди китайцев и корейцев значительно ниже, чем среди выходцев из Европы. Положение с самораскрытиями в русской культуре неоднозначно. С одной стороны, русские родители часто напоминают своим детям о пословице «слово — серебро, молчание — золото». Народная мудрость проявляется и в таких формулах, как «не выносить сор из избы», «держать карты к орденам» и пр. Несмотря на существование таких пословиц, разговор «по душам» предполагает высокую степень взаимообразных самораскрытий среди собеседников. Так, на безобидный вопрос «Как дела?» большинство американских коммуникантов обычно бодро отвечают, что у них все хорошо. В русской же коммуникативной культуре, как хорошо известно, на тот же вопрос «Как дела?» можно услышать многочисленные жалобы, рассказы о каких-либо болезненных событиях, утратах, на которые принято отвечать сочувственно и делиться собственной информацией.

Для глубокого самораскрытия практически необходимо содействие собеседника, который производит взаимообразное раскрытие. Если же взаимообразия в раскрытиях не достигается, то часто это говорит о безразличии слушающего к собеседнику, или же, реже, о безразличие самого говорящего к собеседнику. В следующем примере, мы можем хорошо увидеть, как болезненное самораскрытие со стороны Кисельникова (болезнь детей, смерть жены, безденежье) находит поддержку у его матери Анны Устиновны, которая тут же в ответном, правда, менее эмоциональном самораскрытии представляет безнадежную картину семейного бюджета:

Кисельников. Что дети, маменька?

Анна Устиновна. Что мы без доктора-то знаем! Все в жару. Теперь уснули.

Кисельников. Эх, сиротки, сиротки! Вот и мать-то оттого умерла, что пропустили время за доктором послать. А как за доктором-то посылать, когда денег-то в кармане двугривенный? Побежал тогда к отцу, говорю: «Батюшка, жена умирает, надо за доктором посылать, денег нет». — «Не надо, говорит, все это — вздор». И мать то же говорит. Дали каких-то трав, да еще поясок какой-то, да старуху-колдунью прислали; так и уморили у меня мою Глафиру.

Анна Устиновна. Ну, Кирюша, надо правду сказать, тужить-то много не о чем.

Кисельников. Все ж таки она любила меня.

Анна Устиновна. Так ли любят-то! Полно, что ты! Мало ль она тебя мучила своими капризами? А глупа-то, как была, Бог с ней!

Кисельников. Эх, маменька! А я-то что! Я лучше-то и не стою. Знаете, маменька, загоняют почтовую лошадь, плетется она нога за ногу, повеся голову, ни на что не смотрит, только бы ей дотащиться кой-как до станции: вот и я таков стал.

Анна Устиновна. Зачем ты, Кирюша, такие мысли в голове держишь! Грешно, друг мой! Может быть, мы как-нибудь и поправимся.

Кисельников. Коли тесть даст денег, так оживит. Вот он теперь несостоятельным объявился. А какой он несостоятельный. Ничего не бывало. Я вижу, что ему хочется сделку сделать. Я к нему приставал; с тобой, говорит, поплачусь. А что это такое «поплачусь»?.. Все ли он заплатит или только часть? Да уж хоть бы половину дал или хоть и меньше, все бы мы сколько-нибудь времени без нужды пожили; можно бы и Лизаньке на приданое что-нибудь отложить.

Анна Устиновна. Да, да! Уж так нужны деньги, так нужны!

Кисельников. Маменька, вы пишете, что нужно-то? Я вас просил записывать, а при первых деньгах мы все это и исполним.

Анна Устиновна. Записано, Кирюша. (*Вынимает бумажку и читает.*) «Во-первых, за квартиру не заплочено за два месяца по шести рублей, да хорошо бы заплатить за полгода вперед. Во-вторых, чаю, сахару и свеч сальных хоть на месяц запасти. В-третьих, купить в эту комнату недорогой диванчик. В-четвертых, в лавочку пятнадцать рублей шестьдесят одна копейка, — очень лавочник пристает. В-пятых, фрачную пару...» Уж тебе без этого обойтись никак нельзя. «И в-шестых, ситчику Лизаньке на платье...» Ей уж тринадцатый год, стыдиться начинает лохмотьев-то. Вот что нужно-то. А пуще всего за квартиру да еще детям на леченье. Денег-то у меня, Кирюша, немного осталось.

(«Пучина», беседа между пожилой матерью и взрослым сыном. Болезненные самораскрытия с обеих сторон)

Правда, не совсем типично для взаимных самораскрытий то, что собеседник мужчина в пьесе раскрывается гораздо больше, чем персонаж женского пола. Согласно экспериментальным данным (Dindia 2000), при общении женщины раскрываются больше перед женщинам, чем мужчины при разговоре с мужчинами; женщины раскрывают больше женщинам, чем мужчины при разговоре с женщинами, и наконец, женщины раскрывают больше мужчинам, чем мужчины при разговоре с женщинами. В следующем примере из той же пьесы А. Н. Островского «Пучина» самораскрытие Кисельникова приобретает характер полного и безоговорочного саморазоблачения. Представляется, что в данном случае самораскрытие, чем то напоминающее процесс полного и глубокого выдоха, может иметь и терапевтический эффект, возможно не вполне осознававшийся драматургом.

Кисельников. Погуляев! Ты возьми к себе матушку и Лизу, а меня не бери.

Погуляев. Отчего же?

Кисельников (*тихо*). Знаешь ли ты, кого ты пригреть хочешь?.. Мы с тестем... мошенники! Мы все продали: себя, совесть, я было дочь продал... Мы, пожалуй, еще украдем у тебя что-нибудь. Нам с ним не жить с честными людьми, нам только торговать на площади! Нет! Ты нам только изредка когда давай по рублику на товар наш, больше мы не стоим.

Анна Устиновна. Что ты, Кирюша, что ты!

Лиза. Папенька, не оставляйте нас.

Погуляев. Что ты за вздор говоришь!

Кисельников. Нет, Погуляев, бери их, береги их; Бог тебя не оставит; а нас гони, гони! Мы вам не компания, — вы люди честные. У нас есть место, оно по нас. (*Тестю.*) Ну, бери товар, пойдем. Вы живите с Богом, как люди живут, а мы на площадь торговать, божиться, душу свою проклинать, мошенничать. Ну, что смотришь! Бери товар! Пойдем, пойдем! (*Сбирает свой товар.*) Прощайте! Таландоля, иди за мной... (*Уходит.*)

(«Пучина», самораскрытие Киселева в присутствии
матери, дочери и друга детства, финал пьесы)

В литературе отмечается, что при самораскрытиях женщины склонны раскрывать более личные факты, чем мужчины, которые в целом раскрывают меньше негативной информации. Причем женщины с экстравертными свойствами характера, и с высокой самооценкой меньше стесняются глубоких и часто негативных самораскрытий. Самораскрытия в беседах взрослой дочери и матери повторяются во многих пьесах А. Н. Островского, тогда как, судя по нашим наблюдениям, в современной жизни больше подобных самораскрытий происходит в беседах с подругами близкого возраста:

Лидия. Разве вам легче будет, если я буду плакать вместе с вами? Ну скажите, maman, разве легче?

Надежда Антоновна. Разумеется, не легче.

Лидия. Так зачем же, зачем же мне-то плакать? Зачем вы навязываете мне заботу? Забота старит, от нее морщины на лице. Я чувствую, что постарела на десять лет. Я не знала, не чувствовала нужды и не хочу знать. Я знаю магазины: белья, шелковых материй, ковров, мехов, мебели; я знаю, что когда нужно что-нибудь, едут туда, берут вещь, отдают деньги, а если нет денег, велят commis (приказчикам) приехать на дом. Но откуда берут деньги, сколько их нужно иметь в год, в зиму, я никогда не знала и не считала нужным знать. Я никогда не знала, что значит дорого, что дешево, я всегда считала все это жалким, мещанским, копеечным расчетом. Я с дрожью омерзения отстраняла от себя такие мысли. Я помню один раз, когда я ехала из магазина, мне пришла мысль: не дорого ли я заплатила за платье! Мне так стало стыдно за себя, что я вся покраснела и не знала, куда спрятать лицо; а между тем я была одна в карете. Я вспомнила, что видела одну купчиху в магазине, которая торговала кусок материи; ей жаль и много денег-то отдать, и кусок-то из рук выпустить. Она подержит его да опять положит, потом опять возьмет, пошепчется с какими-то двумя старухами, потом опять положит, а commis смеются. Ах, maman, за что вы меня мучите?

Надежда Антоновна. Я понимаю, душа моя, что я должна была скрыть от тебя наше расстройство, но нет возможности. Если остаться в Москве, — мы принуждены будем сократить свой расход, надо будет продать серебро, некоторые картины, брильянты.

Лидия. Ах, нет, нет, сохрани бог! Невозможно, невозможно! Вся Москва узнает, что мы разорены; к нам будут являться с кислыми лицами, с притворным участием, с глупыми советами. Будут качать головами, ахать, и все это так искусственно, форменно, — так оскорбительно! Поверьте, что никто не даст себе труда даже притвориться хорошенько. (*Закрывает лицо руками.*) Нет! Нет!

(*«Бешеные деньги», болезненные самораскрытия
24-летней дочери в разговоре с пожилой матерью*)

В диалоге Счастливцева и Несчастливцева болезненные самораскрытия сочстаются с комической направленностью их разговора. Можно заметить, что с одной стороны, самораскрытия явно направлены на то, чтобы вызвать сострадание «подходит он ко мне, лица человеческого нет, зверь зверем; взял меня левою рукой за ворот, поднял на воздух; а правой как размахнется, да кулаком меня по затылку как хватит...», а с другой, имеют и развлекательный компонент: «...Света я невзвидел, Геннадий Демьяныч, сажени три от окна-то летел, в женскую уборную дверь прошиб. Хорошо трагикам-то!»:

> **Счастливцев** (*приседая от удара*). Ой! Геннадий Демьяныч, батюшка, помилосердуйте! Не убивайте! Ей-богу, боюсь.
> **Несчастливцев.** Ничего, ничего, брат; я легонько, только пример... (*Опять кладет руку.*)
> **Счастливцев.** Ей-богу, боюсь! Пустите! Меня ведь уж раз так-то убили совсем до смерти.
> **Несчастливцев** (*берет его за ворот и держит*). Кто? Как?
> **Счастливцев** (*жмется*). Бичевкин. Он Ляпунова играл, а я Фидлера-с. Еще на репетиции он все примеривался. «Я, говорит, Аркаша, тебя вот как в окно выкину: этой рукой за ворот подниму, а этой поддержу, так и высажу. Так, говорит, Каратыгин делал». Уж я его молил, молил, и на коленях стоял. «Дяденька, говорю, не убейте меня!» — «Не бойся, говорит, Аркаша, не бойся!». Пришел спектакль, подходит наша сцена; публика его принимает; гляжу: губы у него трясутся, щеки трясутся, глаза налились кровью. «Постелите, говорит, этому дураку под окном что-нибудь, чтоб я в самом деле его не убил». Ну, вижу, конец мой приходит. Как я пробормотал сцену — уж не помню; подходит он ко мне, лица человеческого нет, зверь зверем; взял меня левою рукой за ворот, поднял на воздух; а правой как размахнется, да кулаком меня по затылку как хватит... Света я невзвидел, Геннадий Демьяныч, сажени три от окна-то летел, в женскую уборную дверь прошиб. Хорошо трагикам-то! Его тридцать раз за эту сцену вызвали; публика чуть театр не разломала, а я на всю жизнь калекой мог быть, немножко бог помиловал... Пустите, Геннадий Демьяныч!

> (*«Лес», болезненные самораскрытия в диалоге двух актеров среднего возраста, Несчастливцеву 35 лет, а Счастливцев на 7–10 лет старше*)

Болезненные самораскрытия, которые связаны с бедностью, безденежьем, и ощущаемым в связи с ними стыдом и неловкостью, наиболее часто встречаются в диалогах персонажей пьес А. Н. Островского. Как уже отмечалось, обычно эти самораскрытия происходят при беседе близких родственников. Чаще самораскрытие направлено от младшего по возрасту к старшему родственнику, но может идти и в обратном направлении, а также принимать взаимообразный характер. Сочувственные комментарии собеседника и проявляемый интерес к самораскрытию обычно способствуют более глубоким и детальным самораскрытиям. Так, в диалоге Насти и Анны из пьесы «Не было ни гроша, да вдруг алтын», где речь идет об отсутствии у персонажей самой необходимой женской одежды и об унижениях, связанных с бедностью, мы являемся свидетелями постоянных сочувственных реплик, сопровождающих взаимные самораскрытия: «Что делать-то Настя!», «Ах, это ужасно, ужасно», «Ну что вы говорите, боже мой!» и т. д. Подобное коммуникативное поведение увеличивает степень доверительности собеседников:

> **Настя.** Улетел. (*Снимает с головы небольшой бумажный платок.*) Ах, этот платок, противный! Сокрушил он меня. Такой дрянной, такой неприличный, самый мещанский.
>
> **Анна.** Что делать-то, Настя! Хорошо, что и такой есть. Как обойдешься без платка!
>
> **Настя.** Да, правда. От стыда закрыться нечем.
>
> **Анна.** Ох, Настя, и я прежде стыдилась бедности, а потом и стыд прошел. Вот что я тебе расскажу: раз, как уж очень-то мы обеднели, подходит зима, — надеть мне нечего, а бегать в лавочку надо; добежать до лавочки, больше-то мне ходить некуда. Только, как хочешь, в одном легком платье по морозу, да в лавочке-то простоишь; прождешь на холоду! Затрепала меня лихорадка. Вот где-то Михей Михеич и достал солдатскую шинель, старую-расстарую, и говорит мне: «Надень, Аннушка, как пойдешь со двора! Что тебе дрогнуть!» Я и руками и ногами. Бегаю в одном платьишке. Побегу бегом, согреться не согреюсь, только задохнусь. Поневоле остановишься, сердце забьется, дух захватит, а ветер-то тебя так и пронимает. Вот как-то зло меня взяло; что ж, думаю, пускай смеются, не замерзать же мне в самом деле, — взяла да и надела солдатскую шинель. Иду, народ посмеивается.
>
> **Настя.** Ах, это ужасно, ужасно!
>
> **Анна.** А мне нужды нет, замер[з] совсем стыд-то. И чувствую я, что мне хорошо, руки не ноют, в груди тепло, — и так я полюбила эту шинель, как точно что живое какое. Не поверишь ты, а это правда. Точно вот, как я благодарность какую к ней чувствую, что она меня согрела.
>
> **Настя.** Что вы говорите, боже мой!
>
> **Анна.** Вот тут-то я и увидела, что человеческому-то телу только нужно тепло, что теплу оно радо; а мантилийки там да разные вырезки и выкройки только наша фантазия.
>
> **Настя.** Тетенька, ведь вы старуха, а я-то, я-то! Я ведь молода. Да я лучше... Господи!

Анна. А вот погоди, нужда-то подойдет.

Настя. Да подошла уж. Уж чего еще! я последнее платье заложила, вот уж я в каком платке хожу. А давеча, тетенька, побежала я в ту улицу, где Модест Григорьич живет, хожу мимо его дома, думаю: «Неужто он меня совсем забыл!» Вот, думаю, как бы он увидел меня из окна или попался навстречу; а про платок-то и забыла. Да как вспомнила, что он на мне надет, нет уж, думаю, лучше сквозь землю провалиться, чем с Модестом Григорьичем встретиться. Оглянулась назад, а он тут и был; пустилась я чуть не бегом и ног под собой не слышу. Оглянусь, оглянусь, а он все за мной. Платок-то, платок-то, тетенька, жжет мне шею, хоть бы бросить его куда-нибудь. А потом взглянула на башмаки. Ах!

(«Не было ни гроша, да вдруг алтын»,
обмен болезненными самораскрытиями
между молодой племянницей и пожилой теткой)

Нередко непосредственно перед раскрытием какой-либо информации или самораскрытием собеседник предупреждает слушающего: «Только никому ни слова!», «Это строго между нами!». Современные исследования по коммуникации показывают, что на самом деле даже после этих ограничительных просьб во многих случаях и те, кто передает информацию, и те, кто ее получает, ожидают дальнейшего распространения информации. При опросе сотрудников одной компании выяснилось, что 93 % делились информацией частного характера с другими сотрудниками, хотя их специально просили этого не делать (Angels 2000). Основным стимулом для дальнейшего распространения конфиденциальной информации являлось привлечение к себе внимания и демонстрация инсайдерской информации, как символа власти.

Конечно, некоторые самораскрытия весьма тривиальны, и добавляют лишь некоторые черты к портрету собеседника, но вряд ли могут быть использованы слушателем для дальнейшей демонстрации инсайдерской информации. Например, в пьесе «Не было ни гроша, да вдруг алтын» Крутицкий делится с Елесей своими переживаниями по поводу сначала потери, а затем счастливого обретения десяти копеек, которые затерялись в жилетке:

Крутицкий. Хорошая компания, хорошая. Все вы хорошие люди. А я вот нынче, Елеся, гривенничек было потерял. Как испугался! Потерять всего хуже; украдут, все-таки не сам виноват, все легче. **Елеся.** Зато найти весело, Михей Михеич. Вот кабы... **Крутицкий.** Кому счастье, Елеся. А нам нет счастья; бедному Кузиньке бедная и песенка. Терять — терял, а находить — не находил. Очень страшно — потерять, очень! Я вот гривенничек-то засунул в жилетку, да и забыл; вдруг хватился, нет. Ну, потерял... Задрожал весь, руки, ноги затряслись, — шарю, шарю, — карманов-то не найду. Ну, потерял... одно в уме, что потерял. Еще хуже это; чем бы искать, а тут тоска. Присел, поплакал, — успокоился немножко; стал опять искать, а он тут, ну и радость.

Елеся. Да, Михей Михеич, нашему брату и гривенник деньги. Деньги вода, Михей Михеич, так сквозь пальцы и плывут. Денежка-то без ног, а весь свет обойдет.

Крутицкий. Бегают денежки, шибко бегают. Безумия в мире много, оттого они и бегают. Кто умен-то, тот ловит их да в тюрьму.

(«Не было ни гроша, да вдруг алтын»,
беседа пожилого отставного чиновника и молодого соседа)

Так же тривиальны самораскрытия Шабловой из пьесы «Поздняя любовь». Рассуждения о влиянии плохо сшитой одежды на манеры и поведение человека выполняют одновременно и задачу поучения, и задачу установления тесного контакта с Людмилой, более молодой женщиной. Не ограничиваясь общими примерами, Шаблова рассказывает об эпическом изготовлении фрака сыну в мастерской Вершкохватова из-за Драгомиловской заставы:

Шаблова. Да полно, какой характер! Разве у бедного человека бывает характер? Какой ты еще характер нашла?

Людмила. А что же?

Шаблова. У бедного человека да еще характер! Чудно, право! Платья нет хорошего, вот и все. Коли у человека одёжи нет, вот и робкий характер; чем бы ему приятный разговор вести, а он должен на себя осматриваться, нет ли где изъяну. Вы возьмите хоть с нас, женщин: отчего хорошая дама в компании развязный разговор имеет? Оттого, что все на ней в порядке: одно к другому пригнато, одно другого ни короче, ни длинней, цвет к цвету подобран, узор под узор подогнат. Вот у ней душа и растет. А нашему брату в высокой компании беда; лучше, кажется, сквозь землю провалиться! Там висит, тут коротко, в другом месте мешком, везде пазухи. Как на лешего, на тебя смотрят. Потому не мадамы нам шьют, а мы сами самоучкой; не по журналам, а как пришлось, на чертов клин. Сыну тоже не француз шил, а Вершкохватов из-за Драгомиловской заставы. Так он над фраком-то год думает, ходит, ходит кругом сукна-то, режет, режет его; то с той, то с другой стороны покроит — ну, и выкроит куль, а не фрак. А ведь прежде тоже, как деньги-то были, Николай франтил; ну, и дико ему в таком-то безобразии. Уломала я его наконец, да и сама не рада; человек он гордый, не захотел быть хуже других, потому у нее с утра до ночи франты, и заказал хорошее платье дорогому немцу в долг.

Людмила. Молода она?
Шаблова. В поре женщина. То-то и беда. Кабы старуха, так бы деньги платила.
Людмила. А она что же?

(*«Поздняя любовь», беседа между двумя знакомыми, пожилой хозяйкой дома и незамужней женщиной средних лет*)

Несмотря на тривиальность конкретного самораскрытия, сам процесс оправданных взаимообразных самораскрытий является очень важным для установления и поддержания длительных личностных взаимоотношений. Те, кто раскрывают о себе слишком много или слишком мало, обычно испытывают сложности с установлением и поддержанием эффективных коммуникативных отношений. Другой существенной функцией самораскрытий в коммуникации является лучшее понимание самого себя — самораскрытия предоставляют возможность более полно оценить свои собственные мысли и чувства.

Как было показано, фактор возраста оказывается очень существенным в динамике взаимообразных самораскрытий. Высокий процент болезненных самораскрытий в речи пожилых, жалобы престарелых людей на плохое здоровье, смерть близких, малую подвижность и одиночество часто воспринимаются негативно более молодыми собеседниками, т. к. для них болезненные самораскрытия кажутся неуместными. Как уже отмечалось, более уместными самораскрытия кажутся в том случае, если содержат положительную или нейтральную информацию и идут по направлению от коммуниканта с более низким статусом к реципиенту информации с более высоким статусом. Казалось бы пожилые люди обладают более высоким статусом, чем молодые, однако самораскрытия часто идут в противоположном направлении.

В то же время представляется, что болезненные самораскрытия должны оцениваться в качестве естественных в речи пожилых людей именно в силу их возраста, поскольку с возрастом человек оказывается свидетелем, участником или объектом большого количества негативных переживаний, которые пока не затронули или не затрагивали в той же степени их более молодых собеседников. Для пожилого собеседника рассказ о тяжелых событиях или переживаниях может иметь положительный терапевтический эффект; подобный рассказ также помогает лучше понять себя, определить свое место в отношении болезненного прошлого опыта с позиции прожитых лет и нынешнего состояния здоровья. Пожилые люди, которые оказываются в состоянии гибко модифицировать свои самораскрытия по продолжительности, широте и глубине в зависимости от ситуации, возраста и степени вовлеченности собеседника оцениваются как более желательные и приятные участники коммуникации.

9. Тематика рассказов пожилых родственников

В исследовании двадцатипятилетней давности (Haas & Sherman 1982) были проанализированы типичные темы разговоров, возникающие в американском обществе при общении людей одного пола. Оказалось, что женщины, по их собственным оценкам, чаще ведут разговоры о семье, о взаимоотношениях между родственниками в семье и сотрудниками на работе, о мужчинах, проблемах здоровья и новостях массовой культуры. Мужчины же выделили такие темы для разговора, как отношения с женщинами, денежные вопросы, текущие политические и экономические новости и спорт. Причем среди друзей одного пола чаще всего обсуждался противоположный пол, сотрудники часто обсуждали работу, а члены одной семьи были склонны обсуждать семейные проблемы.

Тематика общения среди пожилых носителей языка имеет свои особенности. Так было выявлено (Coupland et al. 1991; Boden & Bielby 1986), что разговорные темы, так или иначе связанные с прошлым (войны, политические и экономические эпохи, исторические события, свидетелем которых ты являешься) сближают пожилых участников разговора, создают атмосферу лучшего взаимопонимания и определенным образом ориентируют их разговор относительно текущих событий. Референции к событиям прошлого в процессе разговора являются особыми коммуникативными маркерами, которые указывают на возраст участников разговора и позволяют характеризовать их именно как пожилых участников общения. В других исследованиях (Stuart et al. 1993; Coleman 1986) отмечалось, что пожилые мужчины чаще в разговоре концентрируются на событиях прошлого (например, путешествия или служба в армии), в то время как пожилые участницы общения чаще говорят о семье. Впрочем, в престарелом возрасте, особенно среди тех людей, кто живет в домах для престарелых, разговоры не только о близких родственниках, но и о друзьях и знакомых также встречаются достаточно часто. Это может быть связано, особенно для пожилых женщин, со смертью супруга и с поиском социальной опоры в большей степени среди знакомых и друзей (Lin et al. 2002), чем среди членов семьи.

Как уже отмечалось, среди особенностей общения пожилых носителей языка, а также и стереотипных представлений об общении с пожилыми, исследователи выделяют болтливость, немотивированные или слабо мотивированные акты болезненного самораскрытия (Coupland et al 1988; Coupland et al. 1991), а также разговоры о собственном возрасте при общении с малознакомыми людьми. Тематика разговоров с бабушками и дедушками, по оценкам молодых людей, часто включала разговоры о семье, школе, здоровье, и несколько реже о погоде, религии и смерти (Webb 1985). В экспериментальном задании (Nussbaum & Bettini 1994), где бабушек и дедушек просили рассказать своим внукам историю, которая бы отразила «смысл жизни», пожилые люди в рассказе часто раскрывали свой хронологический возраст, причем дедушки чаще говорили о вопросах здоровья и вспоминали о своих приключениях в молодом возрасте, тогда как бабушки больше говорили о семейных делах и семейной истории.

Рассказы бабушек и дедушек являются одним из важнейших компонентов в межпоколенном общении. Как уже отмечалось (Nussbaum & Bettini 1994), у бабушек и у дедушек часто вырабатывается своя тематика и свой стиль рассказов. Внуки и внучки обычно выступают в роли слушателей и редко рассказывают свои истории старшим родственникам. При рассказе историй бабушки и дедушки выполняют определенную воспитательную и педагогическую функцию (Langellier 2002), соответствуют стереотипу («пожилые люди — хорошие рассказчики») и также передают младшему поколению семейную историю и семейные ценности.

Репертуар рассказов бабушек и дедушек заслуживает более подробного изучения. Дело в том, что при проведении анкетных исследований, обычно респондентам задавались стандартные вопросы о тематике разговоров («воспоминания о войне», «жалобы о здоровье», «рассказ о семейной истории») которые обычно не позволяли выявить, а что же именно скрывается, например, за «воспоминаниями о войне»: описание боя, пацифистские поучения в адрес внуков, болезненные самораскрытия о ранении, контузии или психологической травме на войне, припоминание какого-либо забавного эпизода и т. д. Поэтому обратимся к реальным воспоминаниям членов семьи автора данной работы, с тем чтобы не ограничиваться сухими схемами, мало что проясняющими в коммуникационном процессе.

Моя бабушка часто пересказывала нам, внукам, свои воспоминания о молодости. В ее репертуаре важное место занимали нарративы о ее собственном домашнем воспитании и образовании в начале XX в. Будучи девочкой, бабушка, с помощью своей воспитательницы Елены Петровны, осваивала иностранные языки во время многокиломстровых прогулок по Петрограду. Елена Петровна, вдова гвардейского генерала из знатной дворянской семьи, в тяжелые революционные годы вынуждена была начать зарабатывать на жизнь частными уроками. Судя по замечательным успехам ее учеников, Елена Петровна оказалась прирожденным педагогом. Занятия с Еленой Петровной строились по трехдневному циклу: один день говорили только по-французски, другой день на английском, а третий — на немецком языке. Елена Петровна, сама воспитанная французскими и английскими гувернантками, и прожившая немало лет в европейских столицах, создавала языковую среду, в которую бабушка полностью погружалась. Бабушкины родители рассказывали, что во время тяжелого заболевания коклюшем в семилетнем возрасте бабушка бредила то по-французски, то по-английски. Уже в постсоветское время, самом конце XX в., знакомые англичане и французы, бывавшие у нас дома в Питере и разговаривавшие с 85-летней бабушкой, поражались ее удивительно аутентичному английскому и французскому произношению.

Другой любимой темой для бабушкиных воспоминаний были семейные вечера на даче в Сестрорецке, когда многочисленные знакомые и родственники участвовали в самодеятельности, ставили семейные спектакли, устраивали розыгрыши, попадали в комичные ситуации. Бабушка также с удовольствием рассказывала о семейных путешествиях в послевоенное время, когда они с дедушкой купили автомобиль, Москвич 401 серого цвета — «Бежик», и ездили летом в пятидесятые и шестидесятые годы в Прибалтику и на Карпаты. Мы с братом очень интересовались машинами и поездками и слушали бабушкины рассказы с чрезвычайным вниманием. Бабушка быстро получила водительские права и ездила на машине довольно лихо, с явно большей скоростью, чем дедушка, который отличался чрезвычайно осторожной манерой вождения. Машин на дорогах было совсем мало, бензоколонок практически не было — бензин покупали у водителей грузовиков, и дедушка всегда возил с собой пару канистр бензина в дальние путешествия. Половина багажника машины была занята канистрами и запасными частями, включая рессору на заднее колесо — на случай ремонта в дороге. В то время придорожных гостиниц не было и на ночь обычно бабушка и дедушка останавливались в домах колхозников, которые пускали ночевать на сеновал. Бабушка помнила, что лучшим подарком за ночлег было хозяйственное мыло, которого в деревнях в те годы днем с огнем было не найти.

Примечательно, что хотя бабушка в детском возрасте перетерпела голод и лишения времен гражданской войны, а молодой женщиной с ребенком на руках пережила блокаду Ленинграда и эвакуацию на север, тема военных трудностей и лишений редко фигурировала в ее воспоминаниях, только если ее специально просили об этом рассказать. Избирательность в бабушкиных рассказах хорошо иллюстрируется следующим примером. Мой прадед по бабушкиной линии, архитектор Карл Мейбом, в самом начале тридцатых годов был арестован советской властью, репрессирован и принудительно направлен на строительство Беломорско-Балтийского канала в Медвежегорск, где несколько лет проработал инженером-проектировщиком. Известно, что при строительстве канала, на котором в основном использовался труд заключенных, от голода, болезней, сурового климата и изматывающего труда погибли десятки тысяч людей. Бабушка несколько раз ездила на поезде в Медвежегорск, в общей сложности пробыла там месяцев пять, и, наверное, неплохо могла видеть, в каких условиях шла эта стройка «на костях». Однако нам внукам бабушка в основном рассказывала о двух маленьких забавных медвежатах, которых подарили ее отцу и которые жили у них в избе как домашние животные. Вероятно, нацеленность на позитивные нарративы была связана с одной стороны с выработанной в сталинские времена боязнью доносов, а с другой — с подсознательной установкой на избегание болезненных воспоминаний. Кроме того бабушка прекрасно умела учитывать коммуникативные запросы внуков и, как мне хорошо понятно теперь, избегала тем, которые были неинтересны нам детям, а затем подросткам и молодым мужчинам. Вообще для коммуникативного поведения бабушки, даже и в престарелом возрасте (она умерла в 89 лет), были несвойственны болезненные самораскрытия.

После смерти дедушки бабушка прожила еще 26 лет, оставаясь активным и деятельным человеком. Будучи учителем музыки и стенографии в школе, она к 60-летнему возрасту освоила новую для себя профессию и, выйдя на пенсию, стала преподавателем вязания. В течение двадцати лет, до 80-летнего возраста, бабушка продолжала ездить на общественном транспорте и давать уроки по вязанию в домах культуры Ленинграда и Ленинградской области. Впрочем в разговорах со внуками она достаточно редко говорила о своей последней профессии, что подтверждает наблюдения, согласно которым воспоминания бабушек и дедушек в разговорах со внуками чаще всего приходятся на период их собственной молодости. Кроме того внуки не интересовались рукоделием, так что вязание оставалось темой для разговоров бабушки с ее приятельницами. Очевидно, здесь тоже имеет место коммуникативное приспособление по типу конвергенции, т. к. происходит тематическая самоцензура в отборе тем для нарратива, и кроме того в воспоминаниях выбирается период жизни, близкий в возрастном плане к коммуникантам. Несомненно, подсознательный или сознательный учет этих факторов способствует получению большего удовлетворения от общения, пассивного и активного, слушателями нарративов.

Для дедушки (который родился в 1901 г., а умер в 1975 г., когда нам с братом было по 16 лет) любимой темой рассказов были его занятия в кадетском корпусе в Санкт-Петербурге, где он учился со своими двумя братьями вплоть до революции. К ярким эпизодам кадетской жизни, судя по его описаниям, относился неожиданный приезд попечителя кадетского корпуса, одного из великих князей. Дедушка как раз в тот день был на дежурстве и должен был обратится к высокому гостю с рапортом, но никто из командиров его не предупредил, кто же именно этот высокий гость. Дедушка начал свой рапорт с обращения: «Ваше высокоблагородие!», предусмотренного для офицеров в ранге полковника, и посмотрел на начальника кадетского училища, однако тот неодобрительно поморщился, а великий князь улыбнулся». Ваше превосходительство!» (обращение к генералу), поправился дедушка, но начальник училища большим пальцем выразительно указал вверх, «Ваше высокопревосходительство! Разрешите доложить...», и дальше дедушкин рапорт прошел уже как надо.

Другой хорошо запомнившийся мне дедушкин рассказ тоже имел отношение к кадетской жизни. Во время экзаменационной сессии один из кадетов ночью через окно пробрался в комнату, где хранились матрицы экзаменационных работ. Матрицы пропитывались чернилами, затем на них накладывались листки бумаги, прижимались вручную, и таким образом делались копии для экзаменов (такой вот незамысловатый копировальный аппарат начала XX в.). Так вот, предприимчивый кадет, оказавшись в комнате с экзаменационными матрицами, не обнаружил чистой бумаги, на которую можно было бы скопировать экзамен. Не долго сомневаясь, юноша снял штаны и голым задом уселся на матрицу с экзаменом по математике, а затем, не одевая штанов, вылез из комнаты. В казарменной спальне молодой человек уселся на чистый лист бумаги и успешно «отпечатал» экзаменационные вопросы — и, таким образом, вся рота отлично подготовилась к сдаче экзамена.

В 60-е и 70-е гг. прошлого века дедушке на работе предлагали записаться на очередь, чтобы получить садовый участок под Ленинградом. Он всегда отказывался, мотивируя это своим юношеским сельскохозяйственным опытом. После октябрьской революции дедушкина семья решила не оставаться в голодном Петрограде, а переехать в Высокогорское, семейное имение в Лужском уезде Псковской губернии. К несчастью, Лужский уезд стал местом активных боевых действий во время гражданской войны и переходил несколько раз из рук в руки, то к красным, то к белым: постоянно присутствовала опасность быть убитым либо теми, либо другими. Кроме того в Высокогорском оказалось также голодно, как в Петрограде: весь скот и большая часть запасов в имении были реквизированы к лету 1918 г. и, чтобы как-то прокормиться 18-летний дедушка и двое его братьев сами впрягались в плуг и пытались распахивать землю, насколько хватало сил. Труд в полях на износ отбил у дедушки, по его словам, какую-либо охоту заниматься сельским хозяйством на садовом участке. Этот рассказ дедушки можно рассматривать и как самораскрытие, и как акт убеждения и самоубеждения против заведения садового участка — аргумент этот приводился много раз в семейных разговорах.

Через два года, когда ситуация в Петрограде более или менее нормализовалась, дедушка стал студентом Технологического института и учился на инженера. Образование в инженерном кадетском корпусе, о котором в те годы лучше было не упоминать по соображениям личной безопасности, позволяло дедушке учится довольно легко. Из его рассказов о студенческих годах я запомнил ироническое отношение к «красным профессорам», многие из которых знали меньше, чем обучаемые ими студенты. С другой стороны, некоторые профессора, работавшие в институте с дореволюционных времен, по словам дедушки, не слишком заботились о качестве учебного процесса: записывали что-то на доске, не поворачиваясь лицом к студентам; проговаривали свои лекции едва слышным голосом и т. д.

К началу Великой Отечественной войны дедушка работал инженером на Путиловском (Кировском) заводе, который, как известно, производил трактора и танки. В первые месяцы войны дедушке дали интересное и ответственное поручение, о котором он подробно рассказывал, и которые мы с братом пересказывали друзьям с известной гордостью. Немцы быстро приближались к Ленинграду и руководство завода поручило дедушке спланировать заминирование ключевых участков танкового производства, с тем, чтобы в случае прорыва обороны и вступления немцев в город можно было бы немедленно взорвать весь завод. Многие рассказы дедушки происходили во время игры в шахматы или за картами. Дедушка обучил внуков (в нежном шестилетнем возрасте) игре в преферанс, в короля и в винт, и в разговорах любил подчеркивать принципиальную разницу между азартными и коммерческими играми (любимой его поговоркой к этому случаю была: *Не за то отец бил сына, что проигрывал, а за то, что отыгрывался*).

В классификации коммуникативных актов часто прибегают к достаточно искусственному и не вполне соответствующему реальности разделению на т. н. диады: например, общение между бабушкой и внучкой, общение между взрослой дочерью и пожилым родителем, общение между зятем и тещей и т. д. На самом деле довольно часто общение затрагивает большое количество членов семьи и не укладывается в двойственные схемы. Воспоминания о своих молодых годах дедушки и бабушки могут пересказывать всем членам семьи, собравшимся за ужином, или гостям, приглашенным на юбилей. Так, мой тесть Василий Андреевич любит рассказывать о своей службе в Китае, куда его отправили в начале 50-х гг. прошлого века после окончания авиационного училища. Среди историй, к которым он любит возвращаться, рассказы о быте советского летного городка в Китае, об особенностях китайском кухни, о дисциплинированности китайцев при посадке на трамвай, о доверчивости китайских торговцев. Энтузиазм тестя-рассказчика напрямую зависит от количества слушателей. Кажется, что наибольшее удовлетворение от своих воспоминаний Василий Андреевич получает, когда его слушает вся семья: дочь, внук и внучка, зять и другие родственники и знакомые.

Хронологически воспоминания тестя укладываются в период, соответствующий его возрасту от 6–7 лет до 70 лет. К самым ранним воспоминаниям относятся рассказы о довоенном детстве в Крыму, в которых фигурирует Максим Горький. Дело в том, что отец Василия Андреевича работал шофером на даче писателя и много рассказывал о быте и привычках теоретика соцреализма. Отроческие воспоминания Василия Андреевича связаны с обороной и дальнейшей оккупацией Севастополя немцами. В его воспоминаниях раскрываются детали быта на фоне исторических событий: работа севастопольской школы во время оккупации, сотрудничество некоторых горожан с оккупационными властями, угон на принудительных труд в Германию соседей, бытовые привычки немцев в ближайшем рассмотрении (в их дом определили на постой несколько немецких солдат), освобождение города советскими войсками.

Среди более поздних воспоминаний тестя особое место занимают рассказы об учебе в летном училище и в авиационной академии. Здесь почти в каждом рассказе находится место для юмора или сарказма: будь то проделки курсантов на экзаменах, исключение нерадивых учащихся из училища, рассказы о доносительстве среди курсантов и офицеров.

Надо отметить, что вопреки наблюдениям некоторых исследователей (Tam et al. 2006) о том, что воспоминания пожилых обычно концентрируются на периоде их жизни от 10 до 30 лет, в репертуаре рассказов моего тестя имеется довольно много нарративов о более поздних событиях, например, о предпенсионных годах. Тогда, впервые за многие годы, теща и тесть смогли поехать за границу в Индию. Для тестя среди запомнившихся событий этой поездки особое место занимали два связанных эпизода — когда он сломал ногу и когда ему, туристу из Советского Союза, подали милостыню в столице Индии. На второй неделе пребывания в Индии на улице Джан-Патх в самом центре Нью-Дели в присутствии тещи и тестя один индиец-прохожий подскользнулся на валявшемся гнилом банане и упал. Василий Андреевич усмехнулся, вспомнив эпизод из кинофильма «Бриллиантовая рука», а теща, Валентина Андреевна, тут же указала ему, что, дескать, нехорошо смеяться над чужим горем, и за это может наступить расплата. И на самом деле, на следующий день, переходя ту же самую улицу Джан-Патх в оживленном месте, тесть оступился и сломал ногу — вернее, заработал трещину в кости стопы. Стопа распухла, сильно болела, обезболивающие средства помогали плохо, и теща как врач решила, что нужно срочно возвращаться в Ленинград и накладывать гипс. Предстояло поменять авиабилеты в агентстве «Аэрофлота» на более ранний день вылета. Василий Андреевич, прихрамывая и опираясь на палку, едва дошел от авторикши до здания агентства, которое располагалось на втором этаже. Валентина Андревна пошла менять билеты, а тесть сидел с забинтованной стопой и с палкой (напоминая типичного садху — странствующего индусского монаха) у входа в агентство авиакомпании. В это время два представительных сикха обратились к нему с каким-то вопросом на хинди или панджаби. Тесть, услышав в вопросе единственное понятное слово «Аэрофлот», постарался жестами объяснить, что сикхские господа уже у цели, за что, неожиданно для себя, и заработал несколько рупий милостыни. Тесть шутил, что посидев там подольше, несколько дней, смог бы вот таким образом окупить поездку в Индию.

Здесь специально был приведен достаточно подробный пересказ воспоминаний тестя с тем, чтобы продемонстрировать насколько затруднительна классификация таких нарративов-воспоминаний с точки зрения теорий, нацеленных на описание коммуникативного поведения пожилых людей. С одной стороны, перелом ноги можно рассматривать как болезненное самораскрытие (как указывалось, именно болезненные самораскрытия являются одной из характерных черт в речи некоторых пожилых людей), с другой стороны это описание события, поездки за границу в экзотическую страну, которое позволяет поднять собственный статус в глазах собеседника. С моей точки зрения, рассказ тестя правильнее классифицировать как анекдот, как шутку о себе самом, как призыв к слушателям посмеяться вместе с рассказчиком.

Глава VI

Пути преодоления межпоколенческого барьера в общении

Результаты нашей работы и других исследований по проблемам межпоколенческой коммуникации недвусмысленно указывают на дефицит общения, особенно внесемейного общения, между представителями поколений молодых и пожилых. Что делается и что можно делать для уменьшения и преодоления коммуникативного дефицита?

Надо сказать, что усилия для разрешения этой проблемы прилагаются и со стороны пожилых и со стороны молодых людей. Эти усилия направлены на создание благоприятных условий для продуктивного коммуникативного контакта между пожилыми и молодыми. Прежде всего этот контакт успешно создается в сфере образования.

Сравнительный анализ проведения свободного времени горожанами России и США (Патрушев 2004) показывает, что время, используемое на образовательные цели жителями и российских и американских городов сравнительно невелико. Сопоставление проведения досуга жителями городов Пскова и Джексона показало, по затраченному времени среди форм досуга образование находится в самом конце списка, после просмотра телевизора, общественной деятельности, спорта и активного досуга и других форм. В неделю взрослые люди тратят на образование в неделю всего около одного часа: мужчины и женщины в российских городах и мужчины в США чуть меньше часа, а женщины в США чуть больше часа. Однако в пожилом возрасте ситуация с проведением досуга для некоторых людей меняется.

1. Образование для пожилых

Пожилые люди во многих странах Запада, включая США, поступают в колледжи и университеты, чтобы получать первое или второе высшее образование, заполнять свободное время полезными и приятными делами и справляться с одиночеством. Существуют различные формы привлечения пожилых в колледжи и университеты.

Например, в университете штата Колорадо, расположенном в городе Болдер, используется такая система, которая позволяет всем жителям города от 60 лет и старше, бесплатно регистрироваться в университете и прослушивать любые университетские курсы, если в аудитории остаются свободные места. Практически в каждом лекционном курсе среди девушек и молодых людей, сидящих в аудитории, можно увидеть пять, а то и десять седовласых слушателей. Как считают методисты, пожилые студенты не только сами активно вовлечены в учебный процесс, но и положительным образом влияют на мотивацию своих молодых сокурсников.

Обучение, как известно, это высоко интерактивный процесс, при котором, как правило, поддерживается высокий уровень общения между участниками обучения. Особенно это справедливо для американской студенческой аудитории. Дело в том, что одним из распространенных методов обучения в американских колледжах и университетах является использование т. н. дискуссионных групп. Преподаватель, разделяют аудиторию на группы из 4–5 человек, дает им задание для обсуждения какой-либо научной, социальной или экономической проблемы, и предоставляет десять–пятнадцать минут для дискуссии. Затем преподаватель выслушивает коллективно составленные ответы и сопровождает их своими комментариями. В дискуссионных группах пожилые студенты являются не просто участниками обсуждения, а нередко выступают в роли экспертов, которые с позиций жизненного опыта, исторической памяти, охватывающей несколько десятилетий, помогают своим молодым сокурсникам находить интересные ответы на поставленные задачи.

Среди моих собственных студентов в дискуссиях с удовольствием принимал участие 72-летний ветеран вьетнамской войны Питер В., который поступил на нашу кафедру, с тем чтобы получить диплом по русскому языку и литературе. Замечу, что целью студента было не просто получение диплома. Министерство по делам ветеранов финансировало обучение Питера В., которое порекомендовал ему врач в качестве терапии после полученной контузии. На всех занятиях Питер с удовольствием вступал в дискуссии с восемнадцати- и девятнадцати-летними студентами, участвовал во многих студенческих клубных мероприятиях. Так русский клуб, который объединяет в университете Колорадо студентов, изучающих русский язык, сформировал хоккейную команду для участия во внутриуниверситетских

соревнованиях. На все хоккейные игры Питер приходил не в качестве бо-
лельщика, а и сам успешно играл в обороне. Недавно я спросил Питера, что
больше всего его привлекает в университетской жизни, и он, после недол-
гих размышлений сказал, что его особенно привлекает возможность обсуждать на занятиях все, что он хотел обсуждать, но не мог, когда служил
в армии.

Вовлечение в общение с молодыми приобретает поистене неотврати-
мый характер в тех случаях, когда пожилые студенты не только учатся с
молодежью бок о бок, но и живут в общежитиях с ними. Синтия Барен-
тайн в возрасте 60 лет обучается на степень магистра истории в университета штата Калифорния в кампусе Станислаус. В газетном интервью Синтия утверждала, что решила жить в общежитии, поскольку там особая энер-
гетика, возможность встречаться и общаться с новыми людьми из разной
культурной среды. Таких как она, нетрадиционных студентов, живущих в
общежитии в их университете еще 20 человек. Синтия говорит, что конечно волновалась, перед тем как состоялся ее переезд в общежитии, т. к. она
могла только гадать, как примут ее молодые соседи по общежитской квартире. В общежитии она живет вчетвером: две молодые студентки, одна
49-летняя женщина и она, Синтия. В общежитской квартире четыре спаль-
ни, два общих туалета, общая кухня и гостиная. Синтия говорит, что несмотря на разницу в возрасте они прекрасно уживаются вместе. Конечно,
интересы различаются: молодые девушки озабочены своим внешним видом, постоянно обсуждают по телефону своих подруг и молодых людей,
получают десятками текстовые сообщения. В то же время они готовы помочь пожилым женщинам, когда у тех возникают вопросы по пользова-
нию компьютером или мобильным телефоном (Orpheum, March 29, 2007).
Анализируя эту историю, можно легко предположить, что 60-летняя Синтия общается с представителями молодежи намного чаще, чем ее типичные сверстницы.

Иногда общение пожилых с молодыми в университетских городках
проходит вне формального участия пожилых в процессе обучения. Например, в колледже Назарет, несколько студенческих общежитий были про-
даны и превращены в квартиры для пожилых. «Я рассматриваю это как
форму терапии питаться среди молодежи; они так добры и всегда побол-
тают со мной», говорит 91-летняя Мабель Гаудио, которая на обед и ужин
ходит в студенческую столовую, где она окружена людьми в четыре раза
ее моложе. Еще около 80 пожилых людей, в возрасте от 60 до 93 лет, живут в этих квартирах на территории кампуса. Для колледжа, в котором существует кафедра геронтологии и ухода за пожилыми, престарелые жители являются также и объектом для научных исследований. Молодые студенты из колледжа Назарет, в целом положительно оценивают опыт близкого проживания с пожилыми людьми. «Это почти тоже, что иметь прием-

ную бабушку или дедушку», говорит Терри Баумгартнер, 21-летняя студентка, которая в дальнейшем собирается работать медицинской сестрой. «Я знаю, что пройдут годы, и я сам буду того же возраста», говорит студент Джон Лепре, получающий специальность социального работника: «Теперь мне легче представить, что меня самого ждет в будущем» (New York Times, April 8, 2007).

В университете штата Айова 61-летняя Шарон Лиис заканчивает обучение по специальности пищевая промышленность. «В целом это был позитивный опыт. Многие люди, которых я знаю не могли поверить, что я этим занимаюсь». Некоторые из студентов, которые были на 40 и более лет моложе Шарон Лиис, отмечали следующее: «Я бы хотел, чтобы мои родители или бабушка и дедушка тоже пошли учится в университет». По мнению Шарон, большинство из ее однокурсников оказывали ей поддержку и помощь во время занятий. Свой возраст она чувствовала только тогда, когда ей приходилось по несколько раз в день подниматься и спускаться по лестницам из аудитории в аудиторию (Tribune, April 8, 2007).

В Китае принят несколько иной подход к созданию возможностей для пожилых продолжать образование. К 2005 г. в стране насчитывалось около 17 тыс. университетов, в которых обучалось около полутора миллионов человек в возрасте свыше 60 лет. В 1983 г. был организован первый университет для пожилых в городе Джинан в провинции Шандонг. С тех пор организация университетов для пожилых развернулась во всех китайских провинциях. Например, в провинции Хебеи в университете для пожилых обучается 1900 студентов. Престарелые студенты могут выбирать курсы по компьютерным наукам, истории, поэзии, литературе, домашней экономике и другие курсы (всего около 50), которые, по мнению администрации университета, способствуют улучшению качества жизни пожилых (People's Daily, June 22, 2005). В КНР, как можно заметить, обучение для пожилых в значительной степени сегрегировано по возрастному признаку, и поэтому пожилые студенты не вовлечены в общение с молодежью в процессе обучения.

В современной России в подходах к образовательной деятельности к сожалению проявляется дискриминация по возрасту. «Старость номинируется как период дистанцирования от образовательного пространства в связи с представлениями либо о несособности пожилого человека к образованию, либо о наличии у него дефицита времени для ответных компенсаторных действий, либо об исключительном предназначении пожилого человека для работы по дому и воспитания внуков» (Елютина, Чеканова 2003, 31). Представления о том, что в пожилом возрасте снижается когнитивная и образовательная компетенция пожилых часто приводят к неодобрительному общественному мнению по отношению к тем пожилым, которые хотят продолжать свое образование. Нередко это мнение формулируется более молодыми членами семьи, у которых «доминирует тезис несовместимости пожилого возраста с образованием, тотального „одомашнивания“, жестокого навязывания функции домхоза, бесплатного выполнения семейных бытовых обязанностей» (Елютина, Чеканова 2003, 36): «Человеку делать нечего, лучше бы больше помогал по хозяйству» (женщина, 48 лет), «Дома не сидится, все не может никак угомониться» (женщина 51 год), «Ему больше всех надо, всегда хочет быть в центре внимания, любыми способами хочет продемонстрировать собственную значимость, лучше бы дома сидел, и нам спокойней бы было» (женщина, 47 лет), «Какое образование? Это же возраст маразмов. Памяти нет, все забывает» (мужчина 55 лет).

Однако сами пожилые люди в России видят свое место в образовательном процессе по-иному. Например, опрос людей в возрасте от 57 лет до 81 года в Саратове и Энгельсе (Елютина, Чеканова 2003) для выяснения отношения пожилых людей к перспективам и возможностям их образования показал, что существует по крайней мере несколько распространенных мнений по этому вопросу. Прежде всего была выделена группа пожилых, для которых образование является значительной ценностью, способствующей и росту культурного багажа, и уважению окружающих людей, и самоуважению и улучшению внутрисемейных отношений и внутрисемейного общения. Эта группа образовательных оптимистов имеет и еще одну характерную черту — большинство отодвигает для себя планку пожилого возраста на 5–15 лет и не готовы идентифицировать себя с престарелыми людьми. Люди этой группы позитивно настроены на образование и использование его в профессиональной карьере, поддержание профессиональных контактов с сотрудниками и коллегами и т. д.

Другая группа пожилых не связывает получение знаний в третьем возрасте с продолжением профессиональной карьеры, не рассуждает о возможности получения нового формального образования, а видит наиболее подходящей для себя форму дополнения своего образования и получения полноценного общения в клубах по интересам. Цель и задача таких пожилых «повседневно общаться, быть на людях, заниматься не только внуками, но и развиваться, быть в курсе событий» (мужчина, 67 лет).

Еще одна группа пожилых людей с сомнением относится к своим перспективам в образовательной деятельности, задумывается о соответствии поведения пожилых людей приемлемым нормам; они особенно чувствительны к возможным неодобрительным мнениям, которые могут быть высказаны их родственниками и знакомыми: «Не покажется ли учение в позднем возрасте неуместным, даже неприличным занятием по возрасту» (женщина, 71 год); «Вот, насмешу всех» (женщина, 64 года); «Скажут, совсем с ума сошел» (мужчина, 70 лет). Однако и в этой группе присутствует сильная мотивация поддержания общения, социальных связей при посещении специальных курсов и занятий для пожилых: «быть на людях» (женщина, 76 лет), «общаться с интересными людьми» (мужчина, 68 лет);

«чаще встречаться со своими сверстниками, знакомыми» (мужчина, 60 лет); «завести новых знакомых» (мужчина, 70 лет); «ощутить себя не старой калошей» (женщина, 77 лет); «вырваться из замкнутого круга повседневных обязанностей» (женщина, 64 года) (Елютина, Чеканова 2003, 35–36). Еще раз обратим внимание на то, что в оценках самих пожилых людей этой группы более важное значение признается не столько за получением новых знаний, сколько за возможностью существенно расширить круг своего общения. Если для молодых важным мотивом обучения является получение диплома, дальнейшее трудоустройство, то для пожилых учеба для удовольствия и ради общения становится доминирующим мотивом.

В советское время существовала образовательная программа, направленная на повышение знаний у взрослых членов общества, включая и пожилых людей. К концу 70-х гг. в СССР действовало более 40 тыс. отделений (Литвинова и др. 2006) общества «Знание». Однако в пост-советский период практически прекращается финансирование этих учреждений, помещения общества передаются коммерческим структурам и к концу 90-х гг. прекращается деятельности почти всех отделений. Отметим, что в работе обществе «Знание» участвовало значительное количество пожилых людей, хотя общество и не занималось специально организацией и созданием условий для межпоколенческого общения.

В России обучение пожилых в университетах до сих пор остается относительной редкостью и подобные истории привлекают внимание журналистов.

Житель Мценска, 66-летний Герман Соловьев учится на юридическом факультете Орловского университета. По словам Соловьева, основным мотивом поступления в университет в зрелом возрасте явилось желание защищать права человека, для чего ему потребовался диплома юриста (Новые Известия, 25.01.2007). 75-летний липчанин Марк Гольдман в 2006 г. получил диплом выпускника Высшего экономического университета. Обучение на дневном факультете и проживание в общежитии оплатили спонсоры. Отмечается, что за время учебы Гольдман получил всего одну тройку. Как и Соловьев, бывший диссидент Гольдман занимается в Липецке правозащитной деятельностью (Новые Известия, 25.01.2007). К сожалению, автор статьи не поинтересовался у Соловьева и Гольдмана тем, как строилось их общение с молодыми студентами в процессе университетского обучения.

В современной России делаются лишь первые шаги в направлении создания университетов для пожилых. Например, в Тюмени был создан социально-гуманитарный университет третьего возраста на базе института гуманитарных наук ГГНУ. Около 120 студентов в возрасте от 55 до 70 лет бесплатно обучаются на четырех факультетах: социологии, валеологии, психологии и информатики. По мнению ректора ГГНУ, университет третьего возраста призван помочь пожилым людям стать более востребованными членами общества (Вслух, 26.02.2007). Еще один университет третьего возраста в России недавно открылся в Казани, на базе Казанского государственного университета. В Казани пожилых обучают экономике и праву, психологии и основам компьютерной грамотности. Планируются также курсы по здоровому образу жизни, садоводству, культуре и искусству (Молодежь Татарстана, 27.03.2007). Сам термин, «университет третьего возраста» был позаимствован из французского опыта: первый университет третьего возраста был открыт в Тулузе еще в 1973 г. В дальнейшем эта концепция была использована во многих европейских странах. В Польше, например, в настоящее время действует 22 университета третьего возраста. В некоторых европейских странах университеты для пожилых приобрели название высшая народная школа (Германия, Австрия, страны Скандинавии).

Самой пожилой студенткой университетов третьего возраста в 2001 г. являлась чешка Бланка Варвжинова, которая в возрасте 100 лет продолжала учится в Карловом университете. Варвжинова за несколько лет учебы окончила несколько факультетов, включая медицинский. К поступлению в университет в 88 лет ее подтолкнула смерть мужа. Лишившись спутника жизни, Бланка Варвжинова нашла новый смысл жизни в расширении знаний и кругозора (Радио Прага, 26.01.2001).

Программы университетов третьего возраста и высших народных школ ставят своей целью преодоление негативных признаков старения при помощи интеллектуальной, физической и психической активности. Как правило, образование взрослых в пенсионном возрасте не имеет цели получения новой профессии или более высокооплачиваемой работы; оно в большей степени носит характер неформального образования, направленного на социальную адаптацию, самореализацию и поддержание активной жизненной позиции. В этих университетах уделяется значительное внимание межличностной коммуникации на занятиях. Однако, из-за возрастной сегрегации, межпоколенческое общение часто не реализуется в этих университетах.

В Санкт-Петербурге с 1998 г. действует Высшая Народная школа для пожилых людей. Все аспекты деятельности школы регулируются попечительским советом и значительный объем работы в школе осуществляется волонтерами. Педагогический Университет имени Герцена осуществляет координацию и методическое обеспечение работы школы, а также использует школу как место для прохождения практики своими студентами, будущими школьными учителями. Примечательно, что в 1998–1999 гг. из 600 пожилых людей, занимавшихся в Народной школе, около 44 % слушателей принадлежало к возрастной группе от 60 до 65 лет, 15 % были старше 75 лет, и около 5 % старше 80 лет; 72 % пожилых студентов на момент поступления в школу уже имели высшее образование (Литвинова и др. 2006).

Кроме лекций в аудитории, занятия в Высшей Народной Школе также проходят в форме работы клубов и кружков, посещения экскурсий, т. е. используются интерактивные формы образования. Наибольшей популярностью пользовались курсы, направленные на изучение истории и культуры, в т. ч. истории и культуры Санкт-Петербурга: «Дворцы Санкт-Петербурга», «Классика», «Мастера эпохи возрождения». Меньший интерес вызывали лекции и беседы о здоровье (Литвинова и др. 2006, 3).

В опросе, который провели организаторы и волонтеры Высшей Народной школы в первый год ее работы, хорошо раскрывается мотивация пожилых участников школы. На вопрос: «Помогает ли Вам обучение лучше понимать события, происходящие в России» 62 % слушателей ответило положительно, 33 % опрашиваемых согласились с утверждением о том, что Высшая Народная школа представляется миром новых знаний, 29 % посчитали ее местом, где встречаются и общаются люди, и для 25 % школа оказалась синонимом активной и интересной жизни (Литвинова и др. 2006, 4). Также отмечается, что многие пожилые слушатели выступали в роли волонтеров и брали на себя административные и иные обязанности: дежурство в офисе, контакты с музеями и театрами и т. д.

После нескольких лет работы Народной школы слушателям были предложены дополнительные курсы по иностранным языкам, которые привлекли значительный интерес участников. Для многих слушателей изучение иностранного языка было предопределено интерактивными задачами и целями: общение с зарубежными родственниками, возможность помогать внукам в усвоении школьной программы по иностранному языку, переписка с друзьями из-за границы.

Опрос 2004 г., проведенный студентами Педагогического Университета в Народной школе, позволил выявить некоторые дополнительные мотивы, подтолкнувшие пожилых людей к занятиям в школе. Было в частности отмечено, что «в пожилом возрасте интерес к знаниям не притупляется и люди чувствуют в себе силы к освоению новых знаний, к расширению круга знакомых», «хотелось бы узнать то, что не удалось получить в трудоспособном возрасте», необходимо продолжать обучение, «чтобы лучше понимать современную молодежь, чувствовать себя не на обочине жизни, а в гуще ее» (Литвинова и др. 2006, 5). Также отмечалось, что семьи пожилых студентов приветствовали их инициативу и поддерживали их желание учиться.

Занятия помогали пожилым людям меньше думать о болезнях, делали их более энергичными, привносили в их жизнь положительные эмоции, и оздоравливали общий микроклимат в семье. Особенным успехом пользовались совместные посещения спектаклей, концертов и других культурных мероприятий и их последующее обсуждение. Можно полностью согласиться с авторами статьи в том, что пожилые участники дискуссий «высоко оценивают возможность высказать свою позицию, быть понятым и принятым. Вместе с тем, такие обсуждения приучают внимательно прислушиваться к суждению другого (что часто достаточно трудно в „третьем возрасте"), видеть в нем источники новой, необычной информации, необычного видения, интерпретации деталей. Поддержание в желании поделиться своими впечатлениями, мыслями, увиденным с позиции своего опыта... востребованность группой, безусловно способствует улучшению психологического самочувствия» (Литвинова и др. 2006, 6).

Мой собственный опыт работы со студентами разного возраста подкрепляет тезис о возможности налаживать эффективное общение между пожилыми и молодыми людьми в процессе совместных учебных занятий. Последние 12 лет я руковожу летней программой по русскому языку и культуре для студентов университета Колорадо, которая проводится в Санкт-Петербургском государственном университете. Я сопровождаю американских студентов, которые приезжают в Петербург на шесть недель для интенсивных занятий русским языком, и организую для них обширную культурную программу: пешеходные экскурсии по городу, посещение музеев и дворцов; совместные походы в театры и на концерты; поездки в Москву, Новгород, на Валаам и по пригородам Петербурга. Два года назад в летней программе участвовал 75-летний Тед Ш., вышедший на пенсию преподаватель английской литературы. Уже на пенсии Тед начал изучать русский язык и стремился добиться лучшего владения им.

Перед началом поездки Тед высказывал опасения о том, сможет ли он наравне с молодыми участвовать во всех занятиях, а также угнаться за 20-летними студентами на экскурсиях, тем более что у него были некоторые проблемы с сердцем. До поездки в Питер Тед совершал регулярные прогулки быстрым шагом и прилагал иные усилия, чтобы приехать в Россию в хорошей физической форме. Остальные 14 человек в группе по возрасту были близки, от 19-и до 22-х лет. Я внимательно наблюдал за общением Теда с молодыми сокурсниками. На занятиях Тед был безусловным лидером и экспертом в группе и молодежь практически сразу же признала за ним лидерство и постоянно обращалась к нему за информацией по вопросам литературы, истории и культуры России. Тед без сомнения обладал значительной эрудицией, а также, в отличие от других участников программы, Тед заранее, еще в Колорадо, прочитал всю рекомендованную литературу. Во время длительных переездов на автобусе Тед постоянно вступал в разговор со молодыми спутниками, сидящими рядом, с тем чтобы обсудить увиденное или сопоставить американскую и русскую культуру. Теду, лучше, чем многим другим давалась русская фонетика: он с радостью помогал другим студентам отрепетировать произношение наших непростых «ы», безударных гласных и мягких согласных.

По моим наблюдениям, Тед в большей степени, чем его молодые собеседники, старался приспособится в общении к коммуникативным нуждам партнеров и в том, что касалось тематики разговоров, и в манере общения. Впрочем, поскольку Тед был единственным пожилым студентом в группе, иного направления коммуникационного приспособления трудно было и ожидать. В общении 75-летнего Теда со студентами отсутствовали покровительственные интонации и с той и с другой стороны, и имелось значительное число самораскрытий, которые способствовали углублению контакта и более положительному восприятию собеседников.

В конце программы в Петербурге я обычно один на один говорю с каждым участником об их впечатлениях о русской культуре и нашей программе, полученном опыте и приобретенных практических навыках, а также групповой динамике и пожеланиях на будущее. Среди мнений о групповой динамике мне запомнилось высказывание 21-летнего Алана С., который мне сказал: «Многие студенты в группе хотели бы, чтобы у них был такой дедушка, как Тед». Сам же Тед о программе высказался в том смысле, что поездка в Питер помогла ему снова окунуться в университетскую атмосферу, по которой он начал скучать после выхода на пенсию, и что он чувствовал искреннее расположение к себе со стороны более молодых участников программы.

Летом 2007 г. в программе в Петербурге участвовала 57-летняя Лин Х., работающая учительницей в школе для детей с разного рода отклонениями в развитии. Лин, также как и Тед двумя годами раньше, удачно влилась в группу намного более молодых студентов. Ее тактика коммуникативного приспособления к нуждам молодых несколько отличалась. Ставка была сделана на юмор и на слегка ироническое отношение к себе и другим участникам программы. Если во время наших экскурсий в группе раздавался смех, можно было с большой вероятностью ожидать, что смех исходил от Лин, или другие смеялись в ответ на ее шутку. Студенты же свою очередь подтрунивали над Лин, например, говоря мне: «Вы ее еще не знаете. Когда Лин выпьет, то она так хохочет, что ее вообще нельзя остановить!». Репутация легкого, смешливого человека несомненно помогла Лин установить хорошие, хотя, возможно и достаточно поверхностные отношения с молодыми студентами в группе. В ее разговорах со студентами я не почувствовал стремления воссоздать характер коммуникации, свойственный для внутрисемейного общения, как между бабушкой и внуками, или матерью и детьми. Например, как показалось, Лин сознательно отказывалась от возможности давать какие-либо советы другим студентам, хотя это был уже не первый визит ее в Россию, и при желании, она, конечно могла бы поделиться своим опытом с молодежью. Возможно, Лин стремилась не переносить модель межпоколенческого внутрисемейного общения, в котором имеется более закрепленная иерархия ролей, на общение со студентами, а хотела бы, чтобы ее воспринимали, как равного участника коммуникации.

2. Стажерская геронтологическая практика

Данный раздел посвящен описанию стажерской геронотологической практики, которая стала привычным компонентом обучения студентов в ведущих университетах США (Karasik et al. 2004). Речь идет о важном компоненте обучения студентов, зарегистрированных на курсы по введению в межпоколенческую коммуникацию, введению в геронтологию, а также обучающихся на курсах медицинского профиля. В условиях роста числа престарелых людей в США существуют хорошие возможности для распространения стажерской межпоколенческой работы в разнообразных учреждениях (McCrea et al. 2000), которые работают с пожилыми американцами.

Стажеры студенческого возраста направляются в дневные центры для престарелых, жилищные кондоминиумы для пожилых, социальные центры городского и районного подчинения, религиозные организации, работающие с пожилыми (такие, как например, YMCA, которая имеет отделения практически в каждом городе в США), дома и больницы для престарелых и пр. (Pearlman & Wallingford 2003) Другими словами, американские университеты направляют своих стажеров в те организации для престарелых, которые находятся относительно недалеко от университета и позволяют органически включать стажерство в учебных процесс без ущерба для других занятий. Когда практика стажерства только начинает складываться, некоторые организации, обслуживающие пожилых, иногда высказывают опасения относительно нежелательного поведения студентов, часто базирующиеся на сложившихся стереотипах (например, безответственность среди некоторых студентов, случаи пьянства, вызывающая манера одеваться и др.). Здесь помогают предварительные переговоры между университетами и организациями для пожилых, в которых проговариваются условия стажерской работы студентов и требования к их поведению. При работе с пожилыми и престарелыми гражданами, основным принципом является принцип: «не навреди». Между университетами и центрами для престарелых, участвующими в стажерских программах, вырабатываются специальные протоколы, которые оговаривают разнообразные аспекты стажерства, и которые прежде всего направлены на защиту интересов престарелых людей и работающих с ними студентов.

Цели и задачи стажерской работы, которую проводят американские студенты среди пожилых, оказываются достаточно разнообразными: выработка лучшего понимания нужд пожилых граждан, выработка навыков общения с пожилыми, выполнение практических задач помощи пожилым. К последнему разделу относятся такие виды деятельности, как выполнение поручений пожилых, доставка еды, проведение интервьюирования пожилого человека, запись рассказов пожилых людей об их жизни. В центрах для пожилых стажеры проводят зарядки для пожилых, ведут кружки по рисованию, пению, проводят обсуждение текущих политических, экономических и культурных событий.

Стажерская работа строится таким образом, чтобы результаты взаимодействия пожилых и молодых участников оказывали бы пользу и тем, и другим. С точки зрения академических задач стажерство добавляет в учебный процесс компонент практического жизненного опыта. Например, проводя занятия в кружках среди престарелых в дневных центрах, стажеры получают навыки межпоколенческого общения и определенные лидерские навыки. Пожилые участники занятий получают определенную информации от стажеров, новые навыки (например, в области использования Интернета), физическую закалку (если речь идет о проведение стажерами зарядки) и удовлетворение от межпоколенческого общения. В одном из университетов стажеры и пожилые резиденты дома престарелых в течение семестра участвовали в серии занятий по межпоколенческой кулинарии: пожилые люди делились со студентами своими любимыми рецептами и вместе готовили еду. Подобный курс позволил предоставить всем участникам возможность для позитивного межпоколенческого общения и дал стажерам реальные и индивидуализированные представления об особенностях пожилого возраста (Karasik et al. 2007). Студенты отмечали, что в результате подобного опыта чувствовали большую заинтересованность и желание продолжать общение с пожилыми, а также ощущали расположение к пожилым.

К сожалению, курсы по социальной геронтологии пока еще только начинают включаться в программы учебных заведений в Российской федерации, а отдельной учебной программы по социальной геронтологии не существует и по сегодняшний день (Боровкова 2007). Хочется надеяться, что с распространением преподавания социальной геронтологии, а возможно, и курса по межпоколенческой коммуникации возникнет практика стажерства (которая так неплохо зарекомендовала себя в других странах) в российских учреждениях для престарелых, которая будет давать студентам необходимый опыт общения с престарелыми людьми и одновременно решать проблему удовлетворения коммуникативных потребностей пожилых граждан.

3. Волонтерская работа среди пожилых

Волонтерская работа студентов среди пожилых в разных странах приобретает различные формы. Например, в Гарвардском университете работает неформальная студенческая группа (Elderly Affairs Committee), которая направляет свою деятельность на поддержание общения с пожилыми людьми, проживающими в районе Бостона и Кембриджа, в штате Массачусетс. Около 50 студентов 5–10 часов в неделю ходят для общения в дома престарелых, регулярно встречаются со своими пожилыми коммуникативными партнерами, занимаются с престарелыми в группах по интересам, например, занимаются живописью с больными, страдающими болезнью Альцгеймера. Организаторы волонтерской работы считают, что межпоколенческая программа позволяют студентам почерпнуть мудрость и опыт пожилых людей, а пожилым получить общение, уход и энтузиазм со стороны гарвардских студентов.

Работа по преодолению коммуникативного дефицита среди пожилых и оказанию им помощи ведется волонтерскими организациями в разных странах. Россия пока не является лидером в этом движении, но на региональном уровне существует довольно много волонтерских проектов.

В Мурманске, на базе Северного государственного медицинского университета с 1998 г. работает центр социальной помощи и поддержки «Воскресенье». Каждое воскресенье студенты-волонтеры организуют встречи с пожилыми людьми и инвалидами, общаются с ними, используя разные формы работы (спортивные занятия, хоровые занятия, тренинги и консультации по социально-психологическим вопросам). Профессора и доценты СГМУ читают здесь лекции по актуальным проблемам здоровья. Как отмечается на сайте СГМУ, студенты, работающие в центре, не случайные в центре люди. «Во-первых, все они уже прошли определенную часть профессиональной подготовки на лечебном, стоматологическом, психологическом факультетах, факультете социальной работы. Во-вторых, сотрудники психологической службы еженедельно проводят с ними занятия, готовят к работе с определенной возрастной категорией населения» (сайт Северного Государственного Медицинского Университета www.nsmu.ru).

В разных городах России реализуется немало местных программ, нацеленных на обеспечение коммуникации между молодыми и пожилыми, что рассматривается как форма социальной помощи пожилым. Например, студенты из Нижнего Новгорода осуществили трехдневный малобюджетный социальный проект «Тепло Сердец», способствующий налаживанию общения молодежи с пожилыми людьми (см. Приложение 1). При описании целей проекта авторы-студенты справедливо отмечают, что «в наше стремительное время мы часто забываем о тех, кто строил для нас это будущее, и не находим даже минуты пообщаться с нашими бабушками и дедушками. А ведь зачастую им нужно просто поговорить с нами, рассказать о своем прошлом, о своей молодости. Пожилые люди, находящиеся в домах-интернатах для престарелых нуждаются в этом вдвойне».

Проект «Александровский круг», проводимый с 1997 г. в городе Александров Владимирской области, также осуществляется молодыми волонтерами из общественной организации «Детские и молодежные инициативы». Как указывают разработчики проекта, «„Александровский круг“ —

это инновационная форма социально-педагогического сотрудничества людей разных поколений (детей и взрослых), предполагающая оказание детьми и молодежью социальной помощи пожилым людям по хозяйству (подготовка дров, прополка, мелкий ремонт, парикмахерские услуги, уборка помещений и двора, огородные работы и т. п.), организацию совместных спектаклей, фестивалей, обогащение детей опытом хранителей мировой культуры, обучение их жизненно-ценным навыкам и знаниям, привлечение к активному участию в работе над возрождением, пропаганде подлинных ценностей народного творчества, изучение, сохранение и передаче традиций» (www.dimsi.net).

Авторы проекта «Александровский круг», с присущей молодости категоричностью, называют его уникальным. «Уникальность данного проекта заключается в том, что в нем найдены эффективные механизмы взаимодействия молодого поколения с пожилыми людьми (в инновационной форме — „социально-культурная экспедиция“), позволяющие, с одной стороны, привлечь детей и подростков к социально значимой деятельности, а с другой, поддержать стремление представителей пожилого возраста передавать накопленный опыт молодежи. Направленное освоение богатейших народных традиций позволит преодолеть отчуждение значительной массы подростков и молодежи от народного творчества, от людей старшего поколения, от помощи им. Осуществление программы, результаты экспедиционных групп, как и в предыдущий период (до разработки специального проекта), будут освещать средства массовой информации (российские и александровские газеты, журналы, телевидение и радио), запланированы выпуск видеофильмов, серии „Книги добрых дел“, пропаганда опыта на специальных семинарах, фестивалях, праздниках» (www.dimsi.net). Судя по описанию проекта, он действительно предусматривает интенсивное участие молодежи в общении с пожилыми людьми, с акцентом на изучение и поддержание фольклорных традиций, что вполне оправданно при волонтерской работе молодежи с пожилыми людьми из сельской местности.

«В современных российских условиях многие пожилые люди помимо дефицита общения испытывают существенную нехватку социальной помощи. Молодежные добровольческие организации, такие как „Молодежные и детские инициативы“ осуществляют патронаж над пожилыми согражданами, в который входит работа в огороде, помощь в выращивании рассады, уход за домашними цветами и животными; проведение генеральной уборки и косметического ремонта; запись клиента к врачу, посещение больных в лечебных учреждениях, консультирование по интересующим проблемам; доставка продуктов, гуманитарной помощи, оплата коммунальных услуг, доставка литературы из библиотеки, оформление подписки на газеты и журналы; написание писем; сбор лекарственных трав и ягод, подготовка и доставка праздничных посылок; организация концертов для клиентов и в пользу клиентов; сбор благотворительных пожертвований; поддержка подростков и молодежи в местах заключения и т. п.» (www.dimsi.net). Некоторые опасения автора книги связаны с тем, что часто эти формы работы декларируются в заявках на финансовую помощь для проведения проекта, но, кажется, далеко не всегда реализуются.

Указанные проекты помогают не только преодолению коммуникативного дефицита, включая пожилых людей в разного рода социальные взаимодействия, но и способствуют активизации личностного потенциала престарелых граждан. В тех случаях, когда удовлетворяются основные потребности пожилого человека: физиологические, социальные, рекреационные, религиозные, — создаются оптимальные условия для самореализации, в т. ч. для творчества и создания эстетических и интеллектуальных ценностей. Так, например, в знакомой семье сразу две бабушки, обеим около 70 лет, почти одновременно начали заниматься живописью и, по их словам, получают от этого процесса огромное удовольствие.

В одном из немногочисленных российских пособий по социальной геронтологии студентам дается незамысловатый совет: «нельзя забывать о том, что при беседе со старым человеком нужно стараться сохранять на лице выражение интереса, сочувствия и доброжелательности» (Яцемирская и др. 1999, 214). К сожалению, одного доброжелательного выражения лица явно недостаточно для создания оптимальных социальных и коммуникативных условий для пожилых. Работники социальных служб вместе с волонтерами и благотворительными организациями должны объединять усилия по преодолению или хотя бы смягчению коммуникативного дефицита, который продолжают испытывать пожилые люди в современной России.

ВЫВОДЫ

Читателям хорошо известна фраза из классического советского фильма: «Счастье — это когда тебя понимают». Многие люди часто вспоминают и афоризм Антуана де Сент-Экзюпери: «Единственная известная мне роскошь — это роскошь человеческого общения». В этой книге мы старались ответить на вопрос, что же предопределяет понимание в общении и способствует эффективной коммуникации между людьми разных поколений?

Несомненно, наши индивидуальные коммуникативные умения и навыки, особенности в задавании вопросов, в выслушивании собеседника, в описании и объяснении каких-либо событий, в раскрытии личной информации, в манере убеждения собеседников, в жестикуляции, мимике, и прочие коммуникативные особенности влияют на характер общения. Очевидно также, что в общении между людьми все социальные факторы: пол, возраст, образование, доход, классовая, групповая и этническая принадлежность, вероисповедание, место проживание и др. так или иначе сказываются на характере коммуникации, ее эффективности и уровне удовлетворения от общения. Однако, ознакомившись с нашей книгой, с описанными в ней теоретическими моделями коммуникации, значительным количеством исследований в разных странах мира, с опросами и наблюдениями, проведенными самим автором, внимательные читатели согласятся, что именно возраст участников коммуникации является одним из наиболее важных социальных факторов, влияющих на характер общения.

С наибольшей частотой и желанием люди общаются со своими сверстниками и людьми, принадлежащими к их поколению. Разница же в возрасте между коммуникантами во многом предопределяет частоту и объем общения, тематику коммуникации, наличие или отсутствие стремления приспособиться к коммуникативным нуждам собеседника, характер раскрытия информации в общении, стремление поддерживать, ограничивать или прекращать коммуникационные контакты. На протяжении всей жизни человек, переходя из одной возрастной категории в другую, выстраивает общение с собеседниками, сознательно или бессознательно учитывая то, насколько старше или насколько младше оказывается партнер по разговору.

Наше социолингвистическое исследование показало, что при уста-.овлении и поддержании межпоколенческих коммуникативных контактов определенное преимущество имеют люди среднего возраста, которым в большей степени удается проводить эффективное общение и с поколением внуков и внучек, и с поколением бабушек и дедушек. И младшее поколе-ние, в возрасте до 40 лет, и старшее поколение, после 60 лет, испытывают большие трудности, особенно при общении вне семьи, с людьми из другой возрастной группы.

Судя по результатам проведенного исследования, характер коммуни-кации между молодыми и пожилыми людьми в России оказался ближе к характеру общения между поколениями в США и странах Европы, нежели чем в странах азиатско-тихоокеанского региона, таких как Корея, Япония и КНР. Данные опросов указывают на то, что коммуникативный эгоцен-тризм молодого поколения россиян расцветает на фоне потери статуса и приниженного материального положения пожилых граждан России. Ком-муникативные затруднения, испытываемые пожилыми, часто лишь усили-ваются в результате коммуникативного поведения их более молодых собе-седников.

Как показали наши наблюдения, молодые собеседники в целом менее ориентированы на языковое приспособление в беседе с более зрелыми людьми, нередко подчеркивают осознаваемое или неосознаваемое нера-венство в общении с пожилыми, используют слишком громкий голос, ут-рированно четкую артикуляции, намеренно упрощенные высказывания, лексические единицы с уменьшительно-ласкательными суффиксами, ис-пользуют снисходительные и покровительственные интонации при обще-нии с пожилыми, часто прибегают к тактике дивергенции при общении, проявляют нежелание подстраиваться под стилистический регистр пожи-лого собеседника.

Молодые коммуниканты нередко игнорируют вопросы со стороны по-жилых, демонстрируют нежелание выслушивать жалобы престарелых лю-дей, часто отмахиваются от советов людей старшего поколения, не готовы проявлять внимание к воспоминаниям пожилых, а некоторые представи-тели молодежи иногда испытывают и геронтофобию, крайнюю форму не-приятия пожилых. В тоже время, как показал лексико-социолингвистиче-ский опрос, описанный в работе, собственно внутриязыковые, и в частно-сти, лексические факторы, скорее всего, не являются серьезным объектив-ным препятствием для межпоколенческого общения.

В связи в увеличением продолжительности жизни и сокращением рож-даемости в последние десятилетия существенное изменился демографи-ческий профиль населения, особенно в развитых странах Европы, Амери-ки и некоторых странах Азии. Это привело к тому, что в этих странах по-коление внуков и внучек и поколение бабушек и дедушек стали сближаться по численности. Вместе с ростом продолжительности жизни люди старшего поколения хотели бы улучшить и качество своей жизни. В работе мы постарались показать, что коммуникативный дефицит, испытываемый в основном представителями старшего поколения, а также снисходительная и упрощенная коммуникация, направленная в адрес пожилых, ориентация на возрастные стереотипы и клише, непонимание коммуникативных нужд и особенностей престарелых участников коммуникации как внутри, так и вне семьи ведут к существенному снижению качества жизни пожилых людей. В книге описаны инициативы в области образования, стажерские и волонтерские проекты, которые направлены на преодоление коммуникативной изоляции пожилых. К сожалению, эти проекты в России не приобрели массовый характер и не пользуются направленной поддержкой государства.

До сих пор межпоколенческая коммуникация практически не являлась предметом изучения среди российских ученых, социолингвистов, психолигвистов и специалистов в области коммуникации. Существует очевидная необходимость эмпирических исследований на российском материале, чтобы лучше определить специфические российские «болевые точки» общения между людьми разных поколений. Требуются разные исследовательские подходы: и масштабные социолингвистические опросы, и глубинные собеседования с представителями разных поколений, и этнографические методы, и фокус-группы, которые способны дать конкретные ответы на более узкие вопросы. Например, имеет ли смысл заменять слова *больной, инвалид*, имеющие негативную коннотацию, на какие-либо иные термины при обращении к нездоровым пожилым людям, как это произошло в англо-язычных странах? К сожалению, в России пока что отсутствуют и какие-либо специализированные периодические издания, редакторы которых проявляли бы интерес к публикации исследований по межпоколенческой коммуникации.

В книге мы попытались привлечь внимание к опасности недооценки роли коммуникации для психологического и социального самочувствия людей. Повторим, что большинство людей имеют глубокую потребность общения, и то, насколько хорошо удовлетворяется их потребность в коммуникации, во многом определяет их качество жизни. Умение выстраивать общение с собеседниками разного возраста в семье и вне семьи имеет существенный профилактический эффект, помогает людям лучше справляться со стрессами, приспосабливаться к изменениям в жизни, эффективнее ограждать себя от депрессий, высокого уровня тревожности и одиночества.

Правильно построенная межпоколенческая коммуникация может приносить существенную отдачу и способствовать, например, более точному диагнозу и более скорому выздоровлению при беседах пожилого пациента с лечащим врачом или получению большего удовлетворения при визите социального работника, который дружелюбно и внимательно общается с престарелым подопечным. Это относится, конечно, не только к работникам социальных и медицинских учреждений. Учет особенностей межпоколенческой коммуникации в области бизнеса и политики могут сказываться на более эффективной рекламе и маркетинге, на нацеленном продвижении товаров к группе покупателей определенного возраста, на установлении более доверительных отношений между парламентариями и электоратом и пр. Таким образом, дальнейшие исследования в области межпоколенческой коммуникации должны учитываться не только при подготовке социальных и медицинских работников, но и маркетологов, специалистов в области рекламы и общественных отношений. Коллективные усилия исследователей, публицистов, а также и просто неравнодушных людей должны привлечь внимание широких кругов населения к неразрешенным проблемам межпоколенческой коммуникации, с тем чтобы роскошь человеческого общения становилась доступной нам всем, вне зависимости от возраста!

Приложение 1

Проект, направленный на поддержание общения между молодыми и пожилыми людьми:

Социальный проект «Тепло сердец»

Организация-исполнитель: студенческое объединение «УЛей».

Поддерживающая организация: Малая академия государственного управления.

Руководитель проекта: Сафронова Светлана, слушатель Малой академии, студентка 4 курса Филологического факультета ННГУ им. Лобачевского.

География проекта: г. Нижний Новгород, ННГУ им. Лобачевского, дом-интернат для престарелых и инвалидов.

Сроки реализации: приблизительные сроки — 17- 20 марта 2007 г.

Стоимость проекта: 3500 руб.

Аннотация заявки

В настоящее время очень много социальных проектов направлены на беспризорных детей, или детей, находящихся в детских домах и интернатах. Но зачастую мы забываем о тех, кто в преклонном возрасте оказался в домах престарелых и домах инвалидов. Многие из пожилых людей являются ветеранами труда, остались и ветераны войны. И они, как никто, нуждаются во внимании со стороны молодежи, и даже больше не в материальной помощи — им необходимо общение.

Проект «Тепло сердец» был предложен слушателями МАГУ группой «УЛей» для реализации. Учитывая все психологические особенности людей преклонного возраста, мы разработали специальную программу, которая максимально эффективно сможет наладить общение молодежи с пожилыми людьми, а также решить те цели и достичь тех задач, которые мы перед собой ставили. Студенты проектной группы уже имеют опыт реализации социальных проектов. Ими были выполнены два социальных проекта по работе с детьми, находящимися в школе-интернате. Стоимость проекта складывается из средств на подарки пенсионерам, канцелярские товары, а также продуктов для чаепития.

Введение

Проект «Тепло сердец» реализуется проектной группой ННГУ под руководством Сафроновой Светланы. Проектная группа существует около года, и создалась при Отделе воспитательной работы ННГУ, а в нынешнем году все студенты являются слушателями МАГУ ННГУ. Все ребята, работающие в группе, имеют основательные навыки для реализации проектов, прошли обучения во всероссийских лагерях — семинарах студенческого актива. Кроме того, к работе привлекаются первокурсники университета, что помогает им адаптироваться к студенческой жизни и проявить свои качества. Группа работает исключительно с проектами, которые разрабатывают и выполняют сами ребята. Деятельность объединения является успешной, т. к. она сотрудничает с Отделом воспитательной работы ННГУ. Исходя из прошлых проектов и планирующихся работ, можно сделать вывод, что организация направлена на решение социальных проблем, а также на улучшение качества студенческой жизни в университете. Сейчас перед группой стоит проблема взаимодействия пожилых людей и молодежи.

Постановка проблемы

На сегодняшний день в России демографическая ситуация начинает стабилизироваться, но пожилых людей все равно пока остается на небольшой процент больше, чем молодежи. В наше стремительное время мы часто забываем о тех, кто строил для нас это будущее, и не находим даже минуты пообщаться с нашими бабушками и дедушками. А ведь зачастую им нужно просто поговорить с нами, рассказать о своем прошлом, о своей молодости. Пожилые люди, находящиеся в домах-интернатах для престарелых нуждаются в этом вдвойне.

Цели и задачи проекта

Цели:

- наладить контакт и общение между молодежью и пожилыми людьми;
- проявление в молодежи таких качеств, как сострадание и забота.

Задачи:

- организация досуга пожилых людей, находящихся в доме-интернате для престарелых.

Методы

Проектная группа два дня посещает дом-интернат для престарелых.

В первый день силами группы организуется развлекательный вечер с концертными номерами.

Второй день планируется провести шашечный турнир, в это время не участвующие в турнире будут заняты либо какими-то настольными играми, либо рукоделием.

Ожидаемые результаты

- взаимодействие между молодежью и пожилыми людьми;
- психологическая помощь пожилым людям.

Оценка и отчетность

По результатам проекта отчет предоставляется в Отдел воспитательной работы и деканат МАГУ ННГУ.

Отчет предоставляется в письменном виде с фотографиями. МАГУ имеет право оценки проекта и подведения итогов.

Бюджет проекта:

Прямые расходы:

Канцелярские товары

Покупка продуктов для чаепития

Покупка шашечных наборов

Покупка небольших подарков для пожилых людей (салфеточки, полотенчики).

ПРИЛОЖЕНИЕ 2

Социологическое исследование Фонда Общественных Исследований

Под одной крышей с детьми и внуками: плюсы и минусы 23.06.2005 [отчет] [Ответы на открытые вопросы]

Опрос населения в 100 населенных пунктах 44 областей, краев и республик России. Интервью по месту жительства 18–19 июня 2005 г. 1500 респондентов. Дополнительный опрос населения Москвы — 600 респондентов. Статистическая погрешность не превышает 3,6 %.

ОТКРЫТЫЙ ВОПРОС: ПОЧЕМУ ВЫ СЧИТАЕТЕ, ЧТО ДЛЯ ПОЖИЛЫХ ЛЮДЕЙ БОЛЬШЕ ПОЛОЖИТЕЛЬНЫХ СТОРОН В СИТУАЦИИ, КОГДА ОНИ ПРОЖИВАЮТ ВМЕСТЕ СО СВОИМИ ДЕТЬМИ И ВНУКАМИ?

Суждения респондентов (в % от числа опрошенных)

Пожилым людям нужны забота, поддержка, уход	**12**
«За ними ухаживают»; «забота и уход»; «заботы больше о пожилых»; «здоровья уже нет, дети помогают»; «им больше внимания уделяют»; «им трудно жить одним, нужна помощь детей»; «какая-то помощь для них»; «нам помочь в чем-то уже нужно».	
Совместное проживание дает пожилым людям ощущение востребованности, избавляет их от чувства одиночества	**11**
Потребность в общении	8
«Больше для них общения»; «больше общения с родными»; «всегда приятно общаться»; «им есть с кем поговорить»; «им интересно с детьми»; «им не так скучно»; «им нужно много общения»; «можно пообщаться»; «нужно постоянное общение с близкими».	
Ощущение востребованности, избавление от чувства одиночества	4

«Есть уверенность в том, что не останется один»; «им важно знать, что они кому-то нужны»; «лучше жить с внуками, чем одной, одиночество — это страшно»; «не одни под старость»; «не чувствуют себя одинокими»; «одинокими не были бы»; «одиночество — это плохо»; «они не чувствуют себя одинокими, брошенными»; «считают себя востребованными».	
Это возможность взаимопомощи пожилых и молодых	**6**
Помощь друг другу	2
«Больше помощи, внимания друг к другу»; «взаимопомощь»; «друг другу нужны»; «мне дочка помогает, я — ей»; «они помогают, и им можно помочь»; «помогать можно друг другу»; «удовольствие от того, что и ты чем-то помогаешь, и тебе»; «...и они помогают, и им помогают — взаимовыручка».	
Помощь со стороны пожилых людей	2
«Больше внимания детям и внукам»; «контроль за внуками»; «пожилые люди помогают детям»; «помощь детям большая»; «родителям некогда, а бабушка присмотрит».	
Пожилые люди могут поделиться опытом, дать ценный совет	2
«Есть возможность подсказать, избежать ошибок»; «есть кому свой опыт передать»; «есть кому учить молодежь»; «много учат»; «они передают свой опыт»; «свой опыт передают молодежи, принимают участие в воспитании детей»; «учить всему хорошему».	
Дети и внуки — радость для пожилых людей, смысл их жизни	**5**
«Больше будет радости», «в этом жизнь»; «видеть, как растут внуки»; «вместе с внуками им веселее»; «внуки — это радость»; «внуки и дети не дают стареть»; «все-таки внуки — радость»; «дороже детей у них нет никого»; «не так быстро стареют»; «они любят своих детей и внуков»; «внуки родные»; «психологически лучше — дети радуют».	
Так спокойнее, хорошо, когда в семье все вместе	**3**
«Можно не волноваться друг за друга»; «они живут со мной — и моя душа спокойна»; «спокойнее, когда дети на виду»; «так спокойно будет за родителей и детей»; «это же наши родненькие»; «ближе друг к другу»; «в семье должны все жить вместе»; «все вместе»; «лучше, если бы дочь жила со мной»; «дружная семья»; «мы живем дружно».	
Это зависит от конкретных обстоятельств	**1**
«В частном доме, где есть простор, а не в тесноте, как мы прожили всю жизнь»; «если нормальные отношения»; «если права близких не ущемляют»; «если их дети уважают, то лучше с детьми»; «если хорошие дети».	
Другое	**1**
«Из собственного опыта»; «нужно жить не вместе, но рядом»; «у стариков дети все равно остаются детьми»; «я хорошо воспитал детей».	
Затрудняюсь ответить, нет ответа	**3**

ОТКРЫТЫЙ ВОПРОС: ПОЧЕМУ ВЫ СЧИТАЕТЕ, ЧТО ДЛЯ ПОЖИЛЫХ ЛЮДЕЙ БОЛЬШЕ ОТРИЦАТЕЛЬНЫХ СТОРОН В СИТУАЦИИ, КОГДА ОНИ ПРОЖИВАЮТ ВМЕСТЕ СО СВОИМИ ДЕТЬМИ И ВНУКАМИ?

Суждения респондентов (в % от числа опрошенных)

У молодых активный стиль жизни, а пожилым нужен покой	**8**
«Молодежь мешает старикам свои шумом»; «надоедают внуки, мешают отдыхать»; «они беспокоят»; «в 70 лет не до внуков»; «они не отдыхают, дети мешают им»; «болеем, нужен покой»; «больше отдыха им нужно»; «больше покоя для пожилых людей, если отдельно»; «другой ритм жизни»; «им нужно больше покоя, тишина»; «им спокойно хочется жить»; «меньше получается отдыха».	
У разных поколений разные взгляды на жизнь, несовпадающие интересы и привычки	**8**
«В старости надо жить отдельно, так как у всех свои привычки и взгляды»; «вместе не уживемся — разные мнения»; «дети достаточно взрослые, взгляды разные»; «интересы разные»; «мнения и взгляды разные»; «молодежь у нас имеет другие взгляды на жизнь»; «мы уже устарели»; «не всегда оценки совпадают»; «пожилые люди более консервативны в своих привычках».	
Совместное проживание ведет к ссорам, конфликтам, взаимонепониманию	**6**
«Бытовой уровень приводит к разногласиям»; «вечно нелады»; «есть недовольства»; «конфликтов больше»; «мелочи раздражают»; «меньше скандалов»; «много конфликтов возникает»; «надо только по праздникам встречаться, тогда и ссор меньше будет»; «не понимаем друг друга иногда»; «нет взаимопонимания»; «нет понимания».	
Молодые должны жить отдельно, самостоятельно	**5**
«Все должны жить отдельно»; «все хотят жить отдельно»; «дети начинают надеяться на родителей»; «жить надо отдельно — это аксиома»; «каждой семье нужно жить отдельно, самостоятельно»; «лучше жить на расстоянии»; «люди должны жить отдельно»; «молодые должны жить отдельно».	
При совместном проживании пожилые и молодые диктуют друг другу свои правила	**5**
«Будут мешать молодым»; «везде лезут, в каждую дыру, все им надо»; «делают замечания»; «дети навязывают свое мнение»; «лезут в чужие дела»; «мешать семье нельзя»; «молодежь не любит, когда их учат»; «надоедает старый человек своей нудностью»; «вмешиваются друг к другу в жизнь»; «...мешают друг другу»; «...чаще не соглашаются с мнением старших, делают по-своему».	

Совместное проживание создает лишние волнения, ненужные проблемы	4
«Беспокойно очень, когда вместе»; «это для всех тяжко»; «больше волнений»; «больше забот и хлопот»; «большие проблемы»; «забот больше»; «лишние заботы»; «много беспокойства»; «много проблем».	
Молодежь не уважает пожилых людей, не прислушивается к их мнению	2
«Молодежь не считается со стариками»; «молодые не слушают мнение пожилых, делают все по-своему»; «обижаюсь я на молодых»; «сейчас старых мало слушают и с ними считаются в чем-то»; «современная молодежь не понимает пенсионеров».	
Не хватает места для совместного проживания	1
«Две семьи вместе живут — квартиры не дают, хоть землянку строй»; «маленькая жилплощадь — мешают друг другу»; «мешают друг другу, мало места»; «тесно...».	
Не должно быть «двух хозяек у одной плиты»	<1
«Два медведя в одной берлоге не уживаются»; «двух хозяев в одном доме не бывает»; «не уживаются в семье две хозяйки на одной кухне»; «несколько хозяек не уживутся вместе»; «я уже не хозяйка буду».	
Знаю из личного опыта	<1
«Знаю из жизненного опыта»; «личный пример»; «на себе это испытала»; «своя семья».	
Другое	1
«Взрослые дети по факту часто остаются детьми»; «если они пьют, как у меня»; «не нравится»; «семьи разные»; «у каждой семьи свои трудности»; «в таком возрасте хочется заняться своей жизнью».	
Затрудняюсь ответить, нет ответа	1

ПРИЛОЖЕНИЕ 3

Советы Российского трангуманистического движения относительно поддержания здоровья в пожилом возрасте

Очень важно, чтобы ваш образ жизни был активным. Основной принцип здесь, как и с упражнениями — «используй, а то потеряешь!». Активность — это те же упражнения, только направленные на что-то полезное. В этом случае они дают гораздо больший эффект.

Можно отдаться интересной работе (если ваша работа не такая — смените ее!), можно — общественной деятельности. Но очень важно чувствовать, что вы кому-то нужны. Установлено что у человека, который помогает другому, увеличиваются его собственные силы, улучшаются показатели состояния здоровья. Этот подъем даже получил специальное название — «пик помощника». И наоборот, человек, чувствующий свою ненужность для окружающих, впадает в депрессию, состояние всех систем его организма ухудшается, и он значительно быстрее стареет.

Влюбляйтесь! Не зря написал Пушкин: «Любви все возрасты покорны, ее порывы благотворны». У влюбленных улучшается работа эндокринной системы, повышается иммунитет, даже — вопреки принятому мнению — улучшаются умственные способности. Их болезни волшебным образом вдруг проходят, они на глазах молодеют.

Хорошо известно, что одинокие люди стареют гораздо быстрее. Супруги в семье помогают друг другу, ухаживают друг за другом, чувствуют, что нужны друг другу. Если другой возможности иметь семью нет — заведите, хотя бы, собаку или кошку. Недаром говорят: «Купи собаку — это единственный способ приобрести настоящую любовь за деньги».

Общайтесь с молодежью. Общеизвестны легенды о восточных правителях, стремившихся достичь долголетия за счет энергии молодых тел девушек. Подобная практика была распространена в древней Греции, Риме, Китае. Сохранилась надпись на могильной плите римлянина Клавдия Геримпа, который прожил 115 лет и 5 дней «вдыхая дыхание молодых женщин». Подобным же образом поступали и женщины, держа возле себя молоденьких мальчиков. До недавнего времени считалось, что все это легенды и подобные методы омоложения на самом деле недейственны. Однако не так давно исследования американских ученых показали, что у зрелых и пожилых людей, общающихся с молодежью, происходит улучшение состояния эндокринной и сердечно-сосудистой систем. Причем, это связано не только с «подстегиванием» за счет сексуального возбуждения. Возможно, что на состояние их организма действовали феромоны молодых — вещества, выделяемые в воздух, запаха которых мы обычно не замечаем, но которые воздействуют на нашу нейроэндокринную систему. Впрочем, это пока только гипотезы.

В наших условиях, пожалуй, будет непросто укладываться спать в плотном окружении совсем юных девушек 12–14 лет, как это практиковалось в древности. Тем не менее, многое возможно и сейчас. Занимайтесь с детьми и внуками, своими и чужими. Играйте с ними, помогайте им учиться в школе, интересуйтесь их делами. Займитесь преподаванием — и тогда за общение с молодежью вам еще и будут платить деньги. Тем более что два лучших способа тренировать мозг и поддерживать его в хорошей форме — это чему-нибудь учить и чему-нибудь учиться.

Если у вас нет своих детей, подумайте о том, чтобы усыновить сироту. Известно, что наличие детей заставляет цепляться за жизнь даже тяжело больных людей. «Мне болеть некогда» говорят они — и не болеют.

Давно замечено, что дольше живут те люди, у которых спокойный, незлобивый, доброжелательный характер. Во многих странах долгожители окружены особым почтением именно потому, что считается, что самим своим возрастом они доказали свою доброту и мудрость. Избегайте зависти, злобы, гнева — хотя бы потому, что эти эмоции разрушают здоровье и ускоряют старение.

Получайте от жизни удовольствие, даже в старости. Исследования, проведенные группой американских ученых, показали, что люди, имеющие позитивное и оптимистическое отношение к старости и старению живут в среднем на 7 лет дольше!

Библиография

Альбегова И. Ф. Исследование мотивации социальных работников // Социологические исследования. 2005, 1, 78–81.

Арапов М. В. Пассивный словарь // Лингвистический энциклопедический словарь. М., 1990, 369.

Аристов С. А., Сусов И. П. Коммуникативно-когнитивная лингвистика и разговорный дискурс // Лингвистический Вестник, Ижевск, 1999.

Арутюнов С. А. Народные механизмы языковой традиции // Язык. Культура. Этнос. М., 1994: 5–12.

Арутюнова Н. Д. Язык и мир человека. М.: Языки русской культуры, 1998.

Барсукова С. Ю. Нерыночные обмены между российскими домохозяйствами: теория и практика реципрокности. М.: ГУ ВШЭ, 2004.

Бельчиков Ю. А. О стабилизационных процессах в русском литературном языке 90-х годов XX века // Семиотика, лингвистика, поэтика. К столетию со дня рождения А. А. Реформатского. М.: Языки славянской культуры, 2004.

Беляева Л. А. Социальная стратификация и средний класс в России: 10 лет постсоветского развития. М.: Academia, 2001.

Беляева Л. А. Социальный портрет возрастных когорт в постсоветской России // Социологические исследования. 2004, 10, 31–41.

Беляева Л. А. Социальные слои в России: Опыт кластерного анализа // Социологические исследования. 2005, 12, 56–64.

Бернштам Т. А. Молодежь в обрядовой жизни русской общины XIX — начала XX века. Половозрастной аспект традиционной культуры. Л., 1988.

Бессокирная Г. П. Факторный анализ: традиции использования и новые возможности // Социология. 2000, 12, 142–153.

Богданов В. В. Речевое общение: Прагматические и семантические аспекты. Л., 1990.

Бондалетов В. Д. Социальная лингвистика. М.: Просвещение, 1987.

Бондаренко И. Н. Доступ граждан пожилого возраста к социальным услугам: правовой, социально-экономический и нравственный аспекты // Отечественный журнал социальной работы. 2004, 4, 42.

Бондаренко И. Н. Пожилые люди: развитие социальной политики // Вестник государственного социального страхования. 2005, 7, 55, 9–13.

Боровкова Т. А. Образовательные проблемы геронтологии и гериатрии // Известия Уральского государственного университета. 2007, 50, 225–233.

Бреева Е. Б. Социальное сиротство. Опыт социологического исследования // Социологические исследования. 2004, 4, 44–50.

Варзанова Т. И. Религиозная ориентация молодых россиян. Возрастной и гендерный аспекты проблемы. М.: Центр Социологических исследований МГУ, 1997.

Василик М. А. Основы теории коммуникации. М.: Наука, 2003.

Васильчиков В. М., Бондаренко И. Н. Государственная идеология социальной политики РФ в отношении граждан пожилого возраста на современном этапе // Талант, знания, опыт старшего поколения — на пользу Родине: Мат. междунар. науч.-практ. конф.(декабрь 1999 года). М.: Издательство МГСУ «Союз», 2000. 10–16.

Вдовина М. В. Межпоколенные конфликты в современной российской семье // Социологические исследования. 2005, 1, 102–104.

Веселов В. Р. Интеллигенция и народ: возвращение к старой теме // Интеллигенция XXI века: тенденции и трансформации: Материалы научной конференции. Иваново, 2003, 41–44.

Выготский Л. С. Мышление и речь. Психологические исследования. М.: Наука, 1996.

Год православной России. М.: Romir Monitoring, 2003.

Гойхман О. Я., Надеина Т. М. Речевая коммуникация. 2-е изд., перераб. и доп. М.: ИНФРА·М, 2007.

Горелов И. Н. Коммуникация // Лингвистический энциклопедический словарь. М.: Советская Энциклопедия, 1990.

Горшков М. К., Тихонова Н. Е. Богатство и бедность в представлениях россиян // Социологические исследования, 2004, 3, 1–9.

Грейдина Н. Л. Основы коммуникативной презентации. М.: АСТ: Восток-Запад, 2005.

Гридина Т. А. Языковая игра: стереотип и творчество. Екатеринбург, 1996.

Гудков Д. Б. Теория и практика межкультурной коммуникации. М.: ИТДГК «Гнозис», 2003.

Даль В. И. Толковый словарь живого великорусского языка. Ч. I–IV, М., 1863–1866.

Дмитриева Е. И. Алиментные обязательства семьи по отношению к лицам преклонного возраста // Ученые записки РГСУ. 2004, 6: 15.

Дуличенко А. Д. Русский язык конца XX столетия. Мюнхен: Verlag Otto Sagner, 1994.

Елютина М. Э. Геронтологическое направление в структуре человеческого бытия. Саратов: Саратовский Гос. Тех. Университет, 1999.

Елютина М. Э., Смирнова Т. В. Геронтологическая составляющая кадровой работы современного руководителя // Социологические исследования. 2006, 3, 40–48.

Елютина М. Э., Чеканова Э. Е. Пожилой человек в образовательном пространстве современного общества // Социологические исследования. 2003, 7, 30–38.

Емельянова О. Н. О «пассивном словарном запасе языка» и «устаревшей лексике» // Русская речь. 2004, 1, 46–50.

Заславская Т. И. Современное российское общество. Социальный механизм трансформации. М.: Дело, 2004.

Здравомыслова О. М., Арутюнян М. Ю. Российская семья на европейском фоне. М.: Эдиториал УРСС, 1998.

Зелински Э. Уволились? Поздравляем! С песней на пенсию. М.: Гаятри, 2007.

Золотова Г. А., Онипенко Н. К., Сидорова М. Ю. Коммуникативная грамматика русского языка. М., 2004.

Зубенко Л. А. Эмоционально-психологическая сторона феномена женской религиозности // Общественное сознание и вопросы формирования научного мировоззрения. М., 1980.

Иванов И. И. Островский. Биографический очерк. СПб., 1898.

Иванова Е. И. Межпоколенные трансферты и их роль в решении социальных проблем пожилых людей в сельской местности // Пятая международная конференция Ассоциации Исследователей Экономики Общественного Сектора. СПб., 2002, С. 1–17.

Калюжнова И. А. Как выжить со свекровью. Практическое пособие для молодоженов. М.: Эксмо, 2007.

Карюхин Э. В. Бедность: геронтологические аспекты // Региональный общественный фонд помощи престарелым. М., 2002.

Карюхин Э. В. О дискриминации пожилых людей // Региональный общественный фонд помощи престарелым. М., 2002.

Клюев Е. В. Речевая коммуникация: успешность речевого взаимодействия. М.: Рипол классик, 2002.

Колесов В. В. Язык города. 2-е изд. М.: Эдиториал УРСС, 2005.

Колтунова М. В. Что несет с собой жаргон // Русская речь, 2003, 1, 48–50.

Конецкая В. П. Социология коммуникации. М., 1997.

Костомаров В. Г. Языковой вкус эпохи: Из наблюдений над речевой практикой масс-медиа. М., 1994.

Крысин Л. П. Социолингвистические аспекты изучения русского языка. М., 1989.

Крысин Л. П. Эвфемизмы в современной русской речи // Русский язык конца XX столетия (1985–1995). М., 1996, 384–408.

Крысин Л. П. Социальная маркированность языковых единиц // Вопросы языкознания, 2000, № 4, 12–28.

Крысин Л. П. Русский литературный язык на рубеже веков // Русская речь, 2000, № 1, 28–36.

Лакшин В. Я. Александр Николаевич Островский. 2-е изд., испр. и доп. М.: Искусство, 1982.

Лисовский В. Т. Духовный мир и ценностные ориентации молодежи. СПб., 2000.

Литвинова Н. П., Соколовская Е. А., Мухлаева Т. В. Высшая Народная школа для пожилых людей в Санкт-Петербурге: опыт, проблемы, перспективы. http://vnsh.festu.ru/publish/litvinova.doc, 1–7.

Лосева А. А. Конфликт как феномен языка и речи // Актуальные проблемы коммуникации и культуры. Москва-Пятигорск, 2006, 168–176.

Лотман Л. М. Островский и [русская] драматургия второй половины XIX в. // История всемирной литературы: В 9 томах / АН СССР; Ин-т мировой лит. им. А. М. Горького. М.: Наука, 1983– ... Т. 7. С. 62–75.

Луков В. А. Особенности молодежных субкультур в России // Социологические исследования. 2002, 10, 79–87.

Макаров М. Л. Интерпретативный анализ дискурса в малой группе. Тверь, 1998.

Макаров М. Л. Основы теории дискурса. М.: УРСС, 2003.

Малеева Т. М., Синявская О. В. Пенсионная реформа в России: о политической экономии популизма // Отечественные записки. 2005, 3, 1–13.

Мангейм К. Очерки социологии знания. Проблема поколений. Состязательность. Экономические амбиции. М.: Наука, 2000.

Маслова В. А. Введение в лингвокультурологию. М.: Академия, 1997.

Медведева Г. П. Введение в социальную геронтологию. М.: Московский психолого-социальный институт, 2000.

Мокиенко В. М., Никитина Т. Г. Большой словарь русского жаргона. СПб.: Норинт, 2000.

Немирский О. В. Терапевтическая роль групповой динамики // Московский психиатор. 1993, 3, 23–35.

Никитина Т. Г. Толковый словарь молодежного сленга. Слова непонятные взрослым. М.: Издательство АСТ, 2003.

Нор-Аревян О. А. Конфликтогенность взаимодействия поколений в условиях социальной транзиции российского общества: Автореф. дисс. ... канд. социол. наук. Ростов-на-Дону, 2003.

Овчарова Л., Прокофьева Л. Бедность и межсемейная солидарность в России в переходный период // Мониторинг общественного мнения. 2000, 48, 23–31.

Ожегов С. И. К вопросу об изменениях словарного состава русского языка в советскую эпоху // Вопросы языкознания. 1953, 2, 70–85.

Островский А. Н. Полное собрание сочинений. Пьесы. М.: ГИХЛ, 1949.

А. Н. Островский в воспоминаниях современников. М.: Художественная литература, 1966.

Панфилова А. П. Деловая коммуникация в профессиональной деятельности. СПб.: Знание, 2004.

Панченко А. А. Образ старости в русской крестьянской культуре // Отечественные записки. 2005, 24, 3.

Парахонская Г. А. Структура геронтологической социальной политики // Вестник Московского университета. Серия 7. Философия, 2005, 3, 49–60.

Патрушев В. Д. Свободное время работающих горожан России и США (сравнительный анализ) // Социологические исследования. 2004, 12, 30–40.

Почепцов Г. Г. Теория и практика коммуникации. М.: Центр, 1998.

Прохоров Ю. Е. Национальные социокультурные стереотипы речевого общения и их роль в обучении русскому для иностранцев. М.: 1997.

Пучков П. В. Вы чье, старичье? Опыт анализа геронтологического насилия // Социологические исследования. 2005, 10, 35–41.

Пшегусова Г. С. Социальная коммуникация: сущность, типология, способы организации коммуникативного пространства: Автореф. дисс. ... канд. филос. наук. Ростов-на-Дону, 2003.

Равенство в сфере труда — веление времени // Доклад Генерального Директора. Международное бюро труда, Женева, 2003.

Романов А. Ю. Русские пословицы — зеркало народного самосознания. Опыт исследования // Russian Language Journal, 1998, Vol. 52, № 171–173: 35–43.

Романов А. Ю. Англицизмы и американизмы в русском языке и отношение к ним. СПб.: Издательство С.-Петербургского университета, 2000.

Романов А. Ю. Современный русский молодежный сленг. Мюнхен: Verlag Otto Sagner, 2004.

Романов А. Ю. Теоретические основы в трактовке межгрупповой и межпоколенной коммуникации // Актуальные проблемы коммуникации и культуры. Выпуск 5. М.; Пятигорск: Пятигорский государственный лингвистический университет, 2007, 168–180.

Романов А. Ю. Проблемы коммуникации между представителями разных поколений в современном русском языке // Мир русского слова и русское слово в мире. Речевая деятельность: современные аспекты исследования. Sofia: Heron Press, 2007, 367–374.

Романов А. Ю. Проблемы коммуникации между поколениями на Востоке и Западе // Русский язык в Азии: современное состояние и тенденции распространения. Улан-Батор, 2007, 38–49.

Россия — новая социальная реальность. Богатые. Бедные. Средний класс. М.: Наука, 2004.

Савинов Л. И., Герасимова Н. В. Социальная адаптация пожилых людей к современной ситуации // Саранск: Изд-во Мордов. ун-та, 2002.

Савченко И. П. Молодежная политика как социальное управление: Автореф. дисс. ... док. социол. наук. Ростов, 2002.

Саралиева З. Х., Балабанов С. С. Религия и социально-психологическая адаптация женщин // Женщина в российском обществе. 1996, 3.

Синявская О. В. Оценка экономических последствий возможного изменения пенсионного возраста: Автореф. дисс. ... канд. экон. наук. М., 2002.

Скляревская Г. Н. Метафора в системе языка. СПб: Издательство СпбГУ, 2004.

Скребнев Ю. М. Введение в коллоквиалистику. Саратов, 1985.

Соколов А. В. Интеллектуально-нравственная дифференциация современного студенчества // Социологические исследования. 2005, 9, 91–97.

Сороколетов Ф. П. Пассивный словарь // Русский язык: Энциклопедия, М., 1979.

Сталин И. В. Марксизм и вопросы языкознания. М., 1952.

Стернин И. А. Введение в речевое воздействие. Воронеж, 2001.

Сулежкова С. А. Крылатые выражения русского языка. СПб.: Издательство С.-Петербургского университета, 1995.

Таннен Д. Общаться с родными. Как? М.: Эксмо, 2007.

Тарасов Е. Ф. Теоретические и прикладные проблемы речевого общения. М., 1979.

Тарасов Е. Ф. Актуальные проблемы анализа языкового сознания. М.: Институт Языкознания РАН, 2000.

Тер-Минасова С. Г. Язык как зеркало культуры. М.: Слово, 1999.

Тер-Минасова С. Г. Язык и межкультурная коммуникация. М., 2000.

Троицкая О. Г. Гендерные особенности коммуникации // Проблемы межкультурной коммуникации. Иваново: ИГХТУ, 2000, 374–380.

Тульцева Л. А. К этнопсихологической характеристике одного типа русских женщин: христовы невесты (чернички) // Мужчина и женщина в современном мире: меняющиеся роли и образы. М., 1990.

Устюжанинова М. С. Обозначения временных единиц как лексическая характеристика старости // Лаборатория фольклора РГГУ. М., 2001, 1–5.

Федотова Л. Н. Социология массовой коммуникации. М., 2002.

Формановская Н. И. Культура общения и речевой этикет. М.: ИКАР, 2002.

Холостова Е. И. Социальная работа с пожилыми людьми. Учебное пособие. М.: Издательско-торговая корпорация «Дашков и К», 2002.

Цейтлин А. Островский // Литературная энциклопедия: В 11 т. [М.], 1929–1939. Т. 8. М.: ОГИЗ РСФСР, гос. словарно-энцикл. изд-во «Сов. Энцикл.», 1934, 348–373.

Чеканова Э. Е. Социальные процессы старения: структуралистско-конструктивистский анализ. Саратов: Научная книга, 2004.

Черник В. Б. Фатические речевые жанры в педагогическом дискурсе и тексте урока: Автореф. дисс. ... канд. филол. наук. Екатеринбург, 2002.

Четвернина Т. Я. Пожилые работники на российском рынке труда: уязвимость положения и формы дискриминации // Гендерное равенство: поиски решения старых проблем. М.: МОТ, 2003.

Чупров В. И., Зубков Ю. А., Уильямс К. Молодежь в обществе риска. М.: Наука, 2001.

Шарков Ф. И. Основы теории коммуникации. М., 2002.

Шахматова Н. В. Социология поколений: поколенческая организация современного российского общества. Саратов: Издательство СГУ, 2000.

Шахматова Н. В. Поколенческая организация современного российского общества: Реферат дисс. ... докт. социол. наук. Ростов, 2003.

Шкаратан О. И. Социальные реалии России 2000-х. Предварительные итоги представительного исследования социальной стратификации. М., Высшая школа экономики, 2003.

Штейнберг И. Русское чудо: локальные и семейные сети взаимоподдержки и их трансформация // Неформальная экономика: Россия и мир, М., Логос: 1999, 233–234.

Щерба Л. В. Избранные работы по русскому языку. М.: Наука, 1990.

Яцемирская Р. С., Беленькая И. Г. Социальная геронтология: Учебное пособие для студентов высших учебных заведений. М.: Владос, 1999.

Adler, L., Denmark, F., Ahmed, R. Attitudes toward mother-in-law and stepmother: A cross-cultural study. *Psychological Reports*, 1989, 65, 1194.

Afifi, T., Burgoon, J. «We never talk about that»: a comparison of cross-sex friendships and dating relationships on uncertainty and topic avoidance. *Personal Relationships*, 1998, 5, 255–272.

Anderson, K., Harwood, J., Hummert, M. The grandparent-grandchild relationship implications for models of intergenerational communication. *Human Communication Research*, 2005, 31, 2, 268–294.

Armstrong, L., McKechnie, K. Intergenerational communication: fundamental but under-exploited theory for speech and language therapy with older people. *International Journal of Language and Communication Disorders*, 2003, 38, 1, 13–29.

Barbato, C., Freezel, J. The language of aging in different age groups. *The Gerontologist*, 1987, 27, 527–531.

Barer, B., The grands and greats of very old black grandmothers. *Journal of Aging Studies*, 2001, 15, 1–11.

Baxter, L., Sahlstein, E. Some possible directions for future research. In S. Petronio (Ed.) *Balancing the Secrets of Private Disclosures*. Mahwah, NJ: Lawrence Erlbaum Associates, 2000, 289–301.

Bearon, L. B. *Little Old Ladies and Grumpy Old Men: How Language Shapes Our View About Aging*. Raleigh, NC: Cooperative Extension Service, 2001.

Beatty, L. Effects of paternal absence on male adolescents' peer relations and self-image. *Adolescence*, 1995, 30, 873–880.

Beaumont, S., Vasconcelos, V., Ruggeri, M. Similarities and differences in mother-daughter and mother-son conversations during preadolescence and adolescence. *Journal of Language and Social Psychology.* 2001, 20, 419–444.

Bengston, V., Marti, G., Roberts, H. Age-group relationships: Generational equity and inequity. In K. Pillemer & K. McCartney (Eds.) *Parent-Child Relations throughout Life.* Hillsdale, NJ: Lawrence Erlbaum Associates, 1991, 253–278.

Bengston, V., Schaie, K., Burton, L. *Adult Intergenerational Relations: Effects of Societal Change.* New York: Springer, 1994.

Berger, C., Bradac, J. *Language and Social Knowledge: Uncertainty in Interpersonal Relations.* London: Edward Arnold, 1982.

Bettini, L., Norton, M. The pragmatics of intergenerational friendships. *Communication Reports.* 1991, 4, 64–72.

Block C. College students' perceptions of social support from grandmothers and step grandmothers. *College Student Journal,* 2002, 36, 419–432.

Boden, D., Bielby, D. The past as resource: A conversational analysis of elderly talk. *Language and Communication,* 1986, 6, 73–89.

Bonnesen, J., Hummert, M. Painful self-disclosures of older adults in relation to aging stereotypes and perceived motivations. *Journal of Language and Social Psychology,* 2002, 21, 3, 275–301.

Bryant, C., Conger, R., Meehan, J. The influence of in-laws on the change in marital success. *Journal of Marriage and Family,* 2001, 63, 614–626.

Cai, D., Giles, H., Noels, K. Elderly perceptions of communication with older and younger adults in China: Implications for mental health. *Journal of Applied Communication Research,* 1998, 26, 32–51.

Catan, L., Dennison, C., Coleman, J. *Getting Through: Effective Communication in the Teenage Years.* London: BT Forum/Trust for the Study of Adolescence, 1996.

Caughlin, J., Afifi, T. When is topic avoidance unsatisfying? Examining moderators of the association between avoidance and dissatisfaction. *Human Communication Research,* 2004, 30, 4, 479–513.

Caughlin, J., Golish, T. An analysis of association between topic avoidance and dissatisfaction: comparing perceptual and interpersonal explanations. *Communication Monographs,* 2002, 69, 275–295.

Chen, Y., King, B. Intra- and intergenerational communication satisfaction as a function of an individual's age and age stereotypes. *International Journal of Behavioral Development,* 2002, 26, 6, 562–570.

Cherlin, A., Furstenberg, F. *The New American Grandparent: A Place in the Family, a Life Apart.* New York: Basic Books, 1986.

Chow, N. W. Diminishing filial piety and the changing role and status of the elders in Hong Kong. *Hallym International Journal of Aging,* 1999, 1, 67–77.

Chowdhurry, B. *The Last Dive: A Father and a Son's Fatal Descent into the Ocean's Depths.* New York: HarperCollins, 2000.

Chudacoff, H. P. *How Old Are You? Age Consciousness in American Culture.* Princeton, NJ: Princeton University Press, 1989.

Cicerelli, V. *Helping Elderly Parents: The Role of Adult Children.* Boston: Auburn House, 1981.

Cicirelli, V. Attachment theory in old age: Protection of the attached figure. In K. Pillemer & K. McCartney (Eds.), *Parents-Child Relations throughout Life*. Hillsdale, NJ: Lawrence Erlbaum Associates, 1991, 2–42.

Cicirelli, V. Intergenerational communication in mother-daughter dyad regarding caregiving decisions. In N. Coupland & J. Nussbaum (Eds.) *Discourse and Life-span Identity*. Newbury Park, CA: Sage, 1993, 216–236.

Clark, C. *From Father to Son: Showing your Boy How to Walk with Christ*. New York: Navpress Publishing Group, 2002.

Clarke, K. *From Aging Soviets to US Citizens: Immigration, Aging, and the Cultural Construction of Old Age in New York City*. Ann Arbor, MI: University of Michigan Dissertation Service, 2003.

Coleman, P. *Aging and Reminiscence Process: Social and Clinical Implications*. Chichester, UK: Wiley, 1986.

Coupland, J., Coupland, N., Giles, H., Henwood, K., Wiemann, J. Elderly self-disclosure: Interactional and intergroup issues. *Language and Communication*, 1988, 8, 109–131.

Coupland, N., Coupland, J., Giles, G. *Language, Society and the Elderly. Discourse, Identity and Ageing*. Cambridge, MA: Blackwell, 1991.

Covey, H. Historical terminology used to represent older people. *The Gerontologist*, 1993, 28, 291–297.

Day, R., Lamb. (Eds.) *Conceptualizing and Measuring Father Involvement*. Mahwah, NJ: Lawrence Erlbaum Associates, 2004.

Dellman-Jenkins, M., Blankenmeyer, M., Pinkard, O. Young adult children and grandchildren in primary caregiver roles to older relatives and their service needs. *Family Relations*, 2000, 49, 177–187.

Derlega, V., Metts, S., Petronio, S., Margulis, S. *Self-disclosure*. Newbury Park, CA: Sage. 1993.

Dick, G. Men's relationships with their fathers: Comparing men who batter women with non-violent men. *Journal of Emotional Abuse*, 2004, 4, 61–84.

Dillon, J. Questioning. In O. Hargie (Ed.) *The Handbook of Communication Skills*. London: Routledge, 1997, 103–134.

Dindia, K. Sex differences in self-disclosure, reciprocity of self-disclosure, and self-disclosure and liking: three meta-analyses reviewed. In S. Petronio (Ed.) *Balancing the Secrets of Private Disclosures*. Mahwah, NJ: Lawrence Erlbaum Associates, 2000, 21–36.

Dodson, J. *Final Rounds: A Father, a Son, the Golf Journey of a Lifetime*. New York: Bantam, 2003.

Drew, L., Smith, P. Implications for grandparents when they lose contact with their grandchildren: Divorce, family feud, and geographical separation. *Journal of Mental Health and Aging*. 2002, 8, 95–119.

Drudy, J., Reicher, S. Collective action and psychological change: The emergence of new social identities. *British Journal of Social Psychology*. 2000, 39: 579–604.

Drury, J., Dennison, C. Representations of teenagers among police officers: Some implications for their communication with young people. *Youth and Policy.* 2000, 66, 62–87.

Drury, J. Adolescent communication with adults in authority. *Journal of Language and Social Psychology.* 2003, 22, 1: 66–73.

Dunn, J., Bretherton, L., Munn, P. Conversations about feeling states between mothers and their young children. *Developmental Psychology.* 1987, 23, 132–139.

Duval, L. L., Ruscher, J. B., Welsh, K., & Catanese, S. P. Bolstering and undercutting use of the elderly stereotype through communication of exemplars: The role of speaker age and exemplar stereotypicality. *Basic and Applied Social Psychology*, 2000, 22,137–146.

Egan, G. *The Skilled Helper.* California: Brooks/Cole, 2002.

Eckert, P. *Linguistic Variation as Social Practice. The Linguistic Construction of Identity in Belten High.* Cambridge, MA: Blackwell, 2000.

Fiehler, R. Language and age: how does language change when we become older? *Sprachreport*, 2002, 18, 2, 21–25.

Fingerman, K. *Aging Mothers and their Adult Daughters: A Study in Mixed Emotions.* New York: Springer, 2001.

Fisher, C., Miller-Day, M. The mother-adult daughter relationship. In K. Floyd & M. Morman (Eds.) *Widening the Family Circle. New Research on Family Communication.* Thousand Oaks, CA: Sage, 2006, 3–20.

Fisher, L. R. Between mothers and daughters. *Marriage and Family Review.* 1991, 16, 237–248.

Fox, S., Giles, H. Accommodating intergenerational contact: A critique and theoretical model. *Journal of Aging Studies*, 1993, 7, 423–451.

Gallois, C., Giles, H., Ota, H., Pierson, H, Ng, H., Lim, T., Maher, J., Somera, L., Ryan, E., Harwood, J. Intergenerational communication across the Pacific Rim: The impact of filial piety. In J. C. Lasry, J. D. Adair,& K. Dion (Eds.). *Latest Contributions to Cross-Cultural Psychology.* Lisse, The Netherlands: Swets & Zeilinger, 1999, 192–211.

Giles, H., Coupland, N. *Language: Context and Consequences.* Milton Keynes: Open University Press, 1991.

Giles, H., Liang, B., Noels, K., McCann, R. Communicating across and within generations: Taiwanese, Chinese-American, and Euro-American perceptions of communication. *Journal of Asian Pacific Communication*, 2001, 11, 2, 161–179.

Giordano G, J. Effective communication and counseling with older adults. *International Journal of Aging and Human Development*, 2000, 51, 315–324.

Gold, D., Andres, D., Arbuckle, T., Schwartzman, A. Measurement and correlates of verbosity in elderly people. *Journal of Gerontology*, 1998, 43, 27–33.

Golish, T. Changes in closeness between adult children and their parents: A turning point analysis. *Communication Reports*, 2000, 13, 79–98.

Gottlieb, A. *Sons Talk about their Gay Fathers: Life Curves.* New York: Harrington Park Press, 2003.

Gudleski, G., Shean, G. Depressed and nondepressed students: differences in interpersonal perceptions. *Journal of Psychology*, 2000, 134, 56–62.

Gudykunst, W., Matsumoto, Y. Cross-cultural variability of communication in personal relationships. In W. B. Gudykust, S. Ting-Toomey, & T. Nishida (Eds.), *Communication in Personal Relationships Across Cultures*, Thousand Oaks, CA: Sage, 1996, 19–56.

Haas, A., Sherman, M. Reported topics of conversation among same-sex adults. *Communication Quarterly*, 1982, 30, 332–342.

Hajek, C., Giles, H. The old man out: an intergroup analysis of intergenerational communication among gay men. *Journal of Communication*, 2002, 52: 698–714.

Hamilton, H. E. *Language and Communication In Old Age: Multidisciplinary Perspectives*. NY: Garland, 1999.

Hargie, O., Dickson, D. *Skilled Interpersonal Communnication. Research, Theory, and Practice*. New York: Routledge, 2004.

Harwood, J., Giles, H., Ryan, B. Aging, communication, and ingroup theory: Social identity and intergenerational communication. In J. Nussbaum and J. Coupland (Eds.), *Handbook of Communication and Aging Research*. Mahwah, NJ: Lawrence Erlbaum, 1995, 133–159.

Harwood, J. Communication media use in the grand-parent-grandchild relationship. *Journal of Communication*. 2000, 50, 56–78.

Harwood, J. Comparing grandchildren's and grandparents' stake in their relationship. *International Journal of Aging and Human Development*, 2001, 53, 205–220.

Harwood, J. Hewstone, M., Paolini, S., Voci, A. Grandparent-grandchild contact and attitudes toward older adults: Moderator and mediator effects. *Personality and Social Psychology Bulletin*, 2005, 31, 393–406.

Hepburn, A. Teachers and secondary school bullying: A postmodern discourse analysis. *Discourse and Society*. 1997, 8, 27–48.

Hess, J. Maintaining non-voluntary relationships with disliked partners: an investigation into the use of distancing behaviors. *Human Communication Research*, 2000, 26, 458–488.

Hetzel, L., Smith, A. *The 65 and Over Population: 2000*. Washington DC: Census Brief, 2000.

Ho, D. Filial piety, authoritarian moralism, and cognitive conservatism in Chinese societies. *Genetic, Social and General Psychology Monographs*, 1994, 120, 347–365.

Hofstede, G. *Culture's Consequences*. Beverly Hills: Sage, 1980.

Holladay, S. «Have fun while you can,» «You're only as old as you feel,» and «Don't ever get old!»: an examination of memorable messages about aging. *Journal of Communication*. 2002, 52, 681–697.

Hummert, M., Shaner, J. Patronizing speech to the elderly as a function of stereotyping. *Communication Studies*, 1994, 45, 145–158.

Hummert, M., Shaner, J., Garstka, T., Henry, C. Communication with older adults: The influence of age stereotypes, context, and communicator age. *Human Communication Research*, 1998, 25, 125–152.

Hummert, M., Mazloff, D. Older adult's responses to patronizing advice: balancing politeness and identity in context perceptions of patronizing speech. *Journal of Language and Social Psychology*, 2001, 20, 168–196.

Ikels, C., Keith, J., Dickerson-Putnam, J., Draper, P., Fry, C., Glascock, A., Harpendink, H. Perceptions of an adult life course. A cross cultural analysis. *Aging in Society*, 1992, 12, 49–84.

Ilardo, J. *Father-Son Healing: An Adult's Son's Guide*. New York: New Harbinger, 1993.

Ingersoll-Dayton, B., Starrels, M., Dowler, D. Care-giving for parents and parents-in-law: Is gender important? *The Gerontologist*. 1996, 36, 483–491.

Jones, K., Kramer, T., Armitage, T., Williams, K. The impact of father absence on adolescent separation-individuation. *Genetic, Social, and General Psychology Monographs*, 2003, 129, 73–95.

Jones, S., Nissenson, M. *Friends for Life*. New York: William Morrow, 1997.

Jordan, J. The relational self: A model of women's development. In J. Van Mens-Verhulst, J. Schreurs, L. Woertman (Eds.), *Daughtering and Mothering: Female Subjectivity Reanalyzed*. New York, Routledge, 1993, 135–144.

Juby, H., Farrington, D. Distinguishing the link between disrupted families and delinquency. *British Journal of Criminology*, 2001, 41, 22–40.

Karasik, R., Maddox, M., Wallingford, M. Intergenerational service-learning across levels and disciplines: One size (does not) fit all. *Gerontology & Geriatrics Education*, 2004, 25, 1, 1–17.

Karasik, R., Wallingford, M., Finding community: Developing and maintaining effective intergenerational service-learning partnerships. *Educational Gerontology*, 2007, 33, 9, 775–793.

Karp, D., Yoels, W. *Experiencing the Life Cycle: A Social Psychology of Aging.* Springfield, IL: 1982.

Kemper, S. *Constraints on Language: Aging, Grammar and Memory*. Boston: Kluwer Academic Publishers, 1999.

Kennedy, G. E. Quality in grandparent/grandchild relationships. *International Journal of Aging and Human Development*, 1992, 35, 83–98.

Kim, U. Individualism and collectivism. Conceptual clarification and elaboration. In U. Kim, H. Triandis, C. Kagitcibais, S.-C. Choi, G. Yoon (Eds.), *Individualism and Collectivism: Theory, Method, and Applications*. Thousand Oaks, CA: Sage, 1994, 19–40.

King, V., The legacy of grandparents' divorce: Consequences for ties between grandparents and grandchildren. *Journal of Marriage and the Family*, 2003, 65, 170–183.

Kite, M., Johnson, B. Attitudes toward older and younger adults: A meta-analysis. *Psychology and Aging*, 1988, 3, 233–244.

Klinger, E., Bierbraver, G. Acculturation and conflict regulation of Turkish immigrants in Germany: a social influence perspective. In W. Wosinska, R. Cialdini, D. Barret, J. Reykowski (Eds.). *The Practice of Social Influence in Multiple Cultures*. Mahwah, NJ: Lawrence Erlbaum, 2001.

Kraus, S. On adult daughters and their mothers: A peripatetic consideration of developmental tasks. *Journal of Feminist Family Therapy*, 1989, 1, 27–35.

Kreider, R., Simmons, T. Marital status: 2000. Washington, DC: Bureau of the Census, 2003.

Labov, W. *Principles of Linguistic Change: Internal Factors*. Oxford: Blackwell, 1994.

Langellier, K. Performing family stories, forming cultural identity: Franco American Memere stories. *Communication Studies*. 2002, 53, 56–73.

La Tourette, T., Meeks, S. Perceptions of patronizing speech by older women in nursing homes and in the community. *Journal of Language and Social Psychology*, 2000, 19, 4, 463–473.

Laursen, B. Conflict and Social Interaction in Adolescent Relationships. *Journal of Research on Adolescence*. 1995, 5, 55–70.

Lawton, L., Silverstein, M., Bengston, V. Solidarity between generations in families. In V. L. Bengston & R. A. Harootyan (Eds.), *Intergenerational Linkages: Hidden Connections in American Society*. New York: Springer, 1994, 19–42.

Leaper, C., Anderson, K., Sanders, P. Moderators of gender effects on parents' talk to their children: A meta-analysis. *Developmental Psychology*. 1998, 34, 3–27.

Leary, M., Kowalski, R. *Social Anxiety*, New York: Guiford Press, 1995.

LeBlanc, B. La paradis avant la fin de vos jours: les raisons socials des maisons d'hebergement au Canada. *Onomastica Canadiana*, 2003, 85, 2, 89–98.

Levin, J., Levin, W. Ageism: *Prejudice and Discrimination against the Elderly*. Belmont, CA: Wadsworth, 1980.

Lin, G., Rogerson, P. Elderly parents and geographic availability of their children. *Research on Aging*. 1995, 17, 303–331.

Lin, M., Harwood, J. Accomodation predictors of grandparent-grandchild relational solidarity in Taiwan. *Journal of Social and Personal Relationships*. 2003, 20, 537–563.

Lin, M., Harwood, J., Bonnesen, J. Conversation topics and communication satisfaction in grandparent-grandchild relationships. *Journal of Language and Social Psychology*, 2002, 21, 3, 302–323.

Lundgren, D., Rudawsky, D. Speaking one's mind or biting one's tongue: when do angered persons express or withhold feedback in transactions with male and female peers? *Social Psychology Quarterly*, 2000, 63, 253–63.

Marchese, J. Renovations: *A Father and Son Rebuild a House and Rediscover Each Other*. New York: Riverhead Books, 2002.

McCrea, J., Nichols, A., Newman, S. Intergenerational Service-Learning in Gerontology. Pittsburgh, PA: University of Pittsburgh: Generations Together (AGHE), 2000.

McKeen, W., McKeen, G. *Highway 61: A Father and Son Journey through the Middle of America.* New York: Norton, 2003.

Miller-Day, M. *Communication among Grandmothers, Mothers, and Adult Daughters: A Qualitative Study of Maternal Relationships.* Mahwah, NJ: Lawrence Erlbaum Associates, 2004.

Miller-Rassulo, M. The mother-daughter relationship: Narrative as a path to understanding. *Women's Studies in Communication,* 1992, 15, 1–21.

Mitzner, T., Kemper, S. Oral and written language in late adulthood: Findings from the Nun Study. *Experimental Aging Research,* 2003, 29, 4, 457–474.

Morgan, G., Griego, O. *Easy Use and Interpretation of SPSS for Windows.* Mahwah, NJ: Lawrence Erlbaum, 1998.

Morgan, M., Floyd, K. The good son: Men's perceptions of the characteristics of sonhood. In M. Morgan & K. Floyd (Eds.), *Widening the Family Circle. New Research on Family Communication.* London: Sage, 2006, 37–55.

Nagasawa, R. *The Elderly Chinese: A Forgotten Minority.* Chicago, IL: Pacific Asian American. 1980.

Ng, S., Liu, J., Weatherall, A., Loong., C. Younger adults' communication experiences and contact with elders and peers. *Human Communication Research,* 1997, 24, 1, 82–108.

Ng, S. Social psychology in an ageing world. Ageism and intergenerational relations, *Asian Journal of Social Psychology,* 1998, 1, 99–116.

Neurgarten, B., Weinstein, K. The changing American grandparent. *Journal of Marriage and the Family.* 1964, 26, 199–204.

Nussbaum, J., Bettini, L. Shared stories of the grandparent-grandchildren relationship. *International Journal of Aging and Human Development,* 1994, 39, 67–80.

Nussbaum, J., Coupland, J. *Handbook of Communication and Aging Research.* Mahwah, NJ: Lawrence Erlbaum Associates: 1995.

Omarzu, J. Disclosure decision model: determining how and when individuals will self-disclose. *Personality and Social Psychology Review.* 2000, 4, 174–185.

Palmore, E. D. *Ageism, Negative and Positive.* New York: Springfield, 1990.

Park, M., Kim, M. Communication practices in Korea. *Communication Quarterly,* 1992, 40, 398–404.

Pearlman, V., Wallingford, M. Intergenerational wellness programming in occupational therapy. *Journal of Intergenerational Relations,* 2003, 1,2, 67–78.

Pecchioni, L., Croghan, J., Young adults' stereotypes of older adults with their grandparents as the targets. *Journal of Communication,* 2002, 52, 715–730.

Pensions Commission Report, http://news.bbc.co.uk/2/hi/business/4484226.stm

Peters, H., Day, R. (Eds.) Fatherhood: Research, Interventions, and Policies. *Marriage and the Family Review,* 2000, 29, 1–322.

Petronio, S. *Boundaries of Privacy. Dialectics of Disclosure.* Albany, NY: State University of New York Press, 2002.

Pettigrew, T., Tropp, L. Does intergroup contact reduce prejudice: Recent metaanalytical findings. In S. Oskamp (Ed.) Reducing Prejudice and Discrimination. Hillsdale, NJ: Erlbaum, 2000, 93–114.

Pleck, J., Masciadrelli, B. Paternal involvement by U.S. residential fathers: Levels, sources, and consequences. In M. E. Lamd (Ed.), *The Role of the Father in Child Development*. New York: Wiley, 2004, 222–271.

Plummer, W. Wishing My Father Well: A Memoir of Fathers, Sons, and Fly Fishing. New York: Everlook Press, 2000.

Pollock, S. *Examination and Comparison of Oral and Written Language Production among Normal Aging Individuals*. Columbus, OH: Ohio State University, 2002.

Popov, N. *The Russian People Speak. Democracy at the Crossroads*. Syracuse: Syracuse University Press, 1995.

Raffaelli, M., Green, S. Parent-adolescent communication about sex: Retrospective reports by Latino college students. *Journal of Marriage and the Family*, 2003, 65, 474–495.

Reed, V., McLeod, K., McAllister, L. Importance of selected communication skills for talking with peers and teachers: Adolescents' opinion. *Language, Speech and Hearing Services in Schools*. 1999, 30, 32–49.

Riggio, H., Desrochers, S. Maternal employment and the work and family attitudes and expectations of young adults. In D. Halpern & S. Murphy (Eds.), *From Work-Family Balance to Work-Family Interaction: Changing the Metaphor*. Mahwah, NJ: Lawrence Erlbaum Associates, 2004, 202–238.

Roberto, K., Stroes, J. Grandchildren and grandparents: Roles, influences, and relationships. *International Journal of Aging and Human Development*, 1992, 34, 227–239.

Roloff, M. *Interpersonal Communication. The Social Exchange Approach*. Newbury Park, CA: Sage, 1981.

Roloff, M. Communications and reciprocity within intimate relationships. In M. E. Roloff & C. R. Berger (Eds.), *Interpersonal Processes. New Directions in Communication Research*. Newbury Park, CA: Sage, 1987: 11–38.

Rosenfeld, L. Overview of the ways privacy, secrecy, and disclosure are balanced in today's society. In S. Petronio (Ed.) *Balancing the Secrets of Private Disclosures*. Mahwah, NJ: Lawrence Erlbaum Associates, 2000, 3–19.

Ruscher, J., Hurley, M. Off-target verbosity evokes negative stereotypes of older adults. *Journal of Language and Social Psychology*. 2000, 19, 1, 141–149.

Ryan, E., Giles, H., Bartolucci, G., Henwood, K. Psychological and social psychological components of communication by and with the elderly. *Language and Communication*, 1986, 6, 1–24.

Ryan, E., Cole R. Evaluative perceptions of interpersonal communication with elders. In H. Giles, N. Coupland, & J. Wiemann (Eds.), *Communication, Health and the Elderly*, Manchester: Manchester University Press, 172–190.

Ryan, E., Hummert, M., Boich, L. Communication predicament of aging: patronizing behavior toward older adults. *Journal of Language and Social Psychology*, 1995, 14, 1–2, 144–166.

Schaie, K. Ageist language in psychological research. *American Psychologist*, 1993, 48, 49–51.

Segrin, C. Age moderates the relationship between social support and psychological problems. *Human Communication Research*, 2003, 29, 3, 317–342.

Serewicz, M. Getting along with the in-laws: relationships with parents-in-law, In K. Flaoyd, M. Morman (Eds.), *Widening the Family Circle. New Research on Family Communication*. Thousand Oaks, CA: Sage, 2006, 101–117.

Shenitz, B., Holleran, A. *The Man I Might Become: Gay Men Write about Their Fathers*. New York: Marlowe, 2002.

Sher, A., *Aging in Post-Mao China: The Politics of Veneration*. Boulder, CO: Westview, 1984.

Singer, A., Weinstein, R. Differential paternal treatment predicts achievement and self-perception in two cultural contexts. *Journal of Family Psychology*, 2000, 14, 491–509.

Somary, K., Stricker, G. Becoming a grandparent: A longitudinal study of expectations and early experiences as a function of sex and lineage. *The Gerontologist*. 1998, 38, 53–61.

Song, D., Youn, G. Characteristics of loneliness for the elderly Korean. *Journal of Korea Gerontological Society*, 1989, 9, 64–78.

Street, R , Giles, H. Speech accommodation theory: a social cognitive approach to language and speech behavior. In M. E. Roloff and C. R. Bereger (Eds.), *Social Cognition and Communication*, Newbury Park, CA: Sage, 1982: 193–226.

Stuart, S., Vanderhoof, D., Beukelman, D. Topic and vocabulary use patterns of elderly women. *Augmentative and Alternative Communication*, 1993, 9, 95–110.

Suganuma, M. Self-disclosure and self-esteem in old age. *Japanese Journal of Psychology*, 1997, 45, 12–21.

Tajfel, H. *Human Groups and Social Categories*. Cambridge: Cambridge University Press, 1981.

Takiff, M. *Brave Men, Gentle Heroes: American Fathers and Sons in World War II and Vietnam*. New York: William Morrow, 2003.

Tam, T., Hewstone, M., Harwood, J., Voci, A., Kenworthy, J. Inergroup contact and grandparent-grandchild communication: The effects of self-disclosure on implicit and explicit biases against older people. *Group Processes and Intergroup Relations*. 2006, 9, 413 429.

Thimm, C., Rademacher, U., Kruse, L. Age stereotypes and patronizing messages: features of age-adapted speech in technical instructions to the elderly. *Journal of Applied Communication Research*. 1998, 26, 1, 66–82.

Thorne, A. Personal memory telling and personality development. *Personality and Social Psychology Review*. 2000, 4, 45–56.

Timmer, S., Veroff, J. Family ties and the discontinuity of divorce in black and white newlywed couples. *Journal of Marriage and the Family*, 2000, 62, 349–361.

Ting-Toomey, S., Chung, L. *Understanding Intercultural Communication*. Los Angeles, CA: Roxbury Publishing Company, 2005.

Tobin, J. The American Idealization of old age in Japan. *The Gerontologist*, 1987, 27, 53–58.

Trees, A. Nonverbal communication and the support process: Interactional sensitivity in interactions between mothers and young adult children. *Communication Monographs*, 67, 239–262.

Triandis, H., Leung, K., Vallareal, M., Clark, F. Allocentric versus indiocentric tendencies. *Journal of Research in Personality*, 1985, 19, 395–415.

Turner, J. Towards a cognitive redefinition of the social group. In H. Tajfel (Ed.), *Social Identity and Intergroup Relations*. Cambridge: Cambridge University Press, 1982, 15–40.

Turner, J. *Rediscovering the Social Group: A Self-Categorization Theory*. Oxford, England: Blackwell, 1986.

Uhlenberg, P., Kirby, J. Grandparenthood over time: Historical and demographic trends. In M. Szinovasz (Ed.). *Handbook on Grandparenthood*. Westport, CT: Greenwood Press, 1998, 23–39.

Van Mens-Verhulst, J., Schreurs, J., Woertman, L. *Daughtering and Mothering: Female Subjectivity Reanalyzed*. New York, Routledge, 1993.

Waldron, V., Gitelson, R., Kelley, D. Gender differences in Social Adaptation to a retirement community: longitudinal changes and the role of mediated communication. *The Journal of Applied Gerontology*, 2005, 24, 4, 283–298.

Walters, S. *Lives Together, Worlds Apart. Berkeley*. University of California Press, 1992.

Ward, R., Spitze, G. Consequences of parent-child co-residence: A review and research agenda. *Journal of Family Issues*. 1992, 13, 553–572.

Webb, L. Common topics of conversation between young adults and their grandparents. *Communication Research Reports*, 1985, 2, 156–163.

Whalen, C., Henker, T., Hollingshead, J., Burgess, S. Parent-adolescent dialogues about AIDS. *Journal of Family Psychology*. 1996, 10, 343–357.

Williams, A., Giles, H. Intergenerational conversations. Young adults' retrospective accounts. *Human Communication Research*, 1996, 23, 220–250.

Williams, A., Nussbaum J. *Intergenerational Communication across the Life Span. London*: Lawrence Erlbaum, 2001.

Williams, A., Garrett, P. Communication evaluations across the life span: From Adolescent storm and stress to elder aches and pains. *Journal of Language and Social Psychology*, 2002, 21, 2, 101–126.

Wolff, F., Marsnik, N., Tacey, W., Nichols, R. *Perceptive Listening*. New York: Holt, Rinehart and Winston, 1983.

Wong, B. *A Chinese American Community: Ethnicity and Survival Strategies*. Singapore: Chopmen Enterprise, 1979.

Yeh, J., Williams, A., Maruyama, M. A comparison of young Taiwanese and American's perceptions of intergenerational communication: Approving or disapproving grandmothers and strangers. *Journal of Asian Pacific Communication*, 1998, 8, 125–149.

Youn, G., Song, D. Aging Korean's perceived conflicts in relationships with their offspring as a function of age, gender, cohabitation status and marital status. *The Journal of Social Psychology*. 1991, 132, 299–305.

Yum, J. The impact of Confucianism on interpersonal relationships and communication patterns in East Asia. *Communication Monographs*, 55, 374–388.

Zhang, Y., Hummert, M. Harmonies and tensions in Chinese intergenerational communication. Younger and older adults' accounts. *Journal of Asian Pacific Communication*, 2001, 11, 203–230.

SUMMARY

The book offers a comprehensive review of intergenerational communication. It is divided into a preface, an introduction, six chapters, and concluding comments: Chapter 1 examines theoretical frameworks in the study of intergenerational communication. In Chapter 2, factors of intergenerational communication are discussed. Chapter 3 contains a sociolinguistic study of intergenerational communication and its perception in Russia, and Chapter 4 is a sociolinguistic study of usage and understanding of religious words by people of different ages, Chapter 5 presents examples, problems, and solutions of intergenerational communication; Chapter 6 investigates ways to overcome the intergenerational barrier in communication.

The introduction states that intergenerational communication is a relatively new field in communication research, particularly in Russia, where no major studies based on communication among people of different ages have been published. The author argues that the age of participants is an important factor that influences the frequency and process of communication as well as the interlocutors' level of satisfaction.

Chapter 1 provides an overview of the theoretical foundations of intergenerational communication research: the intergroup theory (Tajfel 1981; Turner 1986), the social exchange theory (Roloff 1981, 1987), the communication accommodation theory (Street & Giles 1982; William & Giles 1996), the communication predicament of aging model (Ryen et al. 1986), and the stereotype activation model (Hummert 1994). Each review presents essential findings in their respective areas of research and discusses them in the light of intergenerational communication research. The author contends that the combination of theories or models can provide an integrated approach to the study of intergenerational communication.

Chapter 2 analyzes some important factors relating to intergenerational communication. It starts with age as a category in historical development, focusing on recent changes in the demographic situation in the world and on the ag-

ing population in the late 20th and 21st centuries. The author then investigates
the position of the elderly in post-Soviet Russia and traces alterations in family
structure, changes in the status of various groups of people, variations in adaptation to new market realities, and corresponding changes in communication
styles. For example, the chapter asserts that changes in the material well-being
and status of the Russian elderly may have translated into modifications of intergenerational communication patterns. The chapter examines research on familial intergenerational communication (grandparent-grandchild) and non-familial
communication (with police officers, doctors, and educators) in an intergenerational context, highlighting communicative difficulties in various settings and
providing examples of communication observed and recorded in Russia, particularly examples of over-accommodation in care-giving and community settings. Previous studies suggest that aspects of intergenerational communication
in some East Asian nations may be more problematic than in some Western ones
(Giles et al., 2001). The chapter reviews and summarizes research on perceptions of intergenerational communication and compares communication patterns in Western and Eastern countries where scholars noted significant differences in views on communication and aging. The chapter also deals with aging
stereotypes and their reflection in intergenerational communication.

Chapter 3 reports on a study of cross-generational communication conducted by the author in 2005 in St. Petersburg, Russia. The research was mod-
eled on recently conducted surveys of intergenerational communication in the
US, Britain, and Pacific Rim countries (Williams et al., 1996; Noels et al., 2001;
Giles et al., 2001), and was the first to be conducted in Russia. A questionnaire
elicited participants' perceptions of conversations with members of four target
groups: the elderly (aged 60 and above), middle-aged people (40–60), young
people (20–40), and teenagers (13–20). The participant pool was made up of
260 people living in St. Petersburg. These people were not formally randomly
selected, but were a convenience sample of people available and willing to take
part in the survey. Consistent with research in other countries, it was found that
young Russian respondents under 20 and between the ages of 20 and 30 reported less frequent contact with older respondents (both aged 40 to 60 and
above 60 years of age) and more contact with peers than did the older respondents. The oldest respondents (aged 60–70 and 70–80) reported more frequent
contact with older targets than they did with young children and teenage
groups; they, too, had the most frequent contact with peers. Respondents who
perceived themselves as more sociable people reported more frequent communication regardless of age. However, the reported communicative acts happened
more frequently with representatives of teenagers and young people; the study
did not find any significant correlations between perceived sociability and
communication with older people. The results point to a possible trend of selec-
tive sociability among our respondents, and the desire to communicate primar-

ily with younger people. At the same time, young Russian respondents were less concerned with making themselves communicatively attractive to older people, probably because their communicative behavior was primarily aimed at communicative accommodation within their own age group. The author labels this phenomenon as a communicative egocentrism among young interlocutors.

The survey found that attitudes toward intergenerational communication in Russia are similar to those in Western countries. During conversations, people get more satisfaction while talking to interlocutors of their own age group. The study found a statistically significant relationship between the age of respondents and their reported communication satisfaction: for all four age groups the correlation coefficients were fairly high. Older people reported that they were less satisfied when holding conversations with younger people compared to their satisfaction with their communication with interlocutors of their own age group. Results of the survey indicate that younger Russians, like their American counterparts, often feel a desire to avoid or end conversations with non-family elders. To summarize the scales relating to perceptions of communication with different age categories, a factor analysis using SPSS 14,0 was conducted. The best solution for perceptions of others' communicative behavior was comprised of four factors: communicative accommodation and desire to communicate, communicative egocentrism and self-promotion, communicative non-accommodation and desire to avoid or end conversations, and partial accommodation and desire to talk only about one's own problems. The author found that strategies of communicative behavior do not change with age, as respondents reported the same strategies for initiation, avoidance, or conclusion of intergenerational conversations regardless of their own age.

Chapter 4 reports on a study investigating the understanding and usage of religious terminology by people of different ages. In the post-Soviet period, the Russian language has experienced instability in the boundaries between the center and the periphery of the lexical system. It was claimed that words previously considered historicisms or obsolete terminology were making a comeback (Ryazanova-Clarke & Wade 1999). The changed role of religion in contemporary Russia has propelled ecclesiastical words into more active use. However, it was not clear to what extent these words are familiar to Russian speakers of different ages. The central task of the study was to establish a relationship between the age of speakers and their familiarity with religious words, and their attitude toward ecclesiastical words and expressions.

In this survey, conducted in Moscow and St. Petersburg, 132 respondents were asked to indicate how familiar they were with 22 pre-selected ecclesiastical words, how often they used them in their speech, and how often they came across these words in the mass media and in the speech of their relatives and friends. Respondents also provided information about their age, gender, religion, and education. The study demonstrated that respondents in all age groups were rather poorly acquainted with the meaning of selected ecclesiastical words, with the exception of high frequency words like «Trinity» and «Eucharist». Correlation analysis showed that with age people tend to use more ecclesiastical words in their speech (notwithstanding the fact that the majority of old and middle-aged Russians were brought up in Soviet atheist traditions). At the same time, older respondents indicated that they view ecclesiastical words as being somewhat less prestigious than do their younger counterparts who were not subject to the atheist propaganda. On the issue of a special language policy of using measures to promote religious lexis, we found a strong correlation between the rate of church attendance and favorable attitudes toward such a policy. Education level correlated with a better understanding of religious words and expressions. Women viewed the policy to promote religious words favorably more often than men did, but did not report a better understanding and higher usage of ecclesiastical words.

In general, young speakers tend to innovate in their lexical usage and be the least conservative in borrowing and trying new words in their lexicon. Middle-aged participants in communication are usually very close to the lexical norm, while older speakers are more conservative and tend to use outdated and obsolete words. The study proved that ecclesiastical words are viewed as mostly obsolete by older and middle-aged Russian speakers, while younger communicators are more inclined toward learning and using these words in their speech. Ecclesiastical words were not viewed as an obstacle in intergenerational communication, as they currently play a very minor role in conversations among Russian speakers.

Chapter 5 deals with intergenerational communication in a familial setting. As a novel feature in discourse and sociolinguistic analysis, the chapter uses numerous examples from the texts of A. N. Ostrovsky, a famous Russian playwright of the 19th century. The author gives a number of arguments supporting the innovative study of familial communication through the lens of interactions between characters in Ostrovsky's plays, and provides a brief overview of his creative works. The chapter then focuses on communication between parents and their young sons and daughters, communication between older parents and their middle-aged children, and communication between grandparents and their grandchildren, as well as communicative relations with in-laws. The chapter closes with an analysis of painful self-disclosures, a typical feature of elderly speech, and narratives of elders, in which narratives of the author's family members serve as illustrations.

It is claimed that in intergenerational familial communication, participants strive to achieve a balance in their relations, maintaining comfortable closeness and yet preserving some distance. Communicative adaptation within families helps to achieve this balance, whether communication is built on hierarchical relations or on a more equal footing between players. Current research on familial communication is brought into discussion. For instance, the author traces two types of communication in mother-daughter relations — connected and enmeshed (Miller-Day 2004) — and provides examples from Ostrovsky's plays demonstrating that these types of communication are not a very recent phenomenon, but existed in Russia about a century and a half ago.

Chapter 6 draws attention to the fact that the elderly in Russia experience a communication deficit in an intergenerational context. The chapter outlines possibilities for positive efforts in reducing this deficit. Three aspects of this work are discussed: educational opportunities for the elderly, service learning opportunities for promotion of intergenerational communication, and volunteer projects that involve an intergenerational component.

The chapter reviews educational opportunities for the elderly in the US, Russia, and other countries, and draws comparisons between educational systems. The chapter presents examples of elderly participation in education in a traditional university setting, in special universities for the elderly, and in study-abroad courses where non-traditional students are forced to engage in intense intergenerational communication. The author, who regularly leads study-abroad programs for American students in Russia, provides an analysis of the intergenerational communication and educational experience of the elderly who have participated in his programs.

With the growth of the aging population, there is a variety of opportunities for intergenerational service learning. Potential partners in this venture might include adult day care centers, community groups, senior centers, facilities for veterans, long-term care facilities, and hospitals. It is proposed that Russian universities could adopt strategies in service learning already developed by their American counterparts and involve students in various intergenerational projects and communication. The chapter ends with a review of volunteer projects in Russia aimed at helping the elderly meet their communication and other social needs.

Представляем Вам наши лучшие книги:

URSS

Психология

Поляков С. Э. **Мифы и реальность современной психологии.**

Журавлев И. В. **Как доказать, что мы не в матрице?**

Журавлев И. В. **Психология и психопатология восприятия.**

Журавлев И. В. **Семиотический анализ расстройств речемыслительной деятельности.**

Журавлев И. В. и др. **Психосемиотика телесности.**

Шуппе В. и др. **Фундаментальная психология у истоков неклассической парадигмы.**

Виттельс Ф. **Фрейд. Его личность, учение и школа.**

Субботина Н. Д. **Суггестия и контрсуггестия в обществе.**

Супрун А. П., Янова Н. Г., Носов К. А. **Метапсихология.**

Артемьева Е. Ю. **Психология субъективной семантики.**

Баксанский О. Е., Кучер Е. Н. **Когнитивно-синергетическая парадигма НЛП.**

Кузнецова Ю. М., Чудова Н. В. **Психология жителей Интернета.**

Соколов А. Н. **Внутренняя речь и мышление.**

Роговин М. С. **Проблемы теории памяти.**

Суходольский Г. В. **Основы психологической теории деятельности.**

Розин В. М. **Личность и ее изучение.**

Розин В. М. **Визуальная культура и восприятие. Как человек видит и понимает мир.**

Грегори Р. Л. **Разумный глаз. Как мы узнаем то, что нам не дано в ощущениях.**

Режабек Е. Я. **Мифомышление (когнитивный анализ).**

Авенариус Р. **О предмете психологии.**

Панов В. И., Сараева Н. М., Суханов А. А. **Влияние экологически неблагоприятной среды на интеллектуальное развитие детей.**

Сараева Н. М. **Психологический статус человека на территориях экологического неблагополучия.**

Поппер К. Р. **Знание и психофизическая проблема.** Пер. с англ.

Бейтсон Г. **Разум и природа: неизбежное единство.** Пер. с англ.

Бейтсон Г. **Шаги в направлении экологии разума.** Кн. 1–3. Пер. с англ.

Серия «Из наследия мировой психологии»

Вундт В. **Введение в психологию.**

Челпанов Г. И. **Мозг и душа: Критика материализма и очерк учений о душе.**

Лурия А. Р. **Основные проблемы нейролингвистики.**

Сеченов И. М. **Рефлексы головного мозга.**

Рибо Т. А. **Эволюция общих идей.**

Блонский П. П. **Память и мышление.**

Мюнстерберг Г. **Психология и учитель.**

Сёлли Дж. **Очерки по психологии детства.**

Клапаред Э. **Психология ребенка и экспериментальная педагогика.**

Овсянико-Куликовский Д. Н. **Вопросы психологии творчества.**

Тардье Э. **Скука. Психологическое исследование.**

Фонсегрив Ж. **Элементы психологии.**

Куэ Э. **Школа самообладания путем сознательного (преднамеренного) самовнушения.**

Ярошевский М. Г. **Л. С. Выготский: в поисках новой психологии.**

Представляем Вам наши лучшие книги:

Серия «Женевская лингвистическая школа»

Балли Ш. **Жизнь и язык.** Пер. с фр.
Сеше А. **Очерк логической структуры предложения.** Пер. с фр.
Сеше А. **Программа и методы теоретической лингвистики.** Пер. с фр.
Фрей А. **Грамматика ошибок.** Пер. с фр.
Фрей А. **Соссюр против Соссюра? Статьи разных лет.** Пер. с фр.
Кузнецов В. Г. **Женевская лингвистическая школа: от Соссюра к функционализму.**

Серия «Классический университетский учебник»

Кузнецов П. С. **Историческая грамматика русского языка. Морфология.**
Селищев А. М. **Старославянский язык.**
Козаржевский А. Ч. **Учебник латинского языка.**

Серия «Новый лингвистический учебник»

Баранов А. Н. **Введение в прикладную лингвистику.**
Кобозева И. М. **Лингвистическая семантика.**
Плунгян В. А. **Общая морфология: Введение в проблематику.**

Серия «Школа классической филологии»

Тронский И. М. **История античной литературы.**
Тронский И. М. **Вопросы языкового развития в античном обществе.**
Покровский М. М. **Семасиологические исследования в области древних языков.**
Покровский М. М. **Материалы для исторической грамматики латинского языка.**
Эрну А. **Историческая морфология латинского языка.**
Мор Я. Г. **Книга упражнений по греческой этимологии.**

Прикладная лингвистика

Хомский Н., Миллер Дж. **Введение в формальный анализ естественных языков.**
Гладкий А. В. **Синтаксические структуры естественного языка.**
Попов Э. В. **Общение с ЭВМ на естественном языке.** (Науки об искусственном.)
Потапова Р. К. **Речь: коммуникация, информация, кибернетика.**
Потапова Р. К. **Новые информационные технологии и лингвистика.**
Потапова Р. К. **Речевое управление роботом.**
Потапов В. В. **Динамика и статика речевого ритма.**
Венцов А. В., Касевич В. Б. **Проблемы восприятия речи.**
Раскин В. **К теории языковых подсистем.**

Тел./факс:
(499) 135-42-46,
(499) 135-42-16,

E-mail:
URSS@URSS.ru
http://URSS.ru

Наши книги можно приобрести в магазинах:

«Библио-Глобус» (м. Лубянка, ул. Мясницкая, 6. Тел. (495) 625-2457)
«Московский дом книги» (м. Арбатская, ул. Новый Арбат, 8. Тел. (495) 203-8242)
«Молодая гвардия» (м. Полянка, ул. Б. Полянка, 28. Тел. (495) 238-5001, 780-3370)
«Дом научно-технической книги» (Ленинский пр-т, 40. Тел. (495) 137-6019)
«Дом книги на Ладожской» (м. Бауманская, ул. Ладожская, 8, стр. 1. Тел. 267-0302)
«Гнозис» (м. Университет, 1 гум. корпус МГУ, комн. 141. Тел. (495) 939-4713)
«У Кентавра» (РГГУ) (м. Новослободская, ул. Чаянова, 15. Тел. (499) 973-4301)
«СПб. дом книги» (Невский пр., 28. Тел. (812) 448-2355)